WITHDRAWN

CAROLINA CORONADO
OBRA POÉTICA

CAROLINA CORONADO
OBRA POÉTICA

VOLUMEN II

Edición, notas y estudio preliminar
GREGORIO TORRES NEBRERA

EDITORA REGIONAL DE EXTREMADURA

MÉRIDA
1993

Editora Regional de Extremadura
c/ Puente, 9
06800 Mérida (Badajoz). Teléf. (924) 300710

Diseño de cubiertas: JAVIER BERROCAL
SERIE RESCATE - 7
Primera edición en la Serie Rescate de la E.R.E.: Julio 1993

© De la introducción y notas: GREGORIO TORRES NEBRERA
© JUNTA DE EXTREMADURA
   Consejería de Cultura y Patrimonio

ISBN: 84-7671-974-4 (Obra completa)
ISBN: 84-7671-985-X (Vol. II)
Depósito legal: BA. 140-1993

Printed in Spain. Impreso en España
Composición e Impresión:
    Gráficas VARONA
    Rúa Mayor, 44. Teléf. (923) 263388. Fax 271512
    37008 SALAMANCA

ÍNDICE

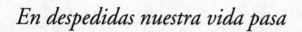

En despedidas nuestra vida pasa

UNA DESPEDIDA

Escuchad mis querellas,
recinto y flores del placer abrigo,
  imágenes tan bella
como ese cielo que os protege amigo.
    Asilo de inocencia,   5
consuelo del dolor, bosque sombrío,
  ir quiero a tu presencia,
y tu césped regar con llanto mío.
    Y el agua de tu fuente
beber acaso por la vez postrera,   10
  y respirar tu ambiente,
besar tus flores, la gentil palmera
    que tu dintel guarnece
de lejos saludar entre congojas,
  y a la que en torno crece   15
modesta acacia de menudas hojas.
    Y a los álamos graves
el postrimer adiós dar afligida,
  y cantar con las aves
tristísima canción de despedida.   20
    Y en tu grandiosa alfombra
reposar halagada de ilusiones
  bajo la fresca sombra
de tus frondosos sauces y llorones...
    Sus hojas se estremecen   25
y errantes sombras a mi planta evocan,
  que en el viento se mecen,
y mis cabellos con blandura tocan.
    Desde aquí la pintura
es más bello admirar de ese tu cielo,   30

los visos y frescura
de las nubes cercanas a tu suelo.

    Y al través de las ramas
mirar el sol que su lumbrera humilla,
    y cual de rojas llamas   35
el Occidente retocado brilla.

    ¿Ni qué música iguala
al sordo vago suspirar del viento
    con que armonioso exhala
un bello día su postrer aliento?   .   40

    ¡Ah! ¡si mi vida entera,
mi cara soledad, recinto amado,
    consagrarte pudiera
el mundo huyendo y su falaz cuidado!

    Mas ¡ay! que la alegría   45
de contemplaros con la luz perece
    del presuroso día
que a mis ansiosos ojos desaparece.

    Esas aves cantoras
que de gozar la tarde fatigadas,   50
    en tropas voladoras
retornan gorjeando a sus moradas.

    Cuando una sola estrella
con apagada luz brille en el cielo;
    cuando la aurora bella   55
ciña el espacio con purpúreo velo,
    y el nuevo y claro día
con sus tintas anime la pradera;
    ellas con alegría
volverán a girar por tu ribera.   60

    En turba bulliciosa
los bosques poblarán... y yo entretanto
    lejana y silenciosa
las horas contaré de mi quebranto.

    ¡Ay! ¡ellas tu hermosura   65
gozarán y tu paz y sus amores!...
    Yo gusté harta ventura:
bebí en tus fuentes y besé tus flores.

El Conservador, 9 (7-Noviembre-1841), pp. 14-15.

Poesía (1843 y 1852).

Cuartetos-liras.

El texto de la recopilación de 1852, que es el que aquí se transcribe, presenta significativas variantes con respecto a la lectura que ofrece *El Conservador,* y que se anotan a continuación:

v. 14: «saludar a lo lejos con tristura».

v. 16: «modesta acacia que su sombra apura».

– Entre el v. 24 y el 25 *El Conservador* introduce una nueva estrofa que falta en el texto que aquí se presenta:

> *Son bellos tus caminos:*
> *rosales cubren su bruñida piedra;*
> *los árboles vecinos*
> *brilla, ceñidos de amorosa yedra.*

En cambio, los versos del 41 al 48 faltan en el texto de *El Conservador.*

v. 49: «Son tus aves cantoras».

v. 53: «Cuando, ¡ay!, sola una estrella».

v. 58: «con sus tintas anime tu pradera».

Kirpatrick (1991, 198) anota para este texto una evidente influencia de Meléndez Valdés, «aunque en este poema Coronado invierte el alegre saludo a la naturaleza que se expresa en el poema de Meléndez titulado *El Mediodía,* recoge muchas de las imágenes a través de las cuales el poeta concreta su participación en los placeres de la naturaleza: reposo y sueño sobre la hierba a la sombra de un árbol, contemplación del sol a través de las ramas, el canto de los pájaros, la suave brisa que peina su cabello».

LOS QUINCE AÑOS

Dejas apenas la risueña infancia.
Juegos, placeres de su edad dejaste.
Ya el dulce brillo de los quince mayos
cerca tus sienes.

Niña aún graciosa, la infantil sonrisa   5
bulle en tus labios, como el aura tenue.
Juega en el seno de entreabiertas rosas
fresca y fugace.

Tinta ligera de carmín suave
vase tendiendo por tu tez de nieve.   10
Como de luna sonrosado cerco
brilla en tu rostro.

Virgen, tu bella juventud al mundo
muéstrase alegre, candorosa y pura.
Tal entre rocas cristalina fuente   15
brota en la sierra.

Vesla que nace sosegada y tersa,
clara tendiendo sus dorados hilos.
Sigue su curso: caminando, mira   20
cómo se enturbia.

¡Ah, que tu bella juventud al mundo
muéstrase alegre, candorosa y pura!
Mas ¡ay! ¡cuán presto la serena vida
tuerce su paso!

Ya el adormido corazón despierta   25
voz misteriosa, que de amor le inflama.
Virgen, ¿no sientes palpitar tu seno
más agitado?

Ya las mejillas de encarnado vivo
tiñe la nueva confusión del alma.   30

Fijos en tierra los turbados ojos
lágrimas brotan.
    ¡Ay de la hermosa libertad perdida!
¡Ay del sosiego de perdida infancia!
¡Ay del tranquilo corazón tan libre,   35
ya aprisionado!
    Ansias, cuidados, agitadas horas,
largos afanes tras ventura escasa
por solo y triste galardón espera
virgen amante.   40

Poesías (1843 y 1852).
Estrofas sáficas.

LA VOZ DE UNA HIJA

Imagen pura, deliciosa y tierna,
constante amiga de mi blando sueño,
tú la que ofreces a la vida mía
paz y ventura;
    imagen bella de la dulce madre,   5
que un Dios me diera, de mi bien celoso:
nunca del alma tu inefable hechizo
viera lejano.

    Siempre el amante corazón te abriga,
siempre bendice tu apacible encanto,   10
y de ternura tu memoria siempre
viva le inunda.

    ¡Oh! ¡cuánto el cielo sus preciosos dones,
mi cara madre, y su bondad revela!
Su inmensa gloria en tu sagrada imagen   15
luce divina.

    Que es una madre la perfecta hechura
con que el Eterno coronó sus obras;
solemne ofrenda a la natural hacienda,
digno presente.   20

    Que es una madre de la tierra amparo,
supremo alivio de angustiosas penas,
bálsamo santo del pesar amargo,
tierna delicia.

    ¡Ay del que huyera el maternal regazo!   25
¡Ay del que ingrato su amoroso abrigo
desdeña injusto, y la orfandad anhela!
¡Ser infelice!

    Suerte funesta su vivir preside;
su prez esquiva el indignado cielo;   30

nunca a sus ojos la benigna aurora
plácida brilla.

       Mas yo dichosa, que a tu lado miro
beber el tiempo mis tranquilas horas,
si lloro, madre, si mi vida empaña   35
nube sombría,

       deja en tu seno protector, amigo,
deja que ardiente la mejilla esconda,
que hundir mis penas y enjugar mi llanto
sabes tú sola.   40

Poesías (1843 y 1852).
Estrofas Sáficas.

A MI TÍO DON PEDRO ROMERO

Si para entrar en tan difícil vía
el aliento a mi numen no faltara,
ya de la patria nuestra lamentara
los males en tristísima elegía.

Ya la virtud, ya el genio cantaría,   5
ya el vicio a deprimir me consagrara;
pero mi voz de niña desmayara
y desmayara endeble el arpa mía.

Más quiero humilde abeja, aquí en el suelo
vagar de flor en flor siempre ignorada,   10
que el águila siguiendo arrebatada
con alas cortas remontar mi vuelo.
Canto las flores que en los campos nacen;
cántolas para ti, que a ti te placen.

Poesías (1843, 1852).

Soneto.

v. 16. *deprimir el vicio:* 'atacar, disminuir, humillar, hundir' el vicio.
Pedro Romero, a quien Carolina le dedicó la primera entrega de sus
Poesías en 1843, era presidente de la Audiencia sevillana. Fue una de las
personas próximas al ámbito familiar de la escritora que más alentó su carrera.

En este texto Carolina «reconoce abiertamente los límites que le im-
pone a su obra el hecho de tener que atenerse a la feminidad, es decir, la
pureza inocente, la modestia y la abnegación que requería el estereotipo
cultural del ángel del hogar» (Kirpatrick, 1991, 199). Sin despreciar unos
temas de mayor empaque, a los que más tarde se acercará (sobre todo en
la poesía última) la incipiente poetisa se declara, prudentemente, como
abeja que laborará próxima a las flores de su espacio limitado (geográfico
y literario) sin atreverse a remontar un vuelo sólo para águilas destinado.

DESPEDIDA AL AÑO DE 1843

Adiós, el que caminas
a hundirte en lo pasado:
mis ojos con tristeza
te ven desaparecer;

    tus días a mi vida,   5
crueles, han dejado
más lágrimas que risa,
más penas que placer.

    Y tú los años míos
con nuevo peso aumentas   10
y una experiencia añades
al joven corazón.

    Mas yo tierno saludo
te doy porque te ausentas;
que hasta los males mismos   15
nuestros amigos son.

    ¡Ay! tal vez más ingrato
el año venidero
me hará con triste envidia
tus horas recordar;   20

    que siempre más agudo
es el dolor postrero,
y es siempre más amargo
el último pesar.

    En vano la esperanza   25
con risueño atavío
muéstrame los objetos
allá en el porvenir;

    las que a lo lejos brillan
cual gotas de rocío,   30

son toscas piedrecillas
que el sol hace lucir.

    Y a la remota dicha
la fantasía vana
y el corazón ansioso   35
cercana sueña ver:

    ¡el ignorante niño
ve también muy cercana
la luna que sus manos
se afanan por coger!   40

    Mejor fuera que ahora
partiera yo contigo
y la faz nos velara
juntos a la eternidad,

    que sola y fatigada   45
en un suelo enemigo
quedarme con mi vida
de perpetua ansiedad.

    Mejor que el sueño eterno
apagara el latido   50
de este mi sin ventura
inquieto corazón;

    que en sus amantes penas
dejarle sumergido,
llorando de infortunio,   55
temblando de pasión...

    Mas ya la noche avanza
y a pasos presurosos
a sepultarte corres
en el inmenso mar,   60

    donde mi pena un día,
mis sueños fatigosos,
¡ay Dios! y mis amores
iré yo a sepultar.

Poesías, 1843 y 1852. Por obvias razones, el año que figura en el título de este poema, en la primera compilación, es el de 1842, pues dicha compilación vio la luz al año siguiente. Se mantiene, no obstante, la fecha que figura en la compilación que se editó nueve años después. Con este poema se remataba, por tanto, el primer libro de poemas de Coronado.

Octavillas agudas.

vv. 41 y ss.: El yo lírico quisiera también «despedirse» y marcharse –agotarse, morirse– como el año que termina. El poema se remata con otra obsesión de Carolina, a la que vuelve una y otra vez a lo largo de su poesía: el binomio –de larguísima tradición– *muerte = mar.*

A LOS QUE LAMENTARON MI SUPUESTA MUERTE. LA MUERTA AGRADECIDA

El corazón, amigos, palpitante
como otras veces en mi pecho siento;
mas al oír vuestro piadoso acento
sobre las nubes me soñé un instante.
Juzgué más claro el sol, menos distante,   5
vi espíritus celestes en el viento
y en la estrella que más resplandecía
vi confusa la imagen de María.

Los colores, la luz, el aire, el ruido,
todo más bello que en la tierra era,   10
y aquel mundo con gloria verdadera
le brindaba a mi espíritu embebido.
Pero con ser del alma tan querido
el cielo que de muertos nos espera,
esa dicha, medrosa rechazando,   15
de mi ilusión me desperté temblando.

Dios quiere que aún el día no llegado
a mi vida en su plazo todavía,
resignación le falta al alma mía
para dejar mi triste suelo amado.   20
Amo a los corazones que me han dado,
pena, placer, tristezas, alegría
amo al árbol, al río, a la pradera
y amo a mi dulce lira compañera.

Vendrá colmado de dolor, acaso,   25
el porvenir que a mi existencia aguarda,
y de la muerte, en su carrera tarda,
tal vez acuse el perezoso paso.
Mas nunca Dios el sufrimiento escaso

nos da, cuando el descanso nos retarda,   30
y mi término corto o prolongado
siempre estará por el bien señalado.
    Mas, en tanto que treguas a mi vida
le place conceder al poderoso,
escuchad de una muerta agradecida   35
el acento que exhala cariñoso;
sabed que de una voz dulce y sentida
a mí llegando el eco generoso,
vuestra memoria de amistad bendita
deja en mi corazón con llanto escrita.   40

Badajoz, 1844

Revista de Teatros (segunda serie), nº 369 (27 de enero de 1844), p. 2. Con el título «A los redactores de *El Guadalquivir* de Sevilla». En esa primera versión el texto presenta las siguientes variantes: v. 6 («espíritus celestes vi en el viento»); v. 23 («como al árbol, al río, a la pradera») y v. 35-36 («escuchad el acento cariñoso/que os consagra mi bien enternecida»).

Poesías, 1852.

Octavas reales.

Este poema escrito en la segunda quincena del mes de enero de 1844 es inmediata respuesta, desde su rincón provinciano, al impacto que produjo en la corte la noticia de la falsa muerte de la jovencísima Carolina, que acababa de publicar su primer libro de poemas unos meses antes. Las circunstancias –un ataque de catalepsia– las relata así su más completo biógrafo Alberto Castilla (1987, 39-40): «A principios de 1844, cuando la poetisa, que acababa de cumplir veintitrés años, se encontraba en Almendralejo donde había pasado las fiestas navideñas, fue víctima de una súbita y fulminante enfermedad que la dejó inmóvil y yerta durante varios días. Los familiares la consideraron muerta y a punto estuvieron de enterrarla a no ser por la intervención del médico de Almendralejo que diagnosticó un ataque de catalepsia, salvándole la vida». La noticia del falso óbito se difundió por toda la prensa madrileña (*El Mundo, La Iberia Musical y Literaria*) y suscitó un rápido florilegio fúnebre de algunas de las plumas más celebradas del momento, como Ramón de Campoamor, quien compuso la dolora titulada «Glorias Póstumas», texto que, tomando como punto de partida la falsa luctuosa noticia («Aun el pesar me asesina/de cuando aquí por muy cierto/se dijo de Carolina/que (¡Dios nos libre!) había muerto») se explaya en considerar el falso formulismo de los duelos, en los que el único que pierde es aquel a quien entierran. De entre todos estos poemas en elogio fúnebre de la poetisa de Almendralejo destacó el largo texto del joven Eulogio Florentino Sanz aparecido en el diario sevillano al que se alude en el título que este poema tuvo al publicarse en «Revista de Teatros»: *Guadalquivir. Diario de Sevilla de política, avisos, literatura e intereses materiales,* poema que se incluyó en la edición de los poemas coronadianos de 1852 (pp. 131-132) precediendo a la respuesta de la interesada (el presente poema). vid. al respecto el poema «Al joven Eulogio Florentino Sanz». Alberto Castilla concluye sus comentarios a este suceso con el párrafo que paso a copiar: «En un ensayo, que posteriormente escribió como consecuencia de esta experiencia, y que por su voluntad habría de ser su obra póstuma, Carolina explicaría su "muerte" como una metamorfosis y una purificación: lo que moría, eran sus trabajos y fatigas para hacerse poeta, lo que enterraba para siempre eran los despojos de un doloroso aprendizaje, "para sobrevivir su alma, rica de fuerza, de gracia e inmortalidad")».

MEMORIAS DE LA INFANCIA

Ya no es tan joven mi vida
que desde esta cima, hermano,
logre ver distinto el llano
donde quedó mi niñez.
Es la pradera florida   5
bajo la sombra de un monte,
y por eso es su horizonte
más delicioso, tal vez.

Yo con el rostro no acierto
de ese tiempo fugitivo,   10
mas su belleza percibo
de los años al trasluz,
como aquel reflejo incierto,
aquellos matices rojos
que perciben nuestros ojos   15
cerrados frente a la luz.

Yo no sé lo que soñaba...
mas recuerdo mis amores;
sé que amaba entre las flores
a un hermoso tulipán;   20
y que a mis solas le hablaba,
Emilio, tan dulcemente
que murmuraba el ambiente
celoso en mi tierno afán.

Lloré cuando se agostaba   25
su cabeza peregrina...
pero amé a la golondrina
así que la flor murió.
La golondrina emigraba
y entonces, Emilio mío,   30

a mi constante amorío
buscaba otro objeto yo.

      ¡Oh! ¡Todo me enamoraba
en aquel tiempo querido!
¡Cuál me recuerda un sonido   35
el ave y el tulipán;
y la fuente que manaba
el agua que no bebía
y el campo donde crecía
la semilla de mi pan!...   40

      ¡Pero si no me comprendes,
si aquella edad ha pasado
y yo ya tengo olvidado
el suave idioma infantil!;
si por acaso me atiendes,   45
huyes riendo a deshora:
¿por qué no estoy en tu aurora
o tú no estás en mi abril?

      Tú juzgas porque me hallaste,
bello garzón, a tu lado;   50
que una ruta ha señalado
a nuestra existencia Dios.
No, que tu vida empezaste
en la mitad de la mía,
y poco por esa vía   55
iremos juntos los dos.

      Emilio, cuando recuerdes
cual yo tu pasada infancia,
ya habrá una eterna distancia
que me separe de ti;   60
entonces, tal vez, te acuerdes
de mí, cual yo de las flores,
y entre tus tiernos amores
me cuentes, Emilio, a mí.

Ermita de Bótoa, 1844

La Iberia Musical y Literaria 64 (11-agosto-1844), p. 255. Se detectan estas variantes: v. 28 («de que la flor murió»); v. 34 («con aquel tiempo florido»); v. 61 («Y entonces, tal vez, te acuerdes»).

Poesías, 1852.

Octavillas agudas.

v. 3. *distinto:* 'inteligible', 'claro', 'nítido', 'sin confusión alguna'.

El hermano Emilio, que se cita en el texto y al que se dedica toda una breve sección del volumen de 1852, es el mismo cuya identidad se aclara en el poeta titulado «Melancolía». Por otra parte, la «Ermita de Bótoa», lugar en el que se fechan muchos poemas de Coronado, es una ermita (y un paraje) próxima a Badajoz capital, junto al río del mismo nombre, afluente del Gévora. Allí se celebra el primer domingo de mayo una conocida y popular romería en honor de la imagen del mismo nombre, patrona de la capital pacense, cuya legendaria y misteriosa aparición es narrada en otro poema caroliniano, «La Encina de Bótoa».

SE VA MI SOMBRA PERO YO ME QUEDO

A mis amigos de Madrid

¡Oh generosa luz, oh hermoso Oriente
del pensamiento que buscaba el mío
siempre confuso y ciego en el sombrío
y solitario claustro de mi mente!
¡Oh luz amada, luz resplandeciente,   5
en cuyos rayos mi esperanza fío,
luz de mi alma, luz de mi deseo,
que iluminas al fin, que al fin te veo!

Luz de gloria inmortal, que en ígnea rueda
brillas sobre la estatua de Cervantes,   10
brillas sobre los huesos palpitantes
del desgraciado Larra y de Espronceda;
no importa que la suerte me conceda
para verla no más breves instantes,
pues siempre verla y adorarla puedo,   15
porque se va mi sombra y yo me quedo.

Frentes marchitas, de estudiar cansadas,
ánimos nobles, de luchar rendidos,
poéticos espíritus caídos,
generosas ideas desmayadas;   20
yo, que del campo allá en las retiradas
soledades, guardé de mis sentidos
el entusiasmo, consolaros puedo
porque se va mi sombra y yo me quedo.

Aquí para cantar y aquí mi oído   25
para escuchar, amigos, vuestro canto,
y aquí estará mi ser, aunque entretanto

os diga la ilusión que ya he partido;
¡loca ilusión! Engaño del sentido
pensar que os dejo y que derramo llanto,   30
pensar que sufro y que dejaros puedo
cuando se va mi sombra y yo me quedo.

    Aquí para labrar de la poesía
la dura tierra donde el lauro crece,
mi corazón, que nunca desfallece,   35
os seguirá constante en la porfía;
para dar mi tributo de armonía,
para animar al triste que padece,
para sufrir, si consolar no puedo,
aunque vuele mi sombra yo me quedo.   40

    De las amigas manos las palmadas
aun escucho el dulcísimo ruido...
bien sabéis que por cada una he vertido
dos lágrimas profundas y abrasadas;
no me diréis jamás que mal pagadas   45
por este corazón ardiente han sido,
cuando jurar por vuestra gloria puedo,
que huye mi sombra, pero yo me quedo.

    ¿No es verdad que es muy triste en la morada
del solitario valle hundir la vida,   50
y no ver en el agua adormecida
sino la propia imagen retratada?
Por eso vine enferma y lastimada,
y no quiero tornar más abatida;
y por eso, no más, Dios me concede
que se vaya mi sombra y yo me quede.   55

    ¡Ay! aunque os digo «adiós» yo no me alejo,
es mi sombra no más la que mañana
volverá a retratarse en el espejo
del insalubre y muerto Guadiana;
aunque soñéis en la ilusión que os dejo,   60
mirad que es sólo una quimera vana,
un sueño ingrato a cuyo error no cedo,
que si se va mi sombra yo me quedo.

Nada importa el adiós, si es de tal suerte
que os digo «adiós» y es falsa la partida;   65
ni ha de rendirse débil y afligida
por un sueño no más el alma fuerte.
¿Qué os importa mi sombra vaga, inerte,
para sufrir en esta despedida,   70
si he dicho, amigos, que escucharos puedo
porque se va mi sombra y yo que quedo?

    «¡Adiós!» mil veces os diré cantando
y estos adioses ni escuchéis siquiera,
ni penséis que mi voz es lastimera,   75
ni digáis que de pena estoy llorando;
es un adiós tranquilo, un adiós blando,
es una despedida placentera,
pues ni llorar ni enternecerme puedo
porque se va mi sombra y yo me quedo.   80

    ¡Oh! ya veréis cómo al acento amigo
mañana y siempre con mi voz respondo,
aunque este adiós tan quebrantado y hondo
aun, otra vez, por postrera os digo;
veréis cómo en los triunfos os bendigo,   85
aunque os parezca, amigos, que me escondo,
porque es engaño, si... ¡Nunca!... ¡No puedo!...
Se irá mi sombra, pero yo me quedo.

Madrid, 1848

Revista literaria del Avisador de Jaén, II, 1848 (pp. 121-124).

Poesías, 1852.

Octavas reales.

Con este poema Carolina rinde cortesía y agradece el homenaje de reconocimiento que el Liceo Artístico y Literario madrileño le ofrece, honor que recibió de manos del consagrado poeta José Zorrilla. El periódico madrileño «El Heraldo» notificaba que en la noche del día 27 de septiembre el Liceo celebraría sesión extraordinaria «en obsequio de la distinguida poetisa doña Carolina Coronado», consistente en la representación del drama «Un artista» y lecturas poéticas de la Avellanda y Tomás Rodríguez Rubí, además de la lectura probablemente de este texto «Se va mi sombra...», referido por el periódico como «una bellísima composición de despedida». El poema –formalmente– se distingue por utilizar un endecasílabo de cierre, repetido con variantes, al final de cada octava, y que viene a ser una glosa del título del poema, y por consiguiente de la idea básica que en él se desarrolla. Así ocurría con otros poemas carolinianos como «Gloria de las glorias» (1845), «Yo tengo mis amores en el mar» (1849), «El Amor de los Amores» (1849), «El Dolor de los dolores» (1848), etc.

A partir de la imagen inicial, en la que se declara que el pensamiento ha sido iluminado (= vivificado, arrebatado) por la *generosa luz* del genio poético, de la fama, de la amistad, del aplauso, y que justifica la formulación de otro término contrario, *sombra* (como «falacia», como «engaño», como «apariencia»), Carolina emplea con abundancia la retórica, propia de un poema que ha de ser leído en sesión pública, con sus inevitables concesiones: la *captatio benevolentiae* a partir del ya clásico tópico de *separación física/no separación espiritual*.

Este poema debe relacionarse –obviamente– con otro ya escrito en Badajoz, en 1849, titulado «Recuerdo del Liceo de Madrid», además de que ambos repiten, en la primera octava, concepto y expresiones muy similares.

El escritor costumbrista del siglo pasado Antonio Flores aludía a este poema de Coronado, con cierta zumba irónica, en unas consideraciones sobre «El suicidio en el siglo XIX», dentro de su amplia obra *Ayer, Hoy y Mañana* (1853), parodiando la despedida de la de Almendralejo en estos términos:

> Mi sombra queda, pero yo me largo,
> aunque voy a morir, mi sombra os dejo;
> que en las miserias de este mundo amargo
> ella os ha de servir de claro espejo;
> mi sombra, no temáis, yo se lo encargo,
> a cada paso os soltará un consejo:
> que el hombre no es el hombre, que es la idea
> que un mundo mata y otro mundo crea.

(cito por la antología recopilada por Jorge Campos *La sociedad de 1850*, Madrid, Alianza, 1968, p. 263).

Vid. también, en relación con este poema de Carolina, la composición titulada «A los poetas de Madrid», en esta misma sección.

A CARMEN

Carmen, recuerdos que en el mar se escriben
no los borra el tiempo ni la ausencia;
allí en las olas resonando viven.

    ¿Qué es olvidar? ¿Qué fuera la existencia
si hasta el recuerdo de amistad querida   5
nos vedará también la Providencia?

    Si triste en mi recinto oscurecido
callo, por no turbar, cuando te halles
contenta, tu placer, no es que te olvido.

    Ah, que ver la yerba por las calles   10
nacida, te entristece: ¡infortunada,
si vivieras, hermosa, en estos valles!

    Crece la yerba al pie de mi morada
libre y fecunda, desde Octubre a Mayo;
y no perece al fin, por ser hollada,   15

    sino del sol canicular al rayo,
como mi juventud, como mi vida,
si le llamas vivir a este desmayo;

    si le llamas vivir, alma querida,
a levantar del lecho la cabeza   20
y volver a inclinarla dolorida.

    Largo tiempo luché con la tristeza,
la paciencia sostuve y el aliento
y abusé de la humana fortaleza.   25

    Pero llega el cansancio al sufrimiento,
y de mi endeble máquina las venas,
de la fiebre al dolor, estallar siento,

    como del barco seco en las arenas
de Cádiz, al ardor del sol estallan   30
los comprimidos mástiles y antenas...

¡Cádiz... el mar... mi amiga, ¿por qué os hallan
lejos mis ojos, hoy que sin ventura
tanto mis penas contra mí batallan?

Aún pudiese del mar la brisa pura   35
reanimar el aliento de mi alma,
y alegrarme la voz de tu ternura.

Mas no será, y en la abusada calma
moriré del desierto consumida,
en tanto que tu sombra, humana palma,   40

en las playas del Africa esparcida,
se retrata en la orilla de los mares,
y a respirar al pájaro convida.

Que las aves dulcísimos cantares
te regalen en esas extranjeras   45
tierras si melancólica te hallares;

ya que apenas llegar a esas riberas
podrá la voz doliente y extinguida
de estas canciones, ¡ay!, tal vez postreras.

¿Quién sabe si te di mi despedida   50
cuando volaba al africano puerto
la rugidora máquina encendida?

El sol tras de las aguas encubierto
en la flotante espuma chispeaba
de nuestro barco, por el sulco abierto;   55

y tus hijos al verme que lloraba
cariñosos besaban mis mejillas
y yo a mi corazón los estrechaba...

¡Aquellas emociones tan sencillas
me dejaron de pena el alma rota,   60
cuando me vi del mar en las orillas
sola como la pobre gaviota!

Los Hijos de Eva. Semanario de Literatura, Ciencias y Artes) (dirigida por V. Ruiz Aguilera), Alicante, I, 1849, pp. 4-6.

Tercetos encadenados.

Poema de circunstancias, escrito durante su estancia de convalecencia en tierras gaditanas. Tiene escaso interés, y aporta poca novedad a esa melancolía que adquiere con frecuencia la poesía caroliniana.

A LOS POETAS DE MADRID

Se fue mi sombra, pero yo he quedado;
yo estoy aquí, mi espíritu no ha muerto;
mi cuerpo fue el que huyó desesperado
mi sombra es la que vaga en el desierto.
En el cabo del Sur volcanizado,   5
donde una sima el terremoto ha abierto,
como sombra evocada por el Dante,
oscura y silenciosa vaga errante.

¡Ay! pero no soy yo, no es esa el alma;
el alma quedó siempre a vuestro lado   10
entre el átomo ignoto de la palma
que vuestro nuevo aliento ha fecundado.
De mi silencio en la sagrada calma
nuestros muertos amigos he velado,
y del arte viviente en el concierto   15
asisto con el alma como el muerto.

Que el rayo alguna vez el árbol hiere
y le divide en dos y no le mata;
partióse el corazón y no se muere,
porque una vena a la raíz le ata.   20
Y aún la rama en el tronco herido adquiere
savia para nutrir la vida ingrata,
y todavía al sol de primavera
brota y nace una flor... ¡su flor postrera!

Flor de santo dolor, no flor profana;   25
de antigua y noble fe pura semilla,
que germinó en las piedras del Guadiana
para adornar el templo de Castilla;
y otra vez a la musa castellana,
pues que nació esta flor por maravilla,   30

pues que vive en el tronco de milagro,
a su eterna memoria la consagro.

    El templo estaba aquí, llamóme el coro
donde sonaba célica armonía.
¿Por qué aplaudieron mi cantar? Lo ignoro.   35
Yo de la vega rústica salía,
nada pude cantarles, rompí en lloro,
y aquel concurso que mi llanto vía,
sin ejemplo en los fastos de Helicona,
por ingenua me daba una corona.   40

    Aún escucho la voz del gran maestro,
aún me siento a su influjo estremecida:
era Quintana; se apagaba el estro,
estaba en los confines de la vida.
«Mira –me dijo– el porvenir es vuestro,   45
la estrella contra el genio está vencida.
¿Ves esa luz que nuestras cumbres dora?
¡De vuestro nuevo sol esa es la aurora!»

    «¡Oh! no es la aurora, el corazón le engaña,
–dijo Donoso– contemplad el paso   50
del astro en las tinieblas de la España;
veréis que no es la aurora, es el ocaso».
«No –replicó Pastor–, la luz extraña
que da a las nubes resplandor escaso
no es de ocaso ni aurora luz alguna,   55
es el pálido rayo de la luna».

    «Y tú que eres tan dulce y amorosa
que cantaste el amor de los amores,
con esa luz oirás los ruiseñores;
–exclamaba Martínez de la Rosa–   60
cómo duerme en la flor la mariposa
y el céfiro murmura entre las flores,
y la paloma desde el nido blando
responde a sus murmurios suspirando».

    «Y en tanto que escucháis –gritó iracundo   65
Tassara– el murmurar de la paloma,
la cólera de Dios se muestra al mundo
en ese rayo que sangriento asoma;

y nos va a sepultar en lago inmundo
el mismo fuego que aterró a Sodoma,   70
porque esa luz que ve tanto poeta
no es ni luna ni sol: es un cometa».

    Y yo espantada y a la par ilusa
la luz del cielo sin cesar miraba
y temerosa de invocar la musa   75
a la Virgen Purísima invocaba.
Y con tan vario parecer confusa
nunca pude saber qué luz brillaba,
si el crepúsculo aquel de la poesía
era el amanecer o anochecía.   80

    Y ellos callaron, y el audaz problema
para vosotros reservó el destino:
si era sino de gloria o de anatema
vosotros sois a descifrar el sino.
¿De dónde era la luz? ¿A qué sistema   85
de estrella o sol o resplandor divino
obedece el ingenio arrebatado
que lucha con las sombras del pasado?

    Los que fijan los ojos en Oriente,
los que del Norte a las regiones miran,   90
los que sueñan un sol resplandeciente,
los que en la noche del tenor deliran,
los que adoran el bien con fe inocente,
los que heridos del mal la duda inspiran
bajo el cielo adorado de mi España   95
¿quién ve la luz del sol y quién se engaña?

    ¿Dónde buscar la luz?... En lo infinito,
donde intrepidos ya la habéis buscado.
El Drama universal habéis escrito,
la luz universal habéis cantado,   100
la luz de la verdad del sol bendito
que al genio en las tinieblas ha güiado,
y aunque sus triunfos la ignorancia niega,
el genio en tanto sin cesar navega.

    Frentes marchitas de estudiar cansadas,   105
ánimos nobles de luchar rendidos,

valerosos espíritus queridos,
generosas ideas veneradas,
las alas de mi mente desgarradas,
los vuelos de mi numen detenidos,   110
yo vuestras glorias compartir no puedo,
pero a escucharos con el alma quedo.

Lisboa, junio 1880

Día de Moda (Madrid) año I, num. 23 (12 de julio de 1880), pp. 10-11.

Reeditado, con anotaciones, por Noël Valis en *Revista de Estudios Extremeños* XLVIII, 1992 (mayo-agosto), pp. 549-554.

Octavas reales.

v. 1: Con un matiz de aspecto temporal («me quedo/he quedado») este primer verso de la composición, y el título de la misma, nos remiten al poema con el que, en la intención de su autora, el lector debe relacionar la presente poesía, y que no es otro que el titulado «Se va mi sombra, pero yo me quedo», subtitulado precisamente «A mis amigos de Madrid» y escrito, como se recordará, para agradecer el homenaje de reconocimiento que el Liceo Artístico y Literario madrileño le ofreciera en 1848. Como muy bien señala N. Valis en su comentario a este poema (1992, 545-546), «no se puede leer el texto de 1880 sin conocer el de 1848. En este sentido, el poema publicado en *Día de Moda* constituye una especie de réplica al otro» (...) «este poema de 1880 es la sombra de una sombra ya creada en el texto anterior». A mayor abundamiento para establecer dicha relación, nótese que los vv. 105 y 106 de la presente composición son copia exacta de los vv. 17, 18 respectivamente del poema de 1848, y los dos versos siguientes de aquel texto muestran un parecido casi total con sus nuevas versiones en los versos 107 y 108 del poema de 1880: «poéticos espíritus caídos» y «valerosos espíritus queridos» en un caso; «generosas ideas desmayadas» y «generosas ideas veneradas» en el otro.

vv. 5-6: alusión al lugar –Lisboa– desde donde se escribe (el Sur de Europa en relación a los otros puntos cardinales que se refieren en los vv. 89-90). En cuanto a la sima que ha abierto un terremoto, la poetisa se puede referir a los efectos devastadores que asolaron la capital portuguesa en el seísmo de 1755 (suceso varias veces referido por Coronado en sus poemas), aunque no se iría muy descaminado si se pensara en una «sima» imaginaria de un metafórico «terremoto», el que vienen sufriendo unas creencias, unos valores, unos ideales cuyo trueque o desaparición lamenta Carolina insistentemente en estos últimos poemas de su trayectoria.

vv. 3-4: Valis (1992, 553) relaciona estos versos con otros del capítulo XL, soneto XXIV de la *Vita Nuova* de Dante *(Deh peregrini, che pensosi andate»)* y que Carolina había traducido en 1849 (Cf. el poema «En otro (álbum). Traducido del Dante»). La referencia de Carolina podría aludir –como señala Valis– a los vv. 4-5 del original italiano, que la de Almendralejo había traducido de este modo: «¿Cómo no lloras, ¡ay! cuando sombría/cruzas por medio su ciudad doliente».

v. 11: Esa palma que no es sino una imagen de ella misma en el pasado, cuando en aquella otra reunión con sus amigos poetas de Madrid alcanzaba la palma del triunfo, que ahora –treinta y dos años después– alienta todavía algo de fecundidad poética. La mención de la palma –árbol cantado por Carolina en uno de sus primeros poemas impresos– anuncia el motivo del árbol viejo y herido, y sin embargo todavía reverdecido, que se formula en la octava siguiente.

vv. 33 y ss.: A partir de esta estrofa, y a lo largo de las cinco octavas siguientes, Carolina evoca (y recrea con cierta fantasía imaginativa) aquel homenaje del Liceo madrileño en donde fue coronado de manos del mismo Zorrilla (v. 40), y en donde estuvieron presentes los poetas que ella «escucha» seguidamente –Quintana, Donoso Cortés, Martínez de la Rosa, García Tassara, todos ya fallecidos, ya «sombras» cuando se escribe este poema.

v. 39: «sin ejemplo en los fastos de Helicona», o sea, una fiesta literaria superior en valor y belleza a la que se celebrase en la falda del monte Helicón, en Beocia, lugar habitado por las Musas.

v. 99: ¿Con esa cursiva alude intencionadamente Carolina –como piensa Valis (1992, 552)– al poema filosófico de Campoamor titulado exactamente así y escrito en 1853, en el que se intenta reconciliar el cristianismo con las tradiciones orientales?

Ya en el poema del 48 se sugería –sin desarrollarla– la oposición «luz» que se ha alcanzado desde la sombra de la soledad, de la ignorancia y desde la condición de mujer escritora que aspira a levantarse hasta la cima de la gloria. En cambio, ahora, este es el eje semántico y compositivo del texto: Carolina hace comparecer a quienes fueron sus maestros y amigos, que la animan a seguir –es ya rama de tronco herido que a veces hace brotar «¡su flor postrera!»– y que se preguntan por un extraño destello que se interpreta ya como aurora, ya como ocaso, ya como la pálida luz lunar o como el efímero y engañoso fulgor de un cometa, en el que se manifiesta «la cólera de Dios». Carolina, desde su atalaya de la vejez y del agostamiento poético, duda perpleja en cómo entender los nuevos tiempos, en los que varios, como ella, se ven imposibilitados en descifrar el nuevo sentido del pensamiento, de las conciencias y de la poesía que los expresa. Y ese es un reto que han de afrontar y solucionar las promociones venideras, esos «poetas de Madrid» que aún se acuerdan de la anciana poetisa retirada y silenciosa en Lisboa. Como apunta ciertamente Valis en su comentario del poema (1992, 545) sopesando lo que aproxima y lo que diferencia esta composición de su gemela de 1848, en ésta –dice Valis– «la poeta extremeña promete consolar a los poetas amigos (no nombrados)». En cambio, en la de 1880 «es la misma Carolina la que necesita que le consuelen los poetas de Madrid». Y en ese encargo y en esa espera (vv. 111-112) el poema se enlaza también con otro texto de Carolina, «A un poeta del porvenir», que se publicó por primera vez también en 1880. Y la autodesignación de la poetisa silenciosa y olvidada en su rincón lisboeta como «sombra» se puede encontrar también en la composición «Carta al Duque de T'Serclaes» («Oigo la voz de algunos que me nombra, / y escucho en mi retiro, sorprendida, que me pide el retrato de ...mi sombra»).

Para completar estas notas y para otros aspectos del poema, vid. Noël Valis, «La segunda sombra de Carolina Coronado» *Revista de Estudios Extremeños,* XLVIII, 1992, mayo-agosto, pp. 541-554.

ÚLTIMO CANTO

Emilio, mi canto cesa;
falta a mi numen aliento.
Cuando aspira todo el viento
que circula en su fanal,
  el insecto que aprisionas   5
en su cóncavo perece
si aire nuevo no aparece
bajo el cerrado cristal.

    Celebré de mis campiñas
las flores que allí brotaron   10
y las aves que pasaron
y los arroyos que hallé;
  mas de arroyos, flores y aves
fatigado el pensamiento
en mi prisión sin aliento   15
como el insecto quedé.

    ¿Y qué mucho cuando un hora
basta al pájaro de vuelo
para cruzar todo el cielo
que mi horizonte cubrió?;   20
¿qué mucho que necesite
ver otra tierra más bella
si no has visto sino aquella
que de cuna le sirvió?

    Agoté como la abeja   25
de estos campos los primores
y he menester nuevas flores
donde perfumes libar;
  o, cual la abeja en su celda,
en mi mente la poesía   30

ni una gota de ambrosía
a la colmena ha de dar.

    No anhela tierra el que ha visto
lo más bello que atesora,
ni la desea el que ignora   35
si hay otra tierra que ver;
   mas de entrambos yo no tengo
la ignorancia ni la ciencia,
y del mundo la existencia
comprendo sin conocer.   40

    Sé que entre cien maravillas
el más caudaloso río
gota leve de rocío
es en el seno del mar;
   y que en nave, cual montaña,   45
que mi horizonte domina
logra la gente marina
por esa región cruzar.

    Mas ¡por Dios! que fue conmigo
tan escasa la fortuna   50
que el pato de la laguna
vi por sola embarcación.
   ¿Qué me importa el Océano
y cuantos ámbitos cierra?
¡Sólo para mí en la tierra   55
hay diez millas de creación!

    Mar, ciudades, campos bellos
velados ¡ay! a mis ojos;
sólo escucho para enojos
vuestros nombres resonar.   60
   Ni de Dios ni de los hombres
las magníficas hechuras
son para el ciego que a oscuras
la existencia ha de pasar.

    Tal ansiedad me consume,   65
tal condición que quebranta,
roca inmóvil es mi planta,
águila rauda mi ser...

¡Muere el águila a la roca
por ambas alas sujeta;   70
mi espíritu de poeta
a mis plantas de mujer!

   Pues tras de nuevos perfumes
no puede volar mi mente
ni respirar otro ambiente   75
que el de este cielo natal;
   no labra ya más panales
la abeja a quien falta prado;
perece el insecto ahogado
sin más aire en su fanal.   80

Ermita de Bótoa, 1846

———————

Poesía, 1852.

Octavillas agudas.

vv. 17 y 21. *qué mucho:* 'qué importa', 'qué supone o significa verdaderamente'.

El título de este poema, justificado ya en el primer octosílabo, se explica porque es, en efecto, el último de los recogidos bajo el epígrafe «A
mi hermano Emilio» en la compilación de 1852.

Si cotejamos este texto de Carolina con el de una carta dirigida por
las mismas fechas a su mentor Hartzenbuchs, se podrá sugerir que ese la-
mentarse de lo reducido de su experiencia, de cómo considera cada vez
más insuficiente el espacio vivencial y poético en el que se ve obligada a
desenvolverse, es algo más que un simple y manido motivo poético. En
una de las cartas que se conservan, fechada en enero de 1848, Carolina
comenta su posible traslado a la capital de España con estas palabras que
coinciden con el deseo, y el temor, que a un tiempo parecen insinuar los
versos precedentes: «Mi influjo en mi familia es mucho; mi deseo de ir a
esa población, muy grande. Por consecuencia yo hubiera conseguido ya
nuestra traslación. Pero por lo mismo que mi voto es de peso en las reu-
niones de familia, me he abstenido de darlo. En un asunto en que depen-
de el buen o mal estar de los míos, no debo resolver, sino someterme,
porque jamás me consolaría de haber precipitado una determinación que
pudiese ser contraria a sus intereses: faltando la parte más activa, todo
procede con lentitud y aún ignoro qué ha de resolverse. Por lo que toca a
mí, si una curiosidad invencible me agita por ver a ese hermoso pueblo,
un instinto diferente me hace temer el cambio de tierra».

LA AURORA DE SAN ALBERTO

Días hay en nuestra vida
más grandes que los demás,
en que el alma suspendida
mira la extensión perdida
que vamos dejando atrás.   5
    En ellos nos detenemos
para ver los desengaños
que del camino traemos;
es un descanso que hacemos
una vez todos los años.   10
    Por nuestra tierra viajero
hoy te toca el alto hacer
en este valle postrero,
donde acerté yo a nacer
y donde morir espero.   15
    Vas a pasar uno aquí
de aquellos tan grandes días
que la vida tiene en sí,
y darte me place a mí
cariñosas armonías.   20
    Este solo, en el concierto
de nuestra existencia entera
celebro contigo, Alberto,
que ambos en este desierto
nos vemos por vez postrera.   25
    Y es deber de la amistad
que, al reunirnos aquí Dios,
cante con solemnidad
la sola festividad
que vemos al par los dos.   30

Días de dichosa suerte
que yo cantarte no acierto
podrán los años traerte,
pero yo ya no he de verte
otro día de San Alberto.   35

    Sus caminos al cruzar
hoy se ven dos en la vida
para no volverse a hallar:
así mi canto a la par
es saludo y despedida.   40

    Mucho cielo y muchos mares
va la suerte a colocar
¡ay! entre ti y mis cantares;
por eso debes llevar
un eco de estos lugares.   45

    Y la más bella armonía
que con vago tono incierto
darte pueda el alma mía,
es cantar en su poesía
la autora de San Alberto.   50

Elvas, 1845

Poesías, 1852.
Quintillas.
v. 35. La onomástica de San Alberto se celebra el 15 de noviembre.

ADIÓS, ESPAÑA, ADIÓS

¡Ah! cuando a partir vayas
al suelo americano
que para siempre, hermano,
nos separa a los dos,
   a orilla de los mares   5
detente ¡ay!, un momento
y di con triste acento
¡adiós, España, adiós!

   Cuando tus claros ojos
fijes de nuestra España   10
en la postrer montaña
que el buque deje en pos,
   teniendo entrambos brazos
allá desde el navío,
exclama, hermano mío,   15
¡adiós, España, adiós!

   Cuando sola una sombra
divises de este suelo
donde ha querido el cielo
nos viésemos los dos,   20
   dando postrer mirada
a mi rincón lejano,
aunque llores, hermano,
di «*¡Carolina, adiós!*»

Cádiz, 1847

Poesías, 1852.

Octavillas agudas.

v. 3: En esta ocasión, como en el poema siguiente, el hermano al que alude Carolina es Pedro, que en ese verano de 1847, en que se fechan los dos poemas, se embarcó en Cádiz, rumbo a Cuba, en donde moriría.

ACUÉRDATE DE MÍ

Y cuando ya no veas
las playas españolas
que tan tristes y solas
van a quedar sin ti;
   cuando estés en la nave   5
mirando al Océano,
acuérdate ¡ay!, hermano,
¡acuérdate de mí!

Si el cielo está sereno
y el agua hermosa en calma,   10
en tanto que mi alma
te sigue desde aquí,
   en tanto vaya el onda
sulcando tu navío,
¡ay! siempre, hermano mío,   15
¡acuérdate de mí!

Y si el cielo se irrita
y la mar se embravece,
mientras la gente rece
en derredor de ti,   20
   levanta confiado
tus ojos hacia el cielo,
y al pedirle consuelo
¡acuérdate de mí!

   En calma y en bonanza   25
siempre en el Océano
repite, dulce hermano,
«yo me acuerdo de ti».

Siempre con sol y estrellas
por la región marina,
repite «Carolina»
¡acuérdate de mí!

30

Cádiz, 1847

Poesías, 1852.

Octavillas agudas.

Nótese que este poema es continuación del que se titula «Adiós, España, Adiós».

¡NO HAY NADA MÁS TRISTE
QUE EL ÚLTIMO ADIÓS!

Si dos con el alma se amaron en vida
y al fin se separan en vida los dos,
¿sabéis que es tan grande la pena sentida
que nada hay más triste que el último adiós?
    En esa palabra que breve murmuran,   5
en ese gemido que exhalan los dos,
ni verse prometen, ni amarse se juran,
que en esa palabra se dicen ¡adiós!
    No hay queja más honda, suspiro más largo
que aquella palabra que dicen los dos: 10
el alma se entrega a horrible letargo;
la vida se acaba diciéndose ¡adiós!
    Al fin ha llegado la muerte en la vida,
y al fin para entrambos morimos los dos;
al fin ha llegado la hora cumplida,   15
la hora más triste... el último ¡adiós!
    Ya nunca en la vida, gentil compañero,
ya nunca volvemos a vernos los dos;
por eso es tan triste mi acento postrero,
que nada hay más triste que el último ¡adiós!   20

Cádiz, 1847

Poesías, 1852.

M. C. Simón Palmer (1991, 208) cita una edición suelta de este poema, impreso en Madrid, Bernabé Carrafa, 1859.

Serventesios.

DESPEDIDA A MI HERMANO ÁNGEL.
EL DOLOR DE LOS DOLORES

Ser, aun, niño y sentir la lozanía
que da el rocío de la edad temprana,
es dudar la desdicha de mañana,
es ser dichosos, Ángel, todavía;
es la fe, la esperanza, la alegría,   5
la fortuna, el valor, la gloria humana...
es, siendo niño, como tú lo eres,
vivir con el placer de los placeres.

Pero ser joven, ¡ay!, mirar tu vida,
sondar tu porvenir, temer abismos,   10
no hallar consuelos en nosotros mismos,
ni poderte seguir en la partida;
quedarnos en la triste despedida
suspensos entre vagos fanatismos,
luchando entre problemas y temores,   15
es, Ángel, *el dolor de los dolores.*

Como planta de insectos castigada
que no puede brotar ramo florido,
así con los pesares ha crecido,
hermano, una familia desgraciada;   20
no vi rama en su tronco levantada,
que al golpe del pesar no haya caído,
y temer del azar nuevos rencores
es, Ángel, *el dolor de los dolores.*

Pobre doncel, que al ídolo guerrero   25
llevas la flor del corazón primera,
tememos por tu flor, no te la hiera
de nuestra suerte el golpe siempre fiero;
es gozo el entusiasmo lisonjero

del que laureles en la vida espera;   30
pero temer por tus hermosas flores
es, Ángel, *el dolor de los dolores.*

      ¡Veré pasar gallardos compañeros
los de tu infancia para ti queridos...
y oiré de nuestra madre los gemidos   35
al mirar a los jóvenes guerreros!
¡Veré pasar los alazanes fieros,
menos que por tu voz bien dirigidos,
y el ver sin dueño al tuyo en sus furores,
Ángel, *será el dolor de los dolores.*   40

      Y cuando de tu asiento en el vacío
los de la mesa en torno reparemos,
desabrido el manjar que gustaremos,
desabrido sin ti será, hijo mío.
Emilio en su inocente desvarío   45
te nombrará, y entonces lloraremos...
porque este padecer, que ojalá ignores,
es, Ángel, *el dolor de los dolores.*

      ¡Ah! ¡que no pueda nuestra pobre vida,
dispersada por vientos tan insanos,   50
partir con nuestros jóvenes hermanos
el mismo pan, beber igual bebida!;
¡que no podamos encontrar manida
en un árbol los pájaros humanos,
y a unos del sol fatiguen los ardores,   55
es, Ángel, *el dolor de los dolores!*

      Ve si tus alas su atrevido vuelo
por cima de la mar firme llevando,
puedes ir esos mares navegando
hasta arribar al árbol de tu anhelo;   60
ve si logras calmar el desconsuelo
de tantos ojos que te están llorando;
porque verte en los mares bramadores
es, Ángel, *el dolor de los dolores...*

      ¡Ay!, que jamás cobarde hundas la frente   65
por las revueltas olas alcanzado,
ni tampoco en los mares levantado

te quieras remontar al sol ardiente;
caminar por la vía rectamente,
como los buenos siempre han caminado,   70
pues verte entre ambiciosos o traidores
ese fuera *el dolor de los dolores.*

    Contra ese mundo, cuya risa loca
tu fe combatirá con su sarcasmo,
opón la noble fe del entusiasmo,   75
que, si es del corazón, no se sofoca;
ante esa multitud cierra tu boca,
y, aunque se burle de tu altivo pasmo,
no sigas la maldad de sus errores,
que ese fuera *el dolor de los dolores.*   80

    Yo contra el mal de la virtud me valgo,
contra el dolor a la paciencia acudo,
y aunque es mi triunfo solitario y mudo,
en graves luchas victoriosas salgo;
no tienes gran blasón, pero es hidalgo,   85
limpio de mancha tu modesto escudo,
y venderlo al poder y a los honores
ese fuera *el dolor de los dolores...*

    Mas, ¿dónde vas?; aguarda un solo instante...;
oye no más el último conjuro...;   90
el ídolo mejor es el más puro,
su siervo más glorioso el más constante;
no te acerques al mal, porque es brillante;
no te alejes del bien, porque es oscuro...
¡Sé bueno, y que jamás con deshonores   95
añadas más dolor a estos dolores!

Badajoz, 1848

Poesías, 1852.

Octavas reales.

    v. 4: Como anota Noël Vallis (1991, 438), ese hermano Angel, el tercer hermano varón de los Coronado, emigró a América en la primavera de 1848, circunstancia que, parece ser, generó el presente poema.

v. 20: El calificativo que Carolina hace de su propio ámbito familiar se podría justificar si tenemos en cuenta diversos datos como que el abuelo de la poetisa, don Fermín Coronado, natural de la villa de Campanario, que había ostentado diversos cargos públicos en la región extremeña durante los primeros años del reinado fernandino. A raíz del levantamiento de Riego, el abuelo de Carolina murió a resultas de los sucesos acaecidos en Almendralejo. Y durante la «Década Ominosa» el padre de la poetisa sufrió encarcelamiento durante varios años.

v. 53. *manida:* 'lugar o paraje donde un hombre o un animal se recoge y hace mansión'.

v. 54. *un árbol:* 'un mismo árbol'.

v. 55. *a unos:* 'a los mismos y al unísono'.

ÚLTIMA TARDE EN ANDALUCÍA

En despedidas nuestra vida pasa:
cada día un adiós. ¡Ay triste vida,
que siendo vida en tiempo tan escasa,
la hayamos de pasar tan afligida!
Aun el de ayer nuestra mejilla abrasa   5
llanto de la postrera despedida,
y hoy se agolpa a los ojos otro tanto...
¡qué lluvia tan perenne es la del llanto!

Yo que no dejo hogar en que viviera,
una piedra ni un árbol conocido,   10
sin que al mirarlo por la vez postrera
no me arranque una lágrima, un gemido;
paso en lamentación mi vida entera:
mas ¿cómo sin lamentos me despido?,
¿cómo no ha de llorar el alma mía   15
cuando te pierdo, hermosa Andalucía?

Hasta al mismo dolor si se despide
le damos al pasar una mirada,
una mirada que el espacio mide
de aquella hora en su región pasada.   20
¿Cómo podéis pensar que el bien se olvide?
¿Cómo podéis querer que yo olvidada
de esta hermosa y dulcísima ribera
no le dé ni una lágrima siquiera?

Las bellas tardes que pasé a su orilla   25
¿sabéis que fueron para mí muy bellas?;
¿sabéis que de la barca más sencilla
gozo en seguir las relucientes huellas?;
¿sabéis que es más hermosa cuando brilla
aquí la luna, el sol y las estrellas,   30

y que voy a sufrir más desconsuelo
cuando me aleje de tan claro cielo?

¿Sabéis que necesito en este ambiente
ahoarme en azahar, morirme en rosas
para aliviar mi corazón doliente,   35
de emociones muy tristes, muy penosas?
¿Sabéis que he menester la luz candente
de esas puras mañanas vaporosas,
aspirar de estos huertos en la calma,
para alejar el tedio de mi alma?   40

¿Habéis mirado el agua en la llanura
cuando se oculta el sol en la arboleda,
los árboles bañando y la frescura
y la fragancia que al bañarlos queda
habéis sentido allí... ¡Ah!, qué ternura   45
inspira el son del agua cuando rueda
por los campos de acacia perfumados
y sus ecos muriendo en los collados.

¡Oh amiga tierra! ¡Oh valle regalado!
¡Oh sol ardiente, sol de Mediodía!:   50
como al insecto yerto has reanimado
mi ser que en el dolor languidecía;
en pago al caro bien que tú me has dado
te doy mi corazón en mi poesía,
y aunque la hieran con su diente insano   55
canes que al darles pan muerden la mano.

Poco y amargo a su mortal fiereza
hoy mi mano en mis versos les envía,
porque abrasa la fiebre mi cabeza
y no puedo cantar como quería;   60
yo me llevo conmigo la tristeza,
pero dejar quisiera la alegría,
y no puedo... me ahogo... esfuerzo el canto,
y en vez ¡ay! de cantar prorrumpo en llanto.

Abril, 1848

Poesías (1852).
Octavas reales.

RECUERDOS DEL LICEO DE MADRID

Me acuerdo bien del venturoso instante
cuando vi yo la luz en vuestro oriente.
¡Cuánta luz, cuántas flores, cuánta gente
y qué mundo tan bello y brillante!
¿Por qué no estaba alegre tu semblante   5
tú que lleno de luz eternamente
en ese mundo que feliz te nombra
tienes el alma donde está tu sombra?

Gran pájaro de América atrevido,
que, trasponiendo los opuestos mares,   10
entre los recios vientos has venido
a dar al viejo mundo tus cantares;
tú que en tantos torrentes has bebido,
y hoy vienes a beber al Manzanares,
¡para que el ansia de tu sed ardiente   15
no perdone del mundo una corriente!

Tú que en el nuevo mundo te has mecido
entre el viento de arenas abrasado,
al son del Orinoco adormecido,
al pie de las palmeras arrullado;   20
y más tarde en el norte has despertado,
y con la luna a Gracia has recorrido,
y de Sión por la cadena santa
¡abriste paso a tu incansable planta!

¿Por qué estás triste tú? ¿Por qué te quejas?   25
¿Por qué me llamas la feliz cantora,
y ni llorar ni suspirar me dejas,
envidiando mi vida de pastora?
¿Dónde están mi cayado y mis ovejas,
dónde la choza está que te enamora?   30

¿En dónde están mis dichas y mi calma
si aquí soy sombra a quien le falta el alma?
    ¡Ah!, ¿qué se ha hecho de la pobre sombra
que huyó de esa mansión bella y querida?
El Gévora lo sabe que rendida   35
la ve muriendo en la campestre alfombra.
¿Piensas tú que del alma desprendida
el verme en estos valles no me asombra,
y que puedo tener contento y calma
cuando la sombra está lejos del alma?   40

    Mi alma en las ciudades tiene asiento,
y yo sufro también vuestro quebranto,
porque del vago ser que envidiáis tanto,
aquí está el corazón, allí el aliento;
aquí sus ojos, pero allí su llanto;   45
aquí su boca, pero allí su acento;
aquí está el mártir, pero allí su palma;
aquí soy sombra, pero allí soy alma.

    Las ráfagas del aire transparente
me pueden ocultar al que me mira;   50
pero yo siempre vivo en el ambiente
que vuestro labio sin cesar aspira.
Es verdad que mi sombra vagamente
por los collados silenciosa gira,
y allí parece que reposa en calma,   55
pero no soy la sombra, soy el alma.

    ¡Sí!, soy el alma siempre agradecida,
que a vuestro lado está, dulces amigos.
Vosotros, de mis lágrimas testigos
la noche de mi triste despedida,   60
nunca a la sombra me veréis unida.
¡Y ojalá que los hados enemigos
presto a *mi sombra* den eterna calma
y del cielo la luz den a *mi alma!*

Ermita de Bótoa, 1849

Poesías, 1852.

Octavas reales.

vv. 9-10: Vallis (1991, 442) sugiere que ese «gran pájaro atrevido de América» pudiese aludir a la poetisa cubana Gertrudis Gómez de Avellaneda, uno de los modelos vitales de Carolina, pues la cubana representaba –mejor que cualquier otro nombre– la mujer que se ha impuesto, sobre su condición sexual, con sus versos y su arte.

v. 19: el gran río americano, cuya cuenca se extiende por los países de Colombia y Venezuela, y que es una referencia más para identificar ese tú del texto con la Avellaneda.

v. 23: Sion es el nombre de la colina, o conjunto de colinas, sobre la que se edifica la ciudad de Jerusalem. Con esta referencia, unida a la que se hace a la cuna de la cultura occidental, se quiere significar la universalidad de la fama de su admirada Avellaneda.

v. 60. Vid. el poema «Se va mi sombra, pero yo me quedo».

Desde su espacio habitual, en los aledaños de Badajoz, y al regreso del primer viaje a Madrid, Carolina plasma en este poema el recuerdo agradecido de un acto social en el que se le homenajeó dos años antes. Aquella coronación de la jovencísima poetisa en el Liceo madrileño sito en el palacio de Villahermosa, y fundado en 1837 por José Fernández Vega. En aquella sesión, presidida por la propia Isabel II, Carolina fue coronada con laurel y oro por Zorrilla, y con la asistencia de Quintana, Campoamor, Martínez de la Rosa, Bretón, Mesonero, Pastor Díaz, García Tassara, Patricio de la Escosura, Ventura de la Vega o el mismo Hartzenbusch, su gran mentor literario (Castilla 1987, 79-80).

El tono melancólico de este poema –escrito en la soledad de Bótoa– se acentúa (sustituyendo la retórica exigida por lo perentorio del compromiso social) por un lenguaje más contenido y depurado, anhelando –desde una suerte de inconformista destierro– ese atisbo de gloria ciudadana que la joven poetisa había empezado a experimentar en su breve estancia madrileña tan breve como halagadora. En este texto, como en el titulado «Se va mi sombra, pero yo me quedo», se vuelve a jugar con la dialéctica *alma-sombra* (= cuerpo), formulado en unos endecasílabos, con variaciones, que rematan varias octavas (técnica algo frecuente en la *compositio* de la extremeña): *si aquí soy sombra, ¿a quién le falta el alma/ cuando la sombra está lejos del alma/ aquí soy sombra pero allí soy alma/ pero no soy la sombra, soy el alma;* para cerrar la relación entre ambos términos en la última estrofa, dirigida a ese mismo receptor (segunda persona de plural) que son los amigos de Madrid del poema de 1848.

IMPROVISADA EN EL LICEO DE MADRID

Del íntimo del alma agradecida
una voz exhalar sólo quisiera,
una voz tan profunda y tan sentida,
que cual yo me conmuevo, os conmoviera;
pero a bondad tan dulce sorprendida,   5
yo no puedo cantar por más que quiera;
y temblando y confusa en este instante
no encuentro ni una voz, ni un consonante.

Madrid, 1848

Poesías, 1852

Octava.

Evidentemente que esta octava «improvisada» hay que ponerla en relación con dos poemas anteriores: «Recuerdos del Liceo de Madrid», escrito unos meses después del presente, a su regreso a las tierras extremeñas, y sobre todo con el titulado «Se va mi sombra, pero yo me quedo», fechado también en Madrid y en 1848, y que –como ya se ha dicho– fue un poema escrito para agradecer el homenaje que el Liceo madrileño rindió a Carolina. Las circunstancias referidas en el segundo poema citado son válidas para la presente octava.

EL SIGLO VA A PARTIR

El siglo va a partir... abridle paso
y hagamos la señal sobre la frente;
ningún siglo fue a hundirse en el ocaso
con rayo más sangriento y más hiriente.

El de la historia a los anales lleva   5
de Europa los ejércitos vencidos,
del *nuevo mundo* la insolencia nueva,
de Africa agonizante los gemidos.

Y va a llevar también, roja y luciente,
para dar a sus páginas colores,   10
la sangre de las víctimas de Oriente
vertida por salvajes y traidores.

Y va a llevar, también, a sus anales,
como lauros de glorias adquiridas,
al son de las trompetas imperiales,   15
la moderna *legión* de los *suicidas*.

....

El mundo está en la noche del espanto;
gira el abismo en desquiciada rueda
y a Dios no acude en su mortal quebranto
porque ni fe ni humanidad le queda.   20

Joven el siglo de valor portento
era, de nuestra vida en la mañana,
y en España un raudal fue su talento
y un prodigio la musa castellana.

¡Cuánta esperanza en su saber perdida!   25
¡Cuánta grandeza en su poder fundada!
¡Cuántos héroes y genios, ya sin vida!
¡Cuánta ardiente virtud sacrificada!...

Aún escucho la voz de sus ancianos
y la marcha triunfal de sus guerreros   30
defendiendo su hogar y sus hermanos
de la torpe agresión de aventureros.

Aún recuerdo sus nombres venerados
en la patria, que ingrata los olvida,
mártires a su culto consagrados,   35
generación de nobles extinguida.

Y a ellos consagro mi oración piadosa
cuando este siglo su misión termina,
cubriendo ya con su tremenda losa
tanta desolación... tanta rüina...   40

¡Adiós siglo que vas! Hecho pedazos
mi corazón en los sepulcros queda
sin que pueda, aún, romper los duros lazos
que atan mi ser a la viviente rueda.

Mitra, 28 de diciembre de 1900

La Coalición (31-XII-1900).

Revista de Extremadura, 19, enero de 1901, pp. 14-15.

Serventesios.

v. 7: Con el siglo XIX se desencadenó todo el proceso de independencia de las Repúblicas americanas, y con la liquidación que supuso la guerra de Cuba terminó la añorada centuria (para la poetisa). Además España, con las campañas de Marruecos de mediados de siglo, las que encumbraron a Prim y de las que hizo crónica Alarcón, y con la pérdida de las Islas Filipinas (desastre al que se refiere en el poema «Barco Fúnebre»), vive un siglo agitado y dramático en Africa y en Oriente, según se alude en los versos siguientes.

v. 16: Cf. el poema parejo a este «La del siglo XX».

Aquí de la creadora fantasía

FÁBULA: EL EGOÍSMO

    Tenía Pablo en un rincón
de su corral un granado
que era de aquel vecindado
envidia y admiración;
    pero tan pegado estaba   5
a la tapia que ceñía
el corral, que la vestía
con su verde y la entoldaba.
    Y andando el tiempo llegó
a abrazarla, de tal modo   10
que con su ramaje todo,
al patio vecino dio.
    Pablo al ver que ya sus brazos
hacia otro lado tendía,
por el mismo tronco un día   15
la cortó de dos hachazos.
    –¡Hombre, por qué lo has cortado!
exclamó un amigo, ¿di?
¿Qué mal te causaba allí
el tronco de ese granado?–   20
    Un muchacho muy ladino
respondió: «No le estorbaba;
lo ha cortado porque daba
sus granadas al vecino.

Album de Momo (Madrid, 1847), p. 342. Allí el texto presenta las siguientes variantes: v. 14: «hacia otra parte tendía»; v. 21: «Un muchachuelo ladino».

Poesías, 1852.

Cuartetas.

LA ADORACIÓN DE LOS PASTORES

Sí, los cimientos del antiguo mundo
a estremecerse van: sonó la hora.
Grecia exhala gemido moribundo,
y corónase Roma vencedora.
¡Vana corona! ¡Espíritu infecundo!   5
La religión crüel y destructora
de ese pueblo tan sabio y tan valiente
no ha de salvar la humanidad doliente.

¿Qué nos importa ver cómo levanta
arcos eternos, templos inmortales,   10
si el falso Dios a quien adora y canta,
no ha de aliviar del corazón los males?
El egipcio también su eterna planta
imprime en los confines orientales
artes y ciencias, con pasmoso yerro,   15
postra a la vil adoración de un perro.

¿Qué la inútil pirámide en la tierra
ni los templos de Atenas han logrado,
si el alma, triste en su perpetua guerra,
divina religión no han inspirado?   20
¿Qué vale ese poder que nos aterra,
en colosales piedras levantado,
si el consuelo, que aguardan tantos seres,
no han de darlo el orgullo y los placeres?

No basta que las águilas de Roma,   25
las poderosas alas extendiendo,
se bañen en el mar que hundió a Sodoma,
su plumaje hasta Iberia sacudiendo;
esas águilas, no: blanca paloma,
de las legiones entre el ronco estruendo,   30

descendiendo a los Líbanos de oriente,
vendrá a regenerar el occidente.

Hay en el Asia una comarca bella,
de montañas de cedros sombreada,
y ha dicho el ángel que esperemos de ella   35
la religiosa fuente deseada;
bajo aquel puro sol, casta doncella
vive tranquila, del Señor guardada,
y ha dicho el ángel, que en su limpio seno
se ha de engendrar al Dios paciente y bueno.   40

¿Dónde si no en la tierra del Profeta,
que habló con el Señor en la montaña,
y a su Ley reprimió la tribu inquieta,
ciega a los rayos de la luz extraña;
dónde si no en la tierra del poeta   45
patriarcal, y en la plácida cabaña,
del pastor inocente del carmelo,
pudiera colocar su cuna el cielo?

Glorifícate, pueblo de Judea,
tú fuiste del Señor el escogido;   50
perdió sus templos la ciudad hebrea,
la reina de las reinas ha caído;
tú cediste cobarde en la pelea,
las tablas de tus leyes se han perdido;
tu tribu en el desierto errante gime,   55
pero en ti nace el dios que nos redime.

Árabes, que cruzáis la seca arena,
hijos de Salomón, David, Elías,
suspended un instante la faena,
dejad el caminar para otros días: 60
el Jehová que diluvia, el Dios que truena,
el que abrasa ciudades, por impías,
otra vez a nosotros se aparece,
y a su anuncio la tierra se estremece.

Dejad en el desierto los camellos,   65
y en el río que baña a Galilea,
bajo la sombra de los cedros bellos,
aguardad a que el sol perdido sea;

mirad cómo se apagan sus destellos:
ya en los montes oculto centellea,   70
y vienen los pastores fatigados
hacia el redil trayendo sus ganados.

Ya hemos visto surgir tibio lucero;
la fresca brisa de la noche vuela,
y el can, de las ovejas compañero,   75
guarda inmutable a sus espaldas vela;
ya enciende la candela en el otero
el pastor y ya duerme la gacela
y silencioso el valle inspira al alma
santo placer y religiosa calma.   80

Pero no suenan cantos celestiales,
ni la luna esta noche es más lucida
porque venga esta noche a los mortales
la aparición del ángel prometida;
a nosotros no más, a nuestros males,   85
no este gozo a los ángeles convida,
que gozosos están siempre en el cielo,
y jamás necesitan de consuelo.

Nosotros solos al Señor que nace
himnos de regocijo preparemos;   90
si el ángel mudo a nuestras dichas yaces,
nosotros por los ángeles cantemos;
y a la señal de su venida hace
la tierra, conmovida en sus extremos,
cual si la planta del Señor la hiriera   95
y el perdido equilibrio la volviera.

A un lado Babilonia, a otro Palmira,
y más cerca Pentápolis y Tiro,
del Señor derribadas por la ira.
¡Oh qué elocuencia dan a este retiro,   100
donde la Virgen lánguida suspira!;
¡oh cómo el genio del Señor admiro:
que nace humilde en estas soledades
sepulcro de tan locas vanidades!

Desde que Dios creó la luz hermosa,   105
desde el diluvio que anegó al viviente,

no ha creado en su ciencia milagrosa
un prodigio el Señor más imponente;
la sombra de Moisés, sobre la losa
del desierto, se inclina reverente,   110
y por los valles del Jordán inquietas
se cruzan las de todos los profetas.
    Tal vez en eco inteligible canta
esa turba de genios misteriosa,
y no entendemos su palabra santa   115
en el rumor del aura vagorosa;
del Líbano, tal vez, en la garganta
pulsa Daniel el arpa religiosa,
y al oír de la Virgen el gemido
«¡Hosanna!» entona «¡Hosanna!» repetido.   120
    ...¡Gracias, doliente y pálida María,
la más hermosa en la creación entera!
Como el dulce panal que Grecia cría,
tus blancos pechos son de miel y cera.
Cuando al dolor tu faz palidecía,   125
cuando lanzabas queja lastimera,
de la oscilante luz a los reflejos,
lloraban los pastores a lo lejos.
    Sin púrpura, sin oro, entre las pajas,
solo tus alas, tórtola amorosa,   130
prestan abrigo y delicadas fajas
al que ha de alzar bandera tan gloriosa;
así de Egipto en las arenas bajas
nace la escasa vena que ruidosa
pronto e inmenso Nilo convertida   135
inunda los desiertos atrevida.
    Tú le nutres: los globos de tu seno
por la divina leche abastecidos,
como del cielo en el azul sereno
pálida luna, brillan conmovidos   140
por el amor materno; y junto al heno,
contra los labios de Jesús unidos,
gota por gota el néctar le derraman
y al percibir su boca más se inflaman.

No sé pintar la suavidad preciosa   145
que presta la ternura a tu semblante
cuando inclinas la frente majestuosa
para besar sus labios anhelante;
la expresión de tus ojos luminosa,
y de tus brazos la actitud amante,   150
mira absorto el pastor, y a cada beso
redobla su atención y su embeleso.

No sé decir lo que mi pecho siente
al ver dormido en la pajiza cuna
al que Rey ha de ser de tanta gente,   155
que a su diadema igual no habrá ninguna;
no sé decir la admiración ferviente
con que miro a los rayos de la luna
su rubia sien, en donde la divina
flor de la eterna cristiandad germina...   160

¡Cuán grande vienes tú, Señor, cuán puro!
¡Cuán pequeños y míseros nos hallas!
¡Cuán brillante es tu genio, y cuán oscuro
el genio que nos lanza a las batallas!
¡Cuán firme es tu bajel! ¡Cuán inseguro   165
el nuestro en este mar! ¡Qué recias vallas
puede oponer tu ley a las pasiones!
¡Qué endebles nuestras frágiles razones!

Ven a escuchar los males que sufrimos,
ven a calmar las penas que lloramos;   170
hace ya mucho tiempo que nacimos
mucho tiempo, Señor, que te aguardamos;
a tu virtud, Señor, sólo acudimos,
en tu saber tan sólo confiamos,
y cuanta fue mayor nuestra amargura,   175
esperamos de Ti mayor dulzura.

A Ti el justo, el sufrido, el virtuoso,
el regenerador, el fuerte, el sabio,
vendremos en tropel tumultuoso,
con el crimen, la pena y el agravio;   180
a Ti el consolador, el generoso,
revelaremos con ingenuo labio

el llanto y los secretos torcedores
de nuestros más recónditos dolores.

En concierto, Señor, miles de bocas   185
vendremos a clamar a tus oídos;
en tu fe, como el águila en las rocas,
descansarán los ánimos rendidos;
necias quimeras, esperanzas locas,
desengaños y errores confundidos   190
desahogarán en Ti su cauce humano,
cual los hinchados ríos de Océano.

¡Ay! Tú sabrás las hondas aflicciones
que tienen abrumadas nuestras vidas;
verás nuestros postrados corazones,   195
registrarás sus llagas escondidas;
Tú del cuerpo infeliz de las naciones
desgarrarás las venas corrompidas,
¡y nueva sangre y nuevo movimiento,
les darás con tu sangre y con tu aliento!   200

Ermita de Bótoa, 1847

Album Religioso. (Madrid, 1848, pp. 11-17).

Poesías, 1852.

Octavas reales.

v. 16: Carolina debe de referirse, probablemente, al dios egipcio Anubis, que se presentaba en forma de chacal o de perro, o bien en forma humana con cabeza de chacal. En su calidad de dios de los muertos y conductor de las almas, frecuentemente presidía las sepulturas.

v. 17. *el mar que hundió a Sodoma.* En el Mar Muerto. Se indica así que las «águilas imperiales» de Roma se extendieron de un extremo a otro del Mediterráneo, abarcando toda Europa de este a oeste.

v. 25-32: Es interesante el diseño estilístico de esta octava, que distribuye sus dos mitades desde el eje divisorio que viene a ser el octosílabo quinto; verso bimembre, que en su primer hemistiquio recoge el sustantivo que sintetiza los cuatro primeros versos (*águilas*) y en el segundo el sustantivo que se opone al anterior (*palomas*), y que es el centro de atención de los tres versos finales de la octava. El mundo pagano, representado por las águilas de los ejércitos romanos, se diferencia del cristiano, simbolizado en la paloma (la de Pentecostés; pero también desde sus connotaciones de belleza, de ternura, de candidez, se opone a la agresividad y violencia que acompañan a la voz *águila* en tanto que ave rapaz.

v. 28. *Iberia:* España. El nombre de Iberia fue el asignado por los geógrafos antiguos, desde Piteas, para referirse a la Península Ibérica. A partir de la conquista romana el nombre antiguo fue sustituido por el más generalizado de *Hispania.*

v. 31. *a los líbanos del Oriente:* La poetisa quiere referirse, con este topónimo, a las tierras del antiguo Israel, en donde situar Judea, patria del redentor.

vv. 41-44: Referencia a Moises y a las Tablas de la Ley, con las que el patriarca israelí reprimió el avance de la idolatría entre los nómadas del desierto.

v. 48. *pastor inocente del Carmelo:* el pastor que habita en el referido monte, promontorio elevado por encima de la costa del estado de Israel, y que protege la bahía de San Juan de Acre y el puerto de Jaifa.

v. 52: La reina de las reinas podría ser Roma.

vv.81-96: En un ejemplar de las *Poesías* de 1852, en el margen inferior de la página 117, figura, de mano de la propia Carolina, una nueva redacción de esas dos octavas, que en mi opinión empeora la lectura original; no obstante, y dado que son correcciones seguras de la poetisa, las transcribo seguidamente:

> Pero ya suenan cantos celestiales,
> luz les rodea, cual luna más lucida
> porque viene esta noche a los mortales
> la aparición del Cristo prometida.
> Del Redentor que lleva nuestros males,
> los ángeles celebran la venida,
> y serafines que están en el cielo
> y jamás necesitan de consuelo.

> «¡Gloria en excelsis! Al Señor que nace
> himnos de regocijo preparemos.
> Paz en la tierra que postrada yace
> y al hombre bueno voluntad cantemos».
> Ya la señal de su llegada hace
> la tierra conmovida en sus extremos,
> cual si la planta del Señor la hiriera
> y el perdido equilibrio la volviera.

v. 97 y ss. Se alude a diversas ciudades de la Antigüedad, famosas porque fueron objeto de terribles destrucciones por diversos ejércitos invasores o por catástrofes naturales. Tales referencias se alinearían con la de Sodoma y su destrucción, del verso 27.

v. 117. *en la garganta del Líbano:* es decir, en el interior del país.

v. 166. Ese mar no es otro que el metafórico y proceloso camino en el que –tópicamente– podía naufragar la nave de la vida humana.

LA ENCINA DE BÓTOA

En la raya que divide
el Portugal de la España,
al lado de un regatillo
a unas encinas pegada,
como a un cardo un caracol   5
tiene D. Diego una casa
a donde a veces le lleva
más que su amor a la caza
el deseo de tener
a su mujer más aislada.   10
    Porque en el pueblo no vive:
ronda, mira, cela, indaga
y le enojan y le inquietan
hasta las sombras que pasan
al través de las espesas   15
celosías de sus ventanas.
    En el campo más tranquilo,
respira, duerme, descansa,
mas, no con tal abandono
y tan ciega confianza   20
que deje de examinar
si algún caminante pasa,
si para algún cazador
bajo la encina cercana,
si viene alguno a pescar   25
a la ribera inmediata.
    Y hace días que redobla
D. Diego su vigilancia,
pues anda la portuguesa
intranquila y abismada   30
en ocultos pensamientos

que sus cuidados alarman.
  Ya la ha hallado por dos veces,
al tornarse de la caza,
discurriendo entre las sombras   35
de unas encinas lejanas
que van formando un gruta
con sus copas enlazadas,
y ha observado por dos veces
que al acercarse a llamarla   40
temerosa entre los árboles
el cuerpo le recataba,
por lo cual ha decidido,
lleno de celosa rabia,
oculto hacia aquellos sitios,   45
aquella tarde, acecharla.
      Es D. Diego Mercader
un hidalgo catalán,
que si no lo testarudo
y celoso por demás,   50
de los esposos, hoy día,
fuera modelo cabal.
Otro defecto le añaden
los que no le quieren mal,
el de ser irreligioso,   55
pues afirman, además,
que a su consorte reprende
por su continuo rezar;
a tal extremo llevando
su impía temeridad,   60
que derriba las imágenes
que en un figurado altar
la devota portuguesa
tiene con grande piedad...;
mas estos son tan ligeros   65
lunares, que por hablar
la gente los escudriña
entremetida y mordaz.
  Es lo cierto que a su esposa

Doña María de Albar 70
ama, considera y mima:
aunque también es verdad
que debe a Doña María
fortuna y felicidad.

Porque perdió Mercader 75
su riqueza en el azar
del juego, y recordando
que tenía en Portugal
cercanos parientes ricos
y una primita además, 80
de famosísimo dote
y acreditada beldad.
Marchóse al pueblo extranjero,
vio a la prima, se hizo amar,
casóse, murió su tío 85
con que le vino a heredar.

Ya la noche por Oriente
va llegando acelerada,
cruza el monte diligente
algún pastor impaciente 90
tras la res descaminada.

No hay en los aires un ave
de las que alegran el día
con su tierna melodía;
los bueyes el paso grave 95
mueven en pos de su guía.

Cuando al valle se encamina
de sable armado D. Diego
y el valle todo examina
y toma, de celos ciego, 100
por su esposa a cada encina.

Párase de trecho en trecho
tras cada bulto perdido
y al ver su engaño deshecho
el corazón en el pecho 105
se le salta enfurecido.

Detiénese fatigado
y recogiendo el aliento;
otra vez escucha atento
porque sin duda a su lado   110
ha resonado un acento...

        «¡Señora –la voz decía,
entre ronca y temblorosa–
señora, señora mía,
oye mis ruegos piadosa   115
 oye mis ruegos, María...»

        ¡Aquí!, gritó Mercader,
desnudando la ancha espada
que hace a sus plantas caer
la figura recatada   120
que llamaba a su mujer.

        Luego en la noche sombría
quedó el valle sepultado
y sólo se distinguía
un bulto en tierra postrado   125
y otro bulto que se huía
por el monte apresurado.

        Y las puertas de la Granja
se abren al golpe tremendo,
que sobre ellas impaciente   130
descarga el furioso dueño.

        Por delante de su esposa
pasa sin verla D. Diego
y asiendo una lamparilla,
se retira a su aposento.   135

        Cierra la puerta y después
saca un misterioso objeto,
prenda del muerto, y sin duda,
la que contiene el secreto
de su culpable mujer   140
que en amorosos conceptos
mil billetes habrá escrito...

        Pasmado quedó D. Diego
al ver, en vez de cartera,

una bolsilla de cuero   145
con dos groseras correas,
atada por un extremo.

   Ábrela, saca un papel
y..., haciendo un terrible gesto,
pálido como la cera,   150
el catalán en el suelo
gritó arrojando la espada
¡voto al diablo, es mi vaquero!

      Ya han pasado muchos días
sin que vuelva a suceder   155
que trate el buen catalán
de acechar a su mujer
oculto entre las encinas.

   ¿Si habrá curado, tal vez,
sus celos aquella muerte   160
del pastor? —Yo no lo sé—
Tétrico, meditabundo
de su granja en el dintel,
pasa las horas enteras
en tanto que su mujer   165
también silenciosa y triste,
con afanoso interés,
discurre sobre el origen
de aquel extraño desdén.

   Por fin se acercó a su esposo,   170
venciendo la timidez,
y se atrevió a preguntarle:
«¿por qué no sales?» —«Saldré»,
respondió él a esta pregunta
que como un rayo a caer   175
fue en el alma del celoso
para inflamarla otra vez.
«Voy a caza, dijo luego,
y hoy muy tarde volveré».

      Son ya las últimas horas   180
de una tarde sosegada
en que no aguarda la luna

para salir de su estancia
a que el Señor de los astros
por occidente se vaya;   185
sino, que robando al sol
el resplandor de su llama,
sale a mostrar en el día
por el cielo su luz vaga
y no deja distinguir,   190
la vista absorta en entrambas,
la clara noche que empieza
de la tarde que se acaba.

 Callada como la luna
tan bella y más recatada   195
una mujer aguardando
en el valle está con ansia
a que se aleje una sombra
que allá por el monte avanza,
y cuando ya nada ve   200
echa a andar apresurada
hacia un sitio en donde están
cuatro encinas agrupadas.

  Son una llama los celos
que ni se apaga ni entibia   205
hasta que no ha reducido
el corazón a cenizas.
Y, dicen, que hace su llama
cuando sutil se desliza
por las venas, como el sol   210
por las aguas cristalinas:
hervir la sangre abrasada
en las sienes comprimidas
y ver extraños fantasmas
que la razón debilitan.   215
Por eso lleva D. Diego
las negras cejas fruncidas,
los ojos desencajados
y la faz descolorida;

por eso aferran sus dedos 220
aquella espada que brilla
como el agua de un arroyo
al través de las encinas;
    por eso en aquel pastor
que del valle se retira 225
ve a lo lejos al incógnito
galán de Doña María:
    porque son llama los celos
que ni se apaga ni entibia,
hasta que no ha reducido 230
el corazón a cenizas.

    Dio el hidalgo una estocada,
dio un grito Doña María
y con la vista clavada
en una encina elevada 235
cayó de rodillas, fría.

    Alzó la suya medrosa
siguiendo la de su esposa
D. Diego hacia aquella encina
que una ráfaga dudosa 240
del crepúsculo ilumina.

    Y vio la santa figura
de una Virgen de madera,
que la blanca vestidura,
a medias, por la hendidura, 245
del tronco mostraba fuera.

    Y vio el misterioso altar
que su esposa ha hecho adornar
de las más hermosas flores,
a donde vienen a orar 250
por la tarde los pastores.

    Y allí cayó de rodillas.
La luna, que alumbra en tanto
sus facciones amarillas,
dejó ver en sus mejillas 255
dos tristes gotas de llanto.

La encina desde aquel día
muestra en su copa sombría
cada bellota sagrada
con la imagen de María   260
en su corteza grabada.

Ermita de Bótoa, 1845

Poesías, 1852.

Romances octosilábicos combinados con quintillas y una sextilla (vv. 122-127)..

Son muy escasos los poemas narrativos en el haber de Coronado. Este glosa una vieja tradición religiosa –incluida la leyenda y creencia popular que se resume en la última quintilla– sobre la fundación del Santuario de Bótoa y el origen milagroso de la Virgen que allí se venera, y lugar tan unido a la propia vida extremeña de la poetisa.

Barrantes, al reseñar el libro de D. Mariano Nougué Secall (Badajoz, 1861) sobre el Santuario de Bótoa, dice que su autor se ha limitado a repetir lo que ya se dice en la *Crónica de la Provincia de San Miguel* de Santa Cruz, y en la *Historia Eclesiástica de la Ciudad y Obispado de Badajoz* (1668), que indudablemente debieron ser las fuentes posibles de Carolina, además –sobre todo– de la tradición oral (y a lo mejor esta bastó). Barrantes sospecha el origen lusitano de esta tradición siguiendo sugerencias de nuestra poetisa: «También le atribuye un origen semilusitano C. Coronado». De hecho este poema fue incluido por Nougué en el libro citado. Acaba Barrantes su comentario con estas notas que coinciden con lo afirmado al final del poema: «Es de advertir que algunas encinas del circuito donde se apareció la Virgen producen singulares bellotas, con unos relieves o protuberancias en su cáscara, que semejan a la santa imagen; cosa que se tiene por milagro y las hace objeto casi de culto en el país» (*Catálogo razonado y crítico de los libros, memorias y papeles impresos y manuscritos que tratan de las provincias de Extremadura,* Madrid, Rivadeneira, 1865). Como ocurre en casi todos sus relatos, incluso en uno hecho con no poco sentido del humor y de la parodia, como es la novelita corta *Paquita,* Carolina no pierde ocasión en cualquier relato, como este, para repetir una vez más su denuncia de las condiciones de limitación, clausura, ausencia total de libre determinación de la mujer casada, sometida de por vida al marido.

Volviendo sobre la milagrosa tradición que se recrea en el poema, en la revista *Archivo Extremeño* (nº 3, 25 de abril de 1908) hay un trabajo sobre el santuario de Bótoa firmado por Lino Duarte de Insúa (pp. 78-87) en el que se facilitan unas notas sobre el referido santuario, la imagen que allí se venera, el milagro de las bellotas, la leyenda de don Diego que aquí se relata, etc.

CANTOS DE UNA DONCELLA

I

Bella soy, bella soy; mi rostro encanta.
Mejor que en el cristal en los semblantes
la copia miro de belleza tanta,
reflejada en los ojos anhelantes:
paloma, flor, estrella, ángel y *santa*   5
me apellidan los hombres delirantes,
y de santa en el título obstinados
quisieron adorarme arrodillados.

En blondos rizos la melena mía,
en frescas rosas mi redonda cara,   10
en luz brillante, cual la luz del día,
de mis pupilas la negrura clara,
al contemplarme el bardo se extasía,
y si en mi boca por azar repara,
perlas, corales, ambrosía, flores   15
agota al ponderarme sus amores.

Yo me sonrío y me enamoran ellos;
ceñuda miro y con respeto callan;
ni el extremo a tocar de mis cabellos
osan los que a las fieras avasallan;   20
los que de gran valor raros destellos
a la frente de ejércitos batallan;
a mi indignado gesto sometidos
bajan sus locos ojos confundidos.

Gran majestad, yo levanté mi trono   25
y de vasallos ciento al pueblo mío
con regia faz, con soberano tono
le señalé por leyes mi albedrío;

yo ya sé pronunciar un «os perdono»,
yo ya sé castigar con mi desvío,   30
porque es mi dignidad un Dios que ciega
al que a mirarle irreverente llega.

    Risueña visto primorosa gala,
de flores ciño juvenil corona,
la suave esencia que mi cuerpo exhala   35
anuncia por los aires mi persona:
¿quién de mis triunfos el poder iguala?
Amor los corazones eslabona
que han de sufrir de mi rigor la pena
y se extiende a lo lejos su cadena.   40

    Viene al tribunal los tristes reos
y al revolver de mis severos ojos
yo les hago abjurar sus devaneos
cuando aplacar intentan mis enojos.
«Callen –les digo– penas y deseos,   45
y a ese que canta, que a mis labios rojos
no les llame coral, porque es mentira,
pues al juzgarle ve que tiemblan de ira.

    Que mis dientes jamás en *perlas* funda
ni por *espigas* tome mi cabello,   50
ni, por hacerme *garza,* moribunda
me deje al retorcer mi recto cuello;
que mis sencillo nombre no confunda
con el de *maga,* porque no es más bello,
y porque, al fin, si nombre no es judío   55
no es nombre tan cristiano como el mío».

    Callo, y se aleja la ofendida gente
lanzando rencorosa una mirada
al tiempo que en saludo reverente
inclina la cabeza sofocada;   60
tal hace al sacudirse la serpiente
si la cabeza se sintió pisada...
La vil serpiente hace morir al hombre;
él hace más: ¡infama nuestro nombre!

II

Mas uno vi que fijo y silencioso   65
mis pasos melancólicos seguía
y que otras veces repentino huía
velándose en retiro silencioso;
era su hablar sumiso y tembloroso,
su mirada dulcísima y sombría   70
y de su canto en la alabanza breve
ni él se llamó *volcán* ni me hizo *nieve*.

Nunca su lloro salta a su mejilla,
pero en sus ojos siempre derramado
en ardientes vapores exhalado   75
mi cabeza trastorna cuando brilla;
al eco solo de mi voz sencilla
tiñe su rostro vivo sonrosado,
a la sombra no más de un hombre amante
de palidez se cubre su semblante.   80

Y no se duele nunca, no se queja;
de amor y celos entre sí batalla,
pero su lucha, su dolor me calla
y enternecido el corazón me deja.
¿Por qué entonces de mí triste se aleja?   85
¿Por qué entonces mi vista no le halla?
¡No sabe que yo entonces afligida
diera por consolarme hasta la vida!

Yo que nunca lloré por su ausencia
si se tarda en volver prorrumpo en llanto.   90
¿Por qué yo he de sufrir sus celos tanto
que me oculte sin culpa su presencia?
¿Por qué luego si finge indiferencia
he de sentir enojo ni quebranto?...
¡Tiempo de libertad y de alegría   95
desapareciste para el alma mía!

III

Nunca mostró más luz el sol de mayo
ni más azul apareció la esfera
que la mañana en que por vez primera
la faz de mi rival miré al soslayo;   100
parece que del sol el vivo rayo
trajo más luz que porque su hechizo viera,
parece que el azul de aquellos cielos
anuncio fue de mis ardientes celos.

Yo me miré al cristal y me hallé fea;   105
mi pálida color tristeza daba,
mi barba, cual de anciana, retemblaba
y dije para mí «que *el* no me vea».
Pero añadió después: «¡que *ella* me crea
muy feliz lejos dél, del que me amaba!...».   110
Y prendiendo en mi sien una flor bella
me puse a sonreír delante de ella.

¡Hay sonrisa más triste que este llanto,
sonrisa más amarga que una queja,
sonrisa que cefrada el alma deja,   115
porque nunca el que llora sufre tanto!:
pues hay quien en tal risa halla un encanto,
pues hay quien sonreír nos aconseja...
¡Oh cuán galantes que se muestran ellos
porque se luzcan nuestros dientes bellos!   120

Eso vio mi rival, mis bellos dientes;
al corazón sus ojos no llegaron,
por más que sus miradas consultaron
mis ojos a su afán indiferentes;
tampoco vio las lágrimas ardientes   125
que no rompieron, mas mi rostro hincharon.
Mi sonrisa, mis flores, mi alegría,
eso vio mi rival, no el alma mía.

Pero la suya vi; yo vi su orgullo,
yo vi su vanidad, yo su contento;   130
claro entendí su lisonjero acento,

594

claro del tierno amante el dulce arrullo;
claro de entrambos el feliz murmullo
que a mis oídos trasportaba el viento,
como de fuego manga abrasadora   135
que la tierra al pasar tala y devora.

    ¡Lejos de mí placeres de la vida,
galas, lisonjas, vanos amadores,
yo aborrezco las músicas, las flores,
yo quiero llorar sola, oscurecida;   140
quiero esconder mi frente dolorida,
cantar en el silencio mis amores,
donde ni alumbre el sol ni haya viviente:
¿de qué me sirve el sol, de qué la gente?

    Con esa misma luz que el sol derrama   145
mira el garzón amante con ternura
el rostro de la célica hermosura
del raro serafín que tanto ama;
con esa misma luz arde y se inflama
viendo entre tanta flor y galanura   150
sus ojos dulces, su redondo cuello,
su airoso talle, su contorno bello...

    ¿Sol?: que no tornen a lucir sus rayos
jamás, jamás en nuestras horas diurnas.
¿Flores?: que arrastren las revueltas urnas   155
del vecino riachuelo hojas y tallos;
negros se tornen los colores gayos,
cubran la inmensidad sombras nocturnas,
¡y llore mi rival mientras yo ría
de ver que su beldad no tenga día!   160

IV

    Mas, ¡ten de mí piedad!... hazme dichosa,
dame la calma o quítame la vida,
mira que de batalla tan furiosa

estoy ya muy cansada, muy rendida;
¡ay, hasta el criminal duerme y reposa,   165
yo sola con el sueño estoy reñida
y he menester la paz, descanso, calma,
si he de salvar la combatida alma!

 ¿Qué quieres, ¡ay!, de mí? Suene tu acento,
y atenta siempre a tu precepto santo   170
suspenderé las notas de mi canto,
respiraré en el aura de tu aliento;
canta y me alegraré con tu contento,
llora, y ansiosa absorberé tu llanto...
que yo te seguiré con mis amores   175
cuando cantes, mi bien, y cuando llores.

 ¿Mi pueril vanidad celos te inspira?:
lanza al fuego mis flores y mis lazos.
¿No te placen los cantos de mi lira?:
pon en ella los pies y hazla pedazos.   180
¿A otra más bella tu ambición aspira?:
dame la muerte con tus propios brazos.
¡Habla, ordena! Suspensa, embelesada,
obedezco a una voz, a una mirada.

Badajoz, 1845

Poesía, 1852.

Octavas reales.

vv. 30-32. Ese dios que ciega, porque es ciego no es otro que Cupido y su tradicional iconografía del gordezuelo infante que arroja sus flechas con los ojos vendados.

v. 115. *cefrada:* 'rendida', 'agotada' (extremeñismo procedente de la comarca de Tierra de Barros, y más concretamente de Almendralejo.

Carolina ejemplifica las diversas perspectivas de la pasión amorosa y de las actitudes entre la mujer y sus admiradores o amantes con el esbozo de una historia del mismo tipo de las que Carolina desarrollaría en alguna novelita, como *Adoración;* historia en la que la mujer orgullosa y despreciadora del comienzo se torna esclava de su propia pasión cuando se ve olvidada o rechazada de aquel por el que únicamente se ha sentido atraída, después de haber mostrado orgulloso rechazo de quienes la halagaban hasta el cansancio.

LA ROSA BLANCA

Antes que por la lluvia fecundada
arde la tierra al sol de primavera,
que apresurando su veloz carrera,
muestras la luz de mayo anticipada;
queda la yerba mísera abrasada   5
antes de desplegarse en la pradera
y, como niño que en la cuna muere,
seco el pimpollo al rayo que lo hiere.

Para su breve curso el arroyuelo,
la fuente agota su caudal mezquino,   10
de la desnuda acacia al muerto espino
lleva la joven mariposa el vuelo;
el polvo lame del estéril suelo
la oveja hambrienta, y, fijo en el camino,
a lo lejos contempla los sembrados   15
el labrador con ojos desolados...

¿A qué viene la niña de la aldea
a recorrer los campos cuidadosa
si no ha de hallar en ellos ni una hermosa
flor, que de su cabello ornato sea?   20
Siempre cuando la mansa luna ondea,
al acabarse el día, presurosa
desciende murmurando a la ribera
y se mira en el agua placentera.

Y alza de entre los juncos de su orilla   25
una flor de blancura reluciente
y una por una cuenta ansiosamente
las hojas de su corola sencilla;
y cuantas menos son, más gozo brilla
en la faz de la niña, más latiente   30

siente su pecho, y en el onda pura
mira con más cuidado su hermosura.

Aquella flor tan blanca y olorosa
al pie del arroyuelo colocada
desde lejano huerto transplantada   35
revela inteligencia misterios;
para aquella que aguarda el alba rosa
un signo es cada hoja plateada,
que, en su número, anuncian a María
las horas de una cita cada día.   40

Seis hojas solamente coronaban
ayer las sienes de la fresca rosa:
los ojos de la niña venturosa
al recorrerlas de placer brillaban;
y era que ya de cerca resonaban   45
las pisadas y el habla cariñosa
del oculto galán que en la ribera
la dulce niña enamorada espera.

Mas ¡ay del triste, doloroso día
en que la amada flor de su consuelo   50
sus hojas doce al pie del arroyuelo
muestre a los ojos de la fiel María!
El habla tierna que a su lado oía,
el rostro que miró con tanto anhelo,
no escuchará y más en la ribera,   55
no verá junto al agua placentera.

Ya su carrera el sol en paz termina,
ya no alcanza su rayo a la pradera,
mas refléjase aun su luz postrera
en la pálida copa de la encina;   60
y en una errante nube blanquecina
que, al acaso, perdida por la esfera
mitad de su color al sol le debe,
mitad al brillo de la luna leve.

El sol lejano, el cielo transparente,   65
la débil luna, el viento sosegado
el monte allá a lo lejos levantado
entre la oscura sombra del oriente;

el pájaro que trina suavemente,
el riachuelo que suene acompasado   70
prestan al mustio campo en su tristeza
galas de juventud y de grandeza.

    Reanima sus pimpollos la arboleda
y la planta el follaje decaído;
por la nocturna sombra humedecido,   75
el seco prado reluciente queda:
que aunque estación ingrata no conceda
benigna lluvia al campo agradecido,
basta al suelo de España fresca sombra
para tejer su verde y rica alfombra.   80

    Y aún han de hallar las aves extranjeras
que emigran de los climas apartados
abundante semilla en sus collados
y sombra deliciosa en sus riberas;
y aún tejerá en abril en sus praderas   85
ramilletes de lirios delicados
la niña que ya baja al arroyuelo
tras de la blanca flor de su desvelo.

    Menos de su colmena enamorada
vuela ansiosa la abeja a los panales   90
que la amorosa niña a los juncales
donde la clara flor está guardada;
su faz inquieta brilla carminada
entre las rubias trenzas desiguales,
como en pálidos trigos encendida   95
tierna amapola, a medias escondida.

    Mas hoy la bella flor de su alegría
no corona los juncos del riachuelo...:
dos lágrimas de amante desconsuelo
caminan por el rostro de María;   100
cual si viajero que la fuente ansía
tocara el agua convertida en hielo,
así al hallar los juncos sin la rosa
queda la niña triste y silenciosa.

    Fija la vista por el agua clara   105
que bajo de sus plantas se desliza,

cómo sus hilos transparentes riza
luego el lloro enjugándose repara;
y como aquella flor graciosa y rara
blanca en su cerco, en la mitad pajiza 110
se mece en su barquilla deliciosa
burlando la corriente bulliciosa.

Y al fin ya divertido su cuidado
brota en su corazón nueva esperanza.
¿Quién sabe en su raudal que al junco alcanza 115
si habrá la rosa el agua arrebatado?
¿Quién sabe si su espíritu agitado
halla en leve ocasión grave tardanza,
y si al compás del agua cristalina
ya muy cercano su garzón camina?... 120

En tanto que la vaga nubecilla
ya sobre su cabeza se suspende
en dos alas blanquísimas, que tiende
como paloma que en los aires brilla,
a la postrera débil lucecilla 125
que del sol medio oculto se desprende,
piensa ordenar María su prendido
del arroyuelo en el cristal lucido.

Que de su amante a los oscuros ojos
bella mostrarse anhela, cual ninguna; 130
el parecer hermoso de la luna,
por ser ajeno hechizo, le da enojos;
del sol la enfadan los perfiles rojos
y el brillo de la estrella le importuna;
que no pueden sufrir sus altos celos 135
ni las rivales mismas de los cielos.

La gran toca dorada del cabello
por el vivo airecillo descompuesta,
la ondulante gasilla alba y modesta
que en torno ciñe su azulado cuello 140
más peregrino harán el rostro bello
en su inocente compostura honesta...
Llégase, y sobre el agua cristalina
el blanco rostro la doncella inclina.

Mas en vez del contorno delicado   145
donde lucen sus ojos lagrimosos,
se muestra en los espejos temblorosos
la nubecilla en círculo ovalado,
Muda el cristal; mas hállanlo empañado
donde quiera sus ojos temerosos: 150
la nube al arroyuelo todo alcanza
y va burlando siempre su esperanza.

    Alza confusa el rostro con recelo
hacia la sombra de su arroyo empaña
aquella nube de blancura extraña   155
que de la luna pende, como un velo;
ya se asemeja meciéndose en el cielo
un cisne que en su lago azul se baña,
y ya remeda una graciosa cuna
do, como un niño, muéstrase la luna.   160

    De nuevo al agua tórnase María
y otra vez vuelve a hallar la nube en ella...
Con presurosos pasos la doncella
huye espantada a la cercana vía;
caminante sin luz, ciego sin guía,   165
los erizados juncos atropella
temblando al vago roce del cabello
que el viento hace flotar sobre su cuello.

    Pero del sauce aquel cuya melena
luenga baja hasta hundirse en la corriente   170
suave, como el ruido de la fuente,
y dulce una doliente queja suena;
notas de una muy triste cantilena
que por el mismo corazón se siente,
voz de quien sufre y se lastima y ruega,   175
«¡ay!», que hasta el alma desgarrando llega.

      ¿Quién gemirá en aquella orilla sola
que con suspiros a la niña clama?
¿Quién escondido bajo aquella rama
con amor tanto y ansiedad llamóla?   180
¿Cúyo es el pecho que también asola
el tierno incendio de amorosa llama?...

¿Se alejará sin ver la compañera
tórtola que la aguarda en la ribera?

«¡Ay!» dice el canto bello y penetrante   185
y de el susto primero recobrada;
«¡ay!» la niña tornando a la enramada
donde a su amiga siempre halla constante;
cual si se hallara la infantil amante
por la tórtola débil amparada   190
ya nada teme, junto al sauce llega
y el ave escucha y con su lecho juega.

¡Cómo la luna de nevada que era
vase tornando de color rosada!
¡Cómo rompe la atmósfera azulada   195
aquella estrella hermosa la primera!
¡Cómo de la naciente primavera
la vespertina brisa es regalada!
La doncella en sus palmas, cuán hirviente
el seno de su amiga latir siente.   200

No escuchó más cantares soberanos,
más jardines no vio, más anchos mares
que el humilde regato y los juncares
y al ave que le arrulla entre las manos;
mas no ha menester ver los océanos,   205
otro jardín hallar, ni oír más cantares:
que al seno de la joven conmovida
falta respiración, sóbrale vida.

Cuando así el corazón latir sentimos,
ya no hay en nuestro ser más que esperanza;   210
a donde quiera que la vista alcanza,
placeres solamente distinguimos;
de las pasadas penas que gemimos
hasta el recuerdo el pensamiento lanza
y en el mal que tocamos no creemos   215
y la dicha abrazamos que no habemos.

¡Triste enamoradísima doncella!
¡Cándida niña de la faz rosada!
Presto de los suspiros aliviada
suspensa al contemplar la noche bella   220

olvida su amarguísima querella
y tórnase a mirar esperanzada
si por acaso el agua se avecina
la sombra que sus ojos ilumina.

    «Vendrá» se dice, pero el grave canto   225
de un cárabo en la orilla contrapuesta
miente un «no, no, no, no» como respuesta
que pone al corazón medroso espanto.
Rompe en sus ojos lastimado llanto
al escuchar la cántica funesta   230
y ya pretende huir, ya se detiene
ya se aleja, y ya al fin otra vez viene.

    Suena el arroyuelo. La brillante luna
que en su linfa serena se retrata
hebra tras hebra el agua desbarata   235
y la vuelve a formar una tras una.
Ora que en el riachuelo sombra alguna
no empañará tal vez, su tersa plata
la niña, con la luz que se acrecienta,
verse la roja faz de nuevo intenta.   240

    Y allí la nube que en la tarde había,
allí la sombra está maravillosa,
allí dentro del agua rumorosa
empaña el vago espejo de María.
¿Qué nube es esa que en tenaz porfía   245
persigue a la doncella temerosa,
como el rostro múltiple entristecido
del importuno amante aborrecido?

    Blanco vellón remeda del cordero
la nubecilla vaga y misteriosa   250
que en torno de la luna deliciosa
la sigue en su camino placentero.
Ya se apiña y ya vuelve al ser primero
forma y color mudando caprichosa;
tan presto miente un lago, una cabaña;   255
tan presto una ciudad, una montaña.

    Y ya su cerco rápido descrece
y al cabo a breve trecho reducida,

como bajo un fanal brasa encendida,
la luna entre el vapor blanco aparece;   260
rompe en mitad su rayo y resplandece
en menudos pedazos dividida
la nube que ya es flor, a cuyo centro
pétalos da la luna desde adentro.

     Flor de blancura extrema y lozanía   265
cuyas hojas se apiñan y se tocan
y se menguan, se perfilan, se colocan
en circular, simétrica armonía...
Si los ojos no turban de María
las lágrimas que ardientes la sofocan   270
la clara flor que la presenta el cielo
es la rosa ocasión de su desvelo.

     El bello lustre de sus hojas ciega,
de su cáliz radiante el brillo ofende
y el dulce aroma que de sí desprende   275
traspasa el éter y a la tierra llega.
Y cuanto más su corola desplega,
 más su esencia purísima trasciende,
y más, y más resplandeciente brilla
de su precioso centro la semilla.   280

     En ella entrambos ojos enclavados,
ambos brazos tendidos hacia ella,
en éxtasis respira la doncella
los aires con su aliento embalsamados;
sus espíritus deja conturbados   285
con su perfume y luz la flor aquella
y siente su cerebro dolorido,
cefrado el corazón y comprimido.

     Y surge un pensamiento, de repente,
de en medio de su mente fascinada...:   290
¿cuántas hojas tendrá la rosa hallada
sobre los cielos milagrosamente?
Recorre hoja por hoja atentamente,
mas con su hiriente brillo deslumbrada,
por más que en repasarlas se atormenta,   295
unas tras otra vez yerra la cuenta.

Más distintas las hojas va dejando
ver ya la claridad; más quebrantada
la niña, e impaciente, la mirada
en la divina flor clava temblando: 300
Dos... cuatro... seis... diez hojas va contando,
y *once* llega a contar sobresaltada,
y al mirar otra más, lanzó un gemido
y en su seno de amor cesó el latido.

Allí quedó en las urnas del riachuelo 305
el bello y joven tronco sepultado;
las aguas con acento lastimado
en torno de él hicieron largo duelo;
la tórtola, con tierno desconsuelo,
espantada doliéndose a su lado 310
un ronco y lamentable son hacía
con el rumor del agua que gemía.

Ermita de Bótoa, 1845

El Laberinto, 24 (15 de octubre de 1844?), pp. 326-337. En esta primera publicación el texto no presenta más que una levísima variante con respecto al texto que se ofrece en la recopilación de 1852: v. 291: «¿cuántas hojas tendrá su rosa hallada?».

Poesías, 1852.

Octavas reales.

v. 226. *cárabo:* ave de unos 40 cm., de alas grandes y plumaje rojizo y grisáceo, que se alimenta de pequeños roedores.

v. 288. *cefrado:* 'rendido', 'agotado' (vid. v. 115, del poema «Cantos de una doncella»).

v. 306: la doncella metamorfoseada poéticamente en árbol.

Carolina ha trazado una bella leyenda, en la que la joven doncella que aguarda, inútilmente la cita con el amor se acaba fusionando ella misma con la naturaleza en la que cifraba su esperanza. Algo parecido ocurrirá al final de su poética novela *Jarilla.*

LA VIRGEN DE MURILLO

Hombres, hacia la tierra humildemente,
la cabeza inclinad respetuosa,
que voy a pronunciar maravillosa
palabra, grande voz, nombre eminente.
Hay un genio español que alzó su mente   5
tan alta, que a la Virgen madre hermosa,
que habita de los cielos las moradas,
alcanzó a divisar en sus miradas.
      Y de la Virgen describió a la gente
el celestial contorno, el colorido   10
albo-azul de su frente, confundido
de su mejilla entre el carmín naciente;
y retrató su seno trasparente
la leche al dar a su Jesús querido
y aquel amor con que a Jesús miraba,   15
y aquella luz que a entrambos circundaba.
      Descubra su cabeza el extranjero
de remotas o próximas naciones
cuando escuche sonar en mis canciones
ese nombre que llena el mundo entero;   20
para alzarse de pueblos el primero
si no hubiese de gloria otros blasones,
bastante España con mostrar hiciera
un lienzo de Murillo por bandera.
      ¡Murillo!... Ved: sus cuadros nos hurtaron   25
para adornar su tierra extrañas gentes,
y los hijos de España indiferentes
como limosna el hurto les dejaron;
que la feraz campiña en que brotaron
en profusas espigas las simientes   30

no empobrece, aunque vengan de avecillas
cien bandos a comer de sus gavillas.

    ¡Descubríos, isleños poderosos,
que bajo el cauce, transitáis, de un río!
¡Descubríos, del grande señorío   35
del Pirineo dueños orgullosos!
¡Descubríos, también, los tan famosos
hijos del Po! Repite el labio mío
el nombre de Murillo, y reverentes
debéis mostrar desnudas vuestras frentes.   40

    Españoles, ¿no véis aquel mendigo
entre humildes harapos encubierto
que hambriento y frío vaga medio muerto
de su patria en el suelo ¡ay! enemigo?...
Pues el mendigo aquel lleva consigo   45
misterio tal que a seros descubierto
nombre tan alto, fama tanta os diera
que hubieraos de admirar la Europa entera.

    Aquí el artista está, aquí Murillo.
 Mas ¿a dónde los lienzos, los pinceles,   50
do están las tintas que os transmitan fieles
las creaciones del joven mendiguillo?
Os halaga la fama, anheláis brillo,
os placen, españoles, los laureles
y dejáis perecer en todas partes   55
de miseria los genios y las artes.

    ¿Será preciso que el pintor sagrado
rompa sus venas, corte sus cabellos
y en la negra pared trace con ellos
una divina imagen por dechado,   60
para advertirte, pueblo abandonado
a la indolencia, en tus jardines bellos,
que sofocado en mísera pobreza
yace un germen allí de tu grandeza?

    Genio es de bronce, el que a luchar contigo,   65
pueblo español, osado se levanta
si entre tus rudos brazos no quebranta
sus miembros y en la tumba da consigo.

¡Cuánto habrá de vencer ese mendigo
antes que pueda alzar la imagen santa   70
de la Virgen que lleva en su memoria
del mundo admiración, de España gloria!

    Tú, tú dejas, Iberia, al gran Cervantes
perecer de miseria abandonado;
tú a la vecina Francia has regalado   75
los huesos de tus hijos más amantes;
tú, Iberia, no mereces las triunfantes
coronas, que tus héroes te han logrado;
vivos, morid los haces de despecho,
muertos, les niegas en tu campo un lecho.   80

    Empero vence el genio, y a tu planta
sus obras pone y tu desdén perdona,
que para ti, no más, él ambiciona
los triunfos que ganó con pena tanta.
«Coloca en el collar de tu garganta   85
ese brillante –dice– alta matrona,
y aunque olvides, ingrata, al colocarlo
que mi existencia consumí en tallarlo».

    Tú, lucha, y vence así, pobre mancebo;
labra esa joya más que España ostente;   90
que te desdeñe a ti; más, que presente
a la Europa su faz con brillo nuevo.
Ni ambición de poder, ni de oro cebo
mueven, Murillo, tu entusiasmo ardiente;
tu genio, gran pintor, se eleva al cielo   95
y están oro y poder tocando el suelo.

    Ya los de Italia con asombro admiran
del inspirado artista las creaciones,
ya en los templos reciben oblaciones
sus vírgenes que santo amor inspiran;   100
ya los franceses codiciosos miran
sus lienzos, y ya míseras pasiones
en torno se levantan de Murillo
ardiendo en sed de sofocar su brillo.

    Del joven español la fama crece,   105
medra su celo al par de la fortuna

y una virgen, más bella que ninguna,
hoy en sus nuevos lienzos aparece;
el manto que en sus sienes resplandece
van ya las pinceladas una a una   110
tendiendo airosamente por la espalda
y replegando en orlas a su falda.

      Mucho estima el pintor la imagen bella
cuando perenne así desde la aurora
hasta que baja el sol, hora por hora,   115
sin descansar jamás, trabaja en ella;
halla Murillo en la hermosura aquella
hechizo y magia tal fascinadora
que hasta celoso por su virgen pura
no deja penetrar allí criatura.   120

      Mas un pintor, que de la Italia vino,
del español pintor el arte alaba
y éste de aquella imagen que adoraba
mostrarle quiso el rostro peregrino;
y no advierte el mirar torvo y malino   125
con que el de Italia en él los ojos clava
cuando la dulce y virginal María
examinó con atención sombría.

      Propicia está la noche, por lo oscura,
del asesino a los siniestros pasos.   130
No hay luna y brillan en el cielo escasos
luceros, del nublado en la espesura;
si un crimen se medita, esta es segura
noche para intentar horribles casos.
Sepultarán las sombras al que muera   135
y salvarán las sombras al que hiera.

      Mirad allí de Nápoles al hijo,
lleno de ponzoñosa envidia y saña
como en la oscuridad, cual sombra extraña,
envuelto marcha con andar prolijo;   140
en su mano un puñal brillara fijo
si alumbrara de pronto el sol de España;
medita un golpe... de Murillo el pecho
osa amagar, y corre hasta su lecho.

En él reposa de fatiga tanta   145
de Murillo el espíritu cefrado;
suspensa en la pared tiene a su lado
la hermosa imagen de su virgen santa;
y aun durmiendo a sus ojos se levanta,
como el sol al nacer, el rostro amado   150
que elevó su pincel desde el oriente
hasta el alto cenit resplandeciente.

Y tanto en el ensueño los sentidos
del sacro artista yacen embriagados,
que no advierten los pasos recatados,   155
de un hombre que se acerca, sus oídos.
Los triunfos de su genio esclarecidos
del de Italia en el alma están clavados
con odio tan profundo, de tal suerte,
que los viene a arrancar hoy con su muerte.   160

Camina poco a poco el asesino,
late con fuerza su anhelante pecho,
al borde llega del tranquilo lecho
y alza el puñal, con tan horrible tino,
que amaga traspasar en su camino   165
por la mitad del corazón derecho
tornando el sueño aquel, en un segundo,
en sueño más tranquilo y más profundo...

Mas, con el hierro en alto, de repente
inmóvil el feroz napolitano,   170
queda: las fuerzas faltan a su mano
y en sus venas la sangre helada siente...
En la oscura pared que tiene en frente
claro, como el lucero del verano,
el rostro de la Virgen de Murillo   175
surge alumbrado por su propio brillo.

Del centro de sus ojos se desprende
un fulgor diafanísimo y brillante
que ilumina el perfil de su semblante
y por sus formas célicas se extiende;   180
el rostro, el talle, el manto que desciende
hasta sus mismas plantas ondulante,

como por luna llena iluminados,
distínguense en el lienzo proyectados.

Suave matiz de purpurina rosa,   185
azul de lirio tenue y trasparente,
albo de frescos nardos tiñen frente
boca y mejillas de la madre hermosa;
mas hay un expresión tan dolorosa
de aquellos ojos en la llama hiriente   190
que hicieran deshacerse en tierno llanto
el corazón más duro, con su encanto.

Dulce reconvención, triste querella,
enojo maternal, piedad amante
muestra en el melancólico semblante   195
la santa y virginal figura aquella;
parece que a exhalar su boca bella
va una súplica amarga y penetrante,
parece que demanda a los cristianos
«¿hijos, por qué os odiáis si sois hermanos?»   200

Dobla el napolitano ambas rodillas,
entrambos brazos cruza humildemente
y ante la Virgen ora reverente
absorto en las celestes maravillas:
ruedan, por vez primera, en sus mejillas   205
gotas de arrepentido lloro ardiente,
y luego... silencioso y asombrado
huyóse de la estancia apresurado.

¡Duerme, sacro pintor, duerme en reposo
y al despertar mañana con la aurora   210
saluda a la hermosísima Señora
que ha velado tu sueño peligroso;
protégete su celo cariñoso,
dirígete su mano bienhechora,
¡hasta dónde, Murillo, irá tu fama   215
siendo tu guía tan celeste dama!

Badajoz, 1846

Poesías, 1852.

Sevilla Mariana, II, 1882 (15 de octubre), pp. 300-306.

Octavas reales.

vv. 9-16: Carolina está describiendo, desde su verso, un cuadro concreto de Bartolomé E. Murillo titulado «La Virgen y el Niño» (conocido también como «Virgen de la Servilleta»).

v. 24: El pintor Murillo (Sevilla 1617-1682) gozó de una reposada estabilidad material, adaptado totalmente a la sociedad en la que vivía. Es el último testimonio en la pintura de un esplendor sevillano que estaba empezando a tocar su fin. La fama de Murillo alcanzó su punto culminante durante el siglo XIX, cuando se le ponía como ejemplo de lo sublime y se le parangonaba con Rafael.

v. 28: Efectivamente, no pocos cuadros de Murillo, entre los más valorados, figuran entre los patrimonios de diversas pinacotecas extranjeras, como el Museo de Louvre («Fray Francisco y la cocina de los ángeles»), pinacoteca de Munich («Abuela espulgando al nieto», «Dos niños comiendo melón y uvas» y «Niños jugando a los dados») y otros diversos lugares como Leningrado, Londres, Berlín, Filadelfia y el Metropolitan de N. York.

vv. 33-40: Carolina se enorgullece del españolismo del pintor ante ingleses («isleños poderosos»), franceses («dueños orgullosos del Pirineo») e italianos («los tan famosos/hijos del Pó»).

v. 80: En un texto caroliniano, en prosa, *Un paseo del Tajo al Rhin, descansando en el palacio de cristal,* se refiere la emoción que le embarga a la poetisa, cuando llega a París, ante la tumba de Leandro Fernández de Moratín, que descansa –fuera de su país, como exiliado– entre Molière y La Fontaine, y se lamenta, como hace en este texto, que ilustres hijos de España, como el autor de *El sí de las niñas,* estén enterrados fuera del solar patrio.

v. 107: Naturalmente que la pintura que da pie a la leyenda que se desarrolla en este poema no será otra que alguna de las diversas «Purísimas» que nos dejó Murillo, y que fueron los cuadros que mayor gloria y fama le otorgaron. Las dos «Inmaculadas» más famosas son la que se conserva en el Museo de Sevilla (c. 1650-1655) y la que pintó para la iglesia de Santa María la Blanca de la ciudad sevillana, hoy en el Museo del Prado.

v. 146. *cefrado:* 'rendido', 'agotado'.

La milagrosa intervención de la Virgen que se cuenta en este «relato versificado», salvando a su pintor de una muerte cierta, aproxima el poema caroliniano a la saga de los milagros marianos que en nuestra literatura abundan, desde Berceo y Alfonso X. Por otra parte, otro poeta decimonónico y extremeño, Barrantes, se hace eco de otra «leyenda» relacionada con una pintura del mismo artista sevillano en su balada «Santa Isabel y Murillo»: el profundo sueño del artista, como en el poema que se comenta, es aprovechado por su modelo, la misma Santa Isabel de Hungría, para sustituir al pintor y lograr su toque de divina perfección en el cuadro de Murillo. Y recuérdese, finalmente, que la primera edición de las *Baladas* de Vicente Barrantes se fecha en 1553, totalmente coetánea a la recopilación de poemas de la poetisa de Almendralejo.

FÁBULA: LA POETISA Y LA ARAÑA

Una noche de enero tempestuosa
a la luz que agitaba recio el viento
trasladaba al papel su pensamiento
una mujer, con mano presurosa.

A veces dél la blanca pluma alzaba,   5
y en alta voz lo escrito repetía,
y sus propios conceptos se aplaudía
y con su misma voz se anajenaba.

Canta a Napoleón, y la cantora
mira la tierra con desdén profundo   10
que entre sus manos, del Señor del mundo,
tiene la fuerte espada vencedora.

Una araña, que en viejo pergamino
ha tiempo que la escena ve curiosa,
discurre con idea maliciosa   15
tomar entre los versos su camino.

En tanto que su cuerpo columpiado
en las endebles cañas mueve aprisa,
oye el canto de guerra a la poetisa,
al héroe de la Francia consagrado.   20

Y cuando ve que en su entusiasmo toca
las nubes y hasta el cielo se levanta,
las dos velludas patas adelanta
y en el papel osada las coloca...

Miró junto a sus manos espantada   25
la niña el negro insecto al pliego asido,
y lanzando agudísimo gemido
cayó de un golpe en tierra acobardada.

Soltó la risa la insolente araña
y exclamó con gozosa altanería: 30
«¡Que se rinda ante mí la que traía
al gran Napoleón a la campaña!»

Poesías, 1852.

Cuartetos.

v. 9: Napoleón fue referencia casi obligada en casi todos los poetas del siglo pasado, atraídos lógicamente por la extraordinaria figura histórica del corso. Y, naturalmente, Carolina no podía ser menos. Es una de las escasas –y nada insignificantes– muestras de humor de la poesía caroliniana (En un relato como *Paquita* –1850– se comprueba que la vena irónica y humorística de Coronado no era imposible).

BYRON DESDE LA TUMBA

A Núñez de Arce

Al antro de mis nieblas perennales,
llega una voz, mi voz, mi fatalismo...
¿Quién evoca mis sueños terrenales?
¿Quién usurpa mi ser? ¿no soy yo mismo?...
¿Yo soy tú?... ¿Tú eres yo?... ¿Son los mortales   5
ecos de mi conciencia en el abismo,
gemido palpitante de mi entraña,
que vibra en Grecia con el son de España?...

No eres yo... no soy tú: yo soy del Norte;
tú de Oriente, o tal vez del Mediodía: 10
yo era un espectro más de la cohorte
que engendra Londres en la niebla fría.
tú eres hijo del sol, tú de la corte
de Vesta, cuyo fuego eterno ardía:
yo del dios entre el polo y entre el cielo,   15
gigante de los témpanos de hielo.

No soy tú... no eres yo: cantas mi canto;
la musa de mi amor has seducido:
del bacanal el desgarrado manto
y la lira manchada has recogido.   20
Mas eres tú, no yo, quien vierte llanto:
yo hice el llanto verter, no lo he vertido.
cuando *ella* en un raudal se deshacía,
yo en silencio glacial me sonreía.

Ese lamento que tu musa canta,   25
no lo exhaló mi musa dolorida:
el dolor era risa en mi garganta,

y la risa en mi pecho era una herida.
Aún la memoria de mi musa espanta,
cuando la ensalzas, a tu gloria unidad;   30
mas tampoco soy yo solo el culpado
de ese genio que el siglo ha condenado.

    Lo que exhaló mi insólita poesía,
no fueron de mi genio las maldades:
ese genio en Bretaña resumía   35
de las godas costumbres las crueldades.
Veladas con solemne hipocresía,
nuestras leyes cruzaron las edades,
y mi pecho, al mostrar su fría lava,
de todo un pueblo el corazón mostraba.   40

    Aquel horror del alma, aquel vacío,
aquel silencio de engañosa muerte,
aquel brutal antojo, aquel hastío,
aquel cansancio de materia inerte;
aquel sarcasmo que, acerado y frío,   45
mata sin sangre el corazón más fuerte,
no fueron de mi musa los rencores:
era mi noble raza, eran mis Lores.

    ¿Qué pude yo decir que no hayan hecho?
De la bárbara raza la cuadrilla,   50
que ensangrentó las aguas del Estrecho,
aún queda en nuestros campos la semilla.
De orgullo y sangre reventando el pecho,
no quisieron borrar nuestra mancilla,
y fundaron *cuarteles* de *blasones,*   55
con pedazos de rotos corazones.

    Y nos faltó la dulce, casta, y pura
suavizadora, celestial María;
una gota de miel á la amargura,
na chispa de fuego al alma fría,   60
una madre á la huérfana criatura,
una esposa á la triste fantasía,
la santa protección á nuestro duelo,
¡el son con alma en nuestro oscuro cielo!

Por eso la mujer era la esclava
que en el mercado público vendieron,
hasta en el mismo siglo en que engendraba
mi padre al diablo en mí... ¡vendidas fueron!
Las madres todas, la que el ser me daba,
con sufrir esa ley, se envilecieron;
y aquella que nació ya envilecida,
nunca la esposa fue, fue la querida.

La madre... ¡oh cielos! si á nacer volviera
frenético y ansioso la buscara.
Mi corazón indómito, de fiera,
por arrancar su yugo peleara.
libre y altiva como el hombre fuera,
la antorcha del saber la iluminara,
y en vez de feudo de placer inmundo,
de gloria fuera manantial fecundo.

La mujer para mí fue mariposa
de quien gozaba en marchitar las galas,
contemplando su brega temblorosa
al arrancarle las purpúreas alas.
¡Cuántas robé al Abril! ¡Oh, cuánta hermosa,
ciegas de Londres en las regias salas,
quedaron transformadas por mi mano
de mariposa espléndida en gusano!...

Una, que quiso huir, prendí en los lazos,
no del amor, de la virtud austera;
y cuando ya era madre, hice pedazos
los lazos, su virtud, su fe sincera.
Ella estrechaba en sus amantes brazos
al tierno don de su pasión primera;
pero yo, que pensaba amarla un día,
esposa y madre ya, la aborrecía.

Mas cuando el dardo del desprecio humano
vino á clavarse en mi indomada frente;
cuando me vi en mitad del Océano
sin ella y sin su tórtola inocente,
entonces un espanto sobrehumano
acometió mi alma de repente,

y en el Norte falta la vista fija,
sentí amor a la madre de mi hija.

    Ella, que no la Grecia, era la esclava;   105
Grecia era antojo de mi loca idea,
y mi muerte de mí la libertaba,
al sucumbir en Grecia sin pelea.
¡Qué triste estaba el sol cuando expiraba,
del tálamo nupcial fúnebre tea!   110
¡Y cómo entonces, en solemne calma,
toda mi culpa comprendió mi alma!

    Pero esa culpa descubrió el gusano
que las entrañas del inglés roía:
detrás de la venera del cristiano   115
la torpeza del turco se escondía.
Su vicio sin mi genio era un arcano,
yo a los vicios di voz y di armonía;
y a librarme del púdico anatema
en vano acudes con tu voz suprema.   120

    Yo nací con el frío de la muerte,
sin encontrar calor ni en los amores:
débil el juicio, el apetito fuerte,
buscaba de otro sol los resplandores.
a Grecia me llevó mi errada suerte,   125
y allí me envías tus hermosas flores.
a Gracia fue por mi locura necia:
el tirano mayor no estaba en Grecia.

    Yo en vez de consumir la savia pura
del genio altivo que inspiró mi canto,   130
debí romper la pérfida clausura
del templo en que Albión guarda el espanto;
entrar, pisar en la caverna oscura,
rasgar el velo al pernicioso encanto,
sacar de aquella fúnebre guarida,   135
el alma entre cadenas retorcida.

    Porque no hay libertad, os engañaron,
vistiendo al feudo liberal ropaje:
las mismas godas armas afilaron,
para rendir el mundo al vasallaje.   140
Lo mismo que los déspotas robaron;

la misma impunidad, el mismo ultraje
sufre la humanidad, que allá en la umbría
ruda selva germánica sufría.

    Aquel sueño infernal de mi poema, 145
era Inglaterra, a la que falta el día;
de su egoísmo estúpido el emblema,
su fanatismo, su crueldad sombría.
Era de su codicia el anatema,
porque entre el oro helada perecía; 150
el fin, la destrucción, el caos horrendo
que estaba a nuestra raza prediciendo.

    Eran tinieblas para el mundo entero,
porque Inglaterra sobre el mundo extiende
su negra sombra hasta el peñón postrero 155
donde el judío las entrañas vende.
Faltó la luz porque sobró el dinero,
y, aunque mi patria infiel no lo comprende,
ese fúnebre canto de mi lira,
es *predicción,* no es *sueño* ni *mentira.* 160

    Nuestro pálido sol se va extinguiendo,
el dudoso lucero se obscurece,
los espesos nublados van creciendo,
la luna entre sus huecos no aparece.
Nuestro día se va, lo estamos viendo; 165
sigue otra noche más... y no amanece...
Y en los fuegos que enciende nuestra guerra,
nos calentamos en la ajena tierra.

    Allí estamos en torno de la lumbre,
allí están nuestros reyes coronados, 170
quemamos del palacio la techumbre,
nuestros techos también están quemados.
Aún espera encontrar la muchedumbre
el calor en los bosques abrasados;
mas se consumen, y pavesa fría 175
el aire entre la nieve nos envía.

    Cada cual abrazado á su tesoro,
buscar intentan alimento y vida,
y entre el polvo, sin luz, muerden el oro
que rechina en su boca maldecida. 180

Óyese la blasfemia, el grito, el lloro;
fieras salvajes dejan su guarida,
y vienen á juntarse con los hombres,
que, en nuestra patria ya, no tienen nombres.

Y las serpientes salen arrastrando,   185
y se confunden con la turba humana...
Los perros contra el dueño están aullando;
todos se juntan en el hambre insana,
y, sobre todo, carnicero bando
que ama la noche y odia la mañana,   190
de aves siniestras que la muerte atrae,
sobre Inglaterra de improviso cae.

Al pie de los altares destruidos,
en la grande ciudad, a los que imploran
matan, y entre salmódicos graznidos   195
que los aires atruenan, los devoran.
Mas a orilla del mar aún hay bandidos
que el frío aguantan y en sus barcos moran,
que abrazados a inmóviles serpientes
en ellas clavan sus agudos dientes.   200

¡Noche sin fin, como la noche eterna!
Todo en mi patria mísera perece...
Y la escuadra *triunfal* ¿quién la gobierna?
¿Quién su consumo de carbón fornece?...
Todo es *carbón:* la podredumbre interna   205
los casos desbarata, y desparece
la flota coronada de cañones,
que habrán de gobernar... los tiburones!

¿Esto quieres saber? ¿Has invocado
mi inquieto, peleador numen de guerra,   210
para que diga al mundo desdichado
el futuro desastre de la tierra?
De la tumba salí, lo has escuchado:
mi triste canto la verdad encierra.
Sufrid la *noche* que le aguarda al mundo,   215
y ora dejadme en paz, vuelvo al profundo!

Lisboa, Paço d'Arcos, 1883

Revista de Extremadura, 29, 1901 y en *Archivo Extremeño,* nº extraordinario de 1991 (pp. 75-79).

Octavas reales.

El texto aparecido en *Revista de Extremadura* está precedido de una nota de la autora dirigida al director de dicha publicación D. Publio Hurtado, fechada en Mitra en el mes de octubre de ese mismo año y que resulta interesante transcribir porque facilita cierta luz sobre las circunstancias externas que influyeron en su escritura, y facilita en algún grado su contenido: «Estos versos de *Byron desde la tumba* los escribí bajo la honda impresión que me produjo la lectura del poema de Núñez de Arce *Ultima lamentación de Lord Byron.* Al terminar aquel solemne y maravilloso canto, parecióme oír la voz del terrible *Bardo del Norte,* y sin pensarlo y sin quererlo, respondí al gran poeta español, no desde la tumba de Byron, sino desde la tumba de Iberia. Tal vez nunca se hubiera publicado esta producción, tan diferente de mi propio estilo, si invocando el deber de corresponder, por mi parte al movimiento literario de nuestra provincia, no me impulsara a ello el esclarecido literato, director de la *Revista de Extremadura,* don Publio Hurtado, a quien hago responsable de la mayor o menor oportunidad de su publicación».

Y en la reedición de *Archivo Extremeño* se acompaña del texto de una breve carta de Núñez de Arce dirigida al Excmo. Sr. don Alejandro Groizard, y fechada a 12 de mayo de 1902: «Mi queridísimo amigo: honda emoción me ha producido la lectura de los hermosos versos que, con el título de "A Núñez de Arce. Byron desde la tumba" ha publicado Carolina Coronado en la *Revista de Extremadura.*

Bastaría esa sola composición, si no tuviera tantas y tantas otras que la enaltecen y glorifican, para demostrar que la insigne escritora es una de las más legítimas glorias de su sexo y de su patria».

Núñez de Arce escribió en 1879, y en octavas, un poema titulado «Ultima lamentación de Lord Byron» sobre la figura del gran romántico inglés, que aparece en el poema del vate español lamentándose de lo que había sido su vida hasta ese instante (primera parte) y entusiasmándose con el ejemplo heroico del pueblo griego, en su lucha por sacudirse el yugo de la opresión turca, recreando el ejemplo de pundonor y sacrificio colectivo de una comunidad griega, la suliota, pintada como un trasunto de la *Numancia* que había dramatizado Cervantes. En la primera de las notas que el propio N. de Arce puso, como apéndice a la edición del poema, declara concretamente el motivo y finalidad de su texto: «Lord Byron... se embarcó en Italia para combatir en pro de la independencia griega, el mes de junio de 1823... He escogido para el desenvolvimiento de mi poema el período que media desde su partida de Italia hasta su arribo a las costas de Grecia, porque no es mucho suponer que durante las larga horas de viaje asaltaron más de una vez su espíritu los melancólicos recuerdos de su borrascosa vida, y los nobles sentimientos que había despertado en él la heroica resistencia del pueblo heleno, abandonado por el egoísmo de Europa, desde la caída del Imperio bizantino, a la brutal tiranía de los turcos».

Utilizando el mismo tipo de octavas, Carolina Coronado escribió en 1883 una recreación de la figura del romántico inglés, haciéndolo volver por unos instantes de su tumba (¡vuelve la obsesión por las muertes no definitivas en Carolina!) –Byron había muerto en 1824 en Missolonghi, pocos meses después de su expedición a Italia, en 1823.

Carolina elogia también el texto de N. de Arce, desde el momento en que el personaje redivivo no se reconoce –por mejorado– en el *otro* cuya voz le ha convocado a la vida y a una confesión mucho más drástica y negativa de las últimas causas de su maldad pasada. En ese monodiálogo inicial del Byron de Carolina con el N. de Arce no se regatean piropos a la visión del autor de *Gritos del Combate:*

> *Aun la gloria de mi musa espanta*
> *cuando la ensalzas, a tu gloria unida.*

El personaje que convoca Carolina se contrapone con el espíritu meridional, más lúcido, que el otro poeta ha ideado. Por el contrario, este otro Byron que tenemos en el poema se sabe portador de una serie de lacras (horror del alma, vacío, brutal antojo, hastío, sarcasmo) que no le definen sino en representación de una cultura y de un pueblo del que viene a ser resumen y símbolo. A cuento de Lord Byron y de su confesión, Carolina arremete –y con enorme violencia– contra el pueblo inglés:

> *mi pecho, al mostrar su fría lava,*
> *de todo un pueblo el corazón mostraba.*

Tal virulencia –como sugiere un poco malévolamente su biógrafo Gómez de la Serna– pudo estar motivada por circunstancias desagradables en el ámbito familiar: «¡Pobre e inefable Carolina; se volvió demasiado contra la gran Inglaterra porque le *dolía el cable*» (p. 97). Así encadena –octava tras octava– un conjunto de reproches contra la sociedad que había tenido, hasta aquellas fechas, la hegemonía europea: la religión protestante ajena al consuelo de María virgen, ausencia desde la que Carolina quiere explicarse, en Inglaterra, una limitación social que ya sabemos le obsesiona desde siempre la marginación de la mujer, ya sea amante, esposa o hija, hasta el punto de que Carolina interpreta que la huida de Byron a Grecia (núcleo fundamental del poema de N. de Arce) no fue por unas ideas altruistas, en nombres de una libertad por la que luchar, sino para huir, cobardemente, de sus remordimientos: la campaña griega en la visión de Carolina se queda reducida a un mero pretexto, ya que los intereses de sus argumentos van por otros derroteros.

Efectivamente, desde la estrofa decimoséptima hasta el final, en el último tramo del poema, el arrepentido Byron («¡*Y cómo entonces, en solemne calma, toda mi culpa comprendió mi alma!*») hace un rápido y contundente diagnóstico del papel histórico jugado por la pérfida Albión (nombre antiguo de la Gran Bretaña) y el vaticinio –no olvidemos que

Byron habla desde los años veinte, cuando se produce su muerte– de la postración económica por la que Inglaterra pasará al finalizar la época victoriana, de 1875-1896, coincidente con un clima de toma de conciencia social de la clase proletaria frente la hegemonía burguesa.

Si al referir algunas notas del poema de N. de Arce aludíamos a la *Numancia* cervantina, ahora, al llegar al final del texto de la Coronado, la evocación de la gran tragedia se hace, de nuevo, obligada, porque el personaje –un difunto al que se le ha hecho volver de la muerte– ha predicho el futuro de sus gentes, como aquel otro difunto aseguraba el desastre final de Numancia.

CAMOENS A CALDERÓN, EN EL CENTENARIO DE ESTE

Despierta, hermano, que también te llaman;
yo tres siglos dormí bajo la losa,
y me aclamaron como a ti te aclaman,
con luminaria y música estruendosa.

En este cabo, donde vino a España   5
y sacra tumba halló su primer hombre,
dos tumbas tengo yo, por gracia extraña;
una guarda mi cuerpo, otra mi nombre.

Los huesos, como míseros que fueron,
yacen en fosa oscura y olvidada;   10
el nombre, como príncipe le hicieron,
goza de augusta, espléndida morada.

Tú, que dijiste que *La vida es sueño*,
ve para mí cómo la muerte es vida;
la vida al hambre me llevó en mi empeño;   15
la muerte con festines me convida.

¡La gloria, Calderón, la gloria llama
osado el labio a la mundana poma!
Deja al poeta, a quien alzó la fama,
que en torno acerbo su silencio rompa.   20

Si aquí los vivos con los muertos juegan,
yo quiero que una vez, desde el profundo,
oigan los graves juicios que reniegan
de las glorias sarcásticas del mundo.

¡Ah, si hasta el mundo penetrar pudiera,   25
rompiendo por las sombras eternales,
mi seco labio a recitarle fuera
tus *Autos,* Calderón, *Sacramentales.*

Mas, ¿cómo hallar, para mostrar a españa
en tu festín gallardo continente,   30

625

los huesos míos, sin mover a saña
el concurso bursátil de mi gente?

     Porque yo, Calderón, ¿no lo has oído?,
fui con ajenos huesos cotizado,
y por eso me encuentro dividido,   35
siendo ya propiedad de este mercado.

     Y fuera inmensa, universal, la ira,
si quisiera volver por mi despojo,
a deshacer el fraude y la mentira
con sola una cabeza y solo un ojo.   40

     Mi cabeza, ¡ay de mí!, ella era mía;
no tuve otra fortuna sino ella,
y una lumbrera sola poseía,
que en los índicos mares fue mi estrella.

     ¿Quién pudiera pensar ¡oh, vive el cielo!   45
que en ajeno esqueleto mano aleve
me transformara, sobre el patrio suelo,
para mostrarme al siglo diez y nueve?...

     Mas sin mis huesos me tendrás delante,
pues aunque no los saque del abismo,   50
Homero, tú, Virgilio, Tasso, Dante,
podréis atestiguar que soy el mismo.

     Sí, yo soy, Calderón. ¿Quién ser pudiera
el que tantos agravios ha sufrido?
Aunque viniese en otra calavera,   55
tú al instante me hubieras conocido.

     Tus claros celestiales resplandores
la senda de los siglos iluminan,
y tú me ves llegar con mis dolores,
y tus manes piadosos me adivinan.   60

     Yo sé que en el olimpo castellano,
donde el estro moderno reverbera,
no puedo penetrar lo sobrehumano;
y como nada soy, nadie me espera.

     Pero no vengo a ti por la codicia   65
del premio que he de hallar con celebrarte,
que en númen secular fuera malicia
desde lo eterno disputar el arte.

Yo vengo a saludar tu sombra austera,
no para unirme a la alegría humana,
para orar en el templo en que venera
mi ardiente fe tu inspiración cristiana.

      70

    Ni del antiguo vate lusitano
faltar pudiera a tí la ofrenda pía;
yo de los tuyos soy, yo soy tu hermano;
al mismo aliento nuestra llama ardía.

      75

    Hijos somos los dos del pueblo ibero,
que la insolencia rechazó del moro;
él era en nuestra patria el extranjero;
yo puedo unirme a tu sagrado coro.

      80

    Yo en Africa vertí la sangre mía
por España también, por su bandera.
¡En qué inmenso horizonte se extendía
el doble imperio de la raza ibera!

      ¡Carlos!, ¡Manuel! ¡Sus sacros estandarte
a la victoria nuestra cruz llevaban,
y triunfando la fe por todas partes,
los límites del orbe señalaban!...

      85

    Y... ¿qué pasó después?... Todos caímos.
Tú ya viniste cuando el sol huía;
luchando entre nosotros nos vencimos,
y la suerte a nosotros nos vencía.

      90

    ¿Qué nos queda de ayer? Contemplo el Tajo,
que ambos reinos abraza tristemente,
venir con penosísimo trabajo
a hundirse en los abismos del Ponente.

      95

    Y me parece que su vena rota,
cuando llega a este puerto apetecido,
bajo las quillas de la inglesa flota
exhala un melancólico gemido.

      100

    Es que nutrió con su fecundo jugo
a los que a Iberia mundos conquistaron,
y se revuelve cuando siente el yugo
de esas naves que a Iberia despojaron.

      Ellas son las fantasmas que a Occidente
arrojan con pavor su sombra fría,

      105

mientras crujir y amenazar se siente,
no al Neptuno, al Vulcano que las guía.

Para esas flotas descubrimos mares;
para esas razas conquistamos tierra,   110
y para verlas en los patrios lares,
hoy la patria feliz nos desentierra.

¡Oh, pero nunca a mí! Sabios prolijos
mi osario en vano a descubrir se afanan,
y profanan los santos escondrijos,   115
porque a mí, Calderón, no me profanan.

Piadoso con mi honor el terremoto,
me deparó profunda sepultura,
y allí descanso en un lugar ignoto,
en libre paz y soledad segura.   120

¡Y allí voy a esperarte hasta que suene,
no la voz de la fama transitoria,
la voz de Dios, que el universo atruene;
que Él sólo da la verdadera gloria!

Lisboa, abril de 1881

La Ilustración Española y Americana, año XXV, suplemento al
nº XIX (22 de mayo de 1881), p. 338.

Album Calderoniano. Madrid, Gaspar Editores, 1881, pp. 10-11.

Revista de Estudios Extremeños, XLVIII, 2 (1992), pp. 530-537.

Serventesios.

Con este poema contribuyó Carolina al número en homenaje a Calderón (en el segundo centenario de su muerte) que publicó la *Ilustración
Española e Iberoamericana.*

Partiendo de una aproximada coincidencia de fechas, puesto que en
1880, en junio, se había celebrado el tercer centenario de la muerte del
gran poeta portugués Luis de Camoens, Carolina presta su voz al autor de
Os Lusiadas, redivido por obra y gracia de su fantasía literaria, para que
recuerde su gloria tras la muerte, su penuria en la vida y la superchería
que habían desencadenado sus supuestos enterramientos. Es sintomático
este poema de dos notas constantes de la última Carolina: su militante e
insistente lusismo (el poema sólo es «calderoniano» en la apariencia; Calderón sólo se alude para justificar el lugar y ocasión en los que se publica
el texto) y sus antiguas obsesiones sobre sepulcros y cuerpos insepultos.

Básicamente el poema es una buena ocasión, para su autora, de incidir, una vez más, en lo que era una idea obsesiva en la escasa poesía que hay catalogada en esos últimos años de su actividad literaria. Ocultándose, con total transparencia, tras la voz rediviva de Camoens, y taraceando el texto de diversas referencias a la novelesca vida (y no menos novelesca muerte) del poeta portugués, Carolina acusa el decepcionante desasosiego que le produce vivir en un momento histórico entregado al materialismo, en el que la «mundana pompa» quiere erigirse en sustituto de la única «verdadera gloria», que procede de la atronadora voz de Dios. Junto a ese motivo central no falta el de un sincero canto a una unidad ibérica, en aquel momento perdida, y el lamento por un prestigio ultramarino, imperialista, que ya no tienen ni España ni Portugal, postergadas ante la nueva potencia inglesa. En realidad, el poema se va convirtiendo –a lo largo de su lectura– en una nueva arremetida contra el pueblo inglés, encadenando –octava tras octava– un conjunto de reproches contra la sociedad que había tenido hasta aquellas fechas la hegemonía europea.

Desde el punto de vista del género, este poema, junto con el dedicado al gran romántico inglés Byron (Cf. «Byron desde la tumba») constituirían otros tantos ejemplos, en la literatura postromántica española, del monólogo dramático puesto en circulación por la literatura victoriana, especialmente en la obra de los poetas Robert Browning y Alfred Tennyson. En ambos textos de la Coronado se cumplen las exigencias básicas, y mínimas, que conforman el *dramatic monologue:* hablante distinto del poeta; interlocutor, ocasión y enfoque del lenguaje coherente con la situación ficcional que se está «dramatizando».

Procederé, ahora, a anotar algunos versos:

vv. 2-4. Carolina, a través de su personaje Camoens, alude, en estos versos, y en buena parte de los siguientes, a los actos conmemorativos celebrados con ocasión del tercer centenario de la muerte del autor de *Os Lusiadas.* Los actos tuvieron lugar en el mes de junio de 1580, e incidieron muy favorablemente en el desenvolvimiento de la propaganda republicana. Una repercusión que se inició unos meses antes, cuando a lo largo de los días 8, 9 y 10 de enero de aquel mismo año el ensayista Teófilo Braga publicó en el diario *Comercio de Portugal* (de Magalhaes Lima) una serie de artículos con el título común de «Centenario de Camoens en 1880». Según Braga, la celebración del reconocimiento de la gloria literaria portuguesa supondría una reviviscencia del sentimiento de nacionalidad, en medio de la profunda crisis por la que pasaba el pueblo portugués.

vv. 7-8: La fecha y lugar de la muerte de Camoens fue un aspecto de su biografía difícil de dilucidar. Sólo se sabe con seguridad que murió en Lisboa, y si fue medio abandonado, en un hospital o en una pobre casa de la Calçada de Santana, no son más que suposiciones sin base documental. Es desde esa situación desgraciada –la muerte de Camoens ocurrió en unas fechas en las que Portugal se debatía sobre su futuro independiente o doblegado a alguna potencia europea (que acabó siendo la española)– desde la que debe entenderse el significado del verso octavo: su cuerpo descansa en lugar desconocido y discutido, pero su fama es –desde ese centenario– por todos reconocida. La misma idea es la que se desarrolla en el serventesio siguiente (vv. 9-12).

v. 15. Prolonga la antinomia declarada en los versos precedentes, además de recordar aquí otra de las malaventuras de la vida novelesca de Camoens, alejada siempre de toda prosperidad económica, hasta morir, como quiere la tradición, en la más absoluta indigencia.

v.v. 21-24. Camoens –y Carolina tras él– critica la hipocresía de unos homenajes póstumos que más provecho dan, y provecho interesado, a los homenajeadores que al homenajeado. Ironía que se torna mordaz en los vv, 31 y 32.

v. 40. El *solo ojo,* aludido en ese endecasílabo, se corresponde con lo que se dice en los vv. 43 y 44. Es de sobra conocido que en los dos retratos que se conservan de Camoens, el poeta aparece tuerto del ojo derecho, mutilación sufrida durante su estancia como soldado en Ceuta, si bien se discute si fue por accidente o por acción de guerra. Hay referencia a este sucedido en un pasaje de *Os Lusiadas,* el de Adamastor. En cuanto a la *única cabeza* a la que alude el mismo verso, se recordará que Camoens fue enterrado, primeramente, y sin pompa alguna, en la iglesia de Santa Ana, y sin una identificación clara de su tumba. Por ello, cuando se realizó el traslado de los restos del insigne poeta desde su primitivo enterramiento, no muy claramente localizado, en 1854, al panteón del rey don Manuel, en Belem, frente a las cenizas de Vasco de Gama, se hizo mezclando los presumibles huesos del poeta con otros huesos de difuntos que habían compartido con él la primitiva fosa; de ahí que el mismo Camoens sugiera, irónicamente, que se le adjudicaron, en ese traslado, dos cabezas, la suya y otra ajena.

A partir del v. 75, y hasta el v. 104, Carolina vuelve a proclamar su conciencia de iberismo, de identificación histórica del pueblo portugués y español, con ese sentimiento de hermandad que pone en labios del propio poeta (por cierto, que este texto no es la única vez que Carolina homenajea al autor de *Os Lusiadas* en sus escritos. La novela *La Sigea* (1854) es también un homenaje al gran vate luso, además de serlo igualmente a la humanista castellana que da título a la novela, considerada como un paradigma histórico de la reivindicación femenina que la de Almendralejo siempre persiguió).

vv. 81-82. Camoens estuvo presente en la famosa derrota de Alcazarquivir (1578), poco antes de su muerte, ocasión que tanto juego ha dado en nuestra literatura, desde la poesía de Herrera al teatro de Zorrilla.

v. 90. Carolina considera que el umbral del siglo XVII –pues en 1600 nació Calderón– fue el comienzo de una postración imperial que empezaría a presentare, como tal, precisamente coincidiendo con la muerte del dramaturgo y el reinado de Carlos II.

v. 91. Efectivamente, a partir de la anexión de la corona portuguesa que lleva a cabo Felipe II, precisamente en los días de la muerte de Camoens, se inicia también un período de dimensiones, recelos y enemistades entre ambos pueblos, que conducirán a una nueva separación, demasiado tiempo mantenida. Una circunstancia que Carolina, nacida en tierras limítrofes y afincada durante muchos años en la capital lisboeta, lamenta profundamente, a través de su personaje. Se va confirmando, pues, que el texto es más una declaración de nostálgico lusismo que un homenaje al autor de *La vida es sueño*.

vv. 93-104. En esos tres serventesios Carolina simboliza la unión ibérica en el emblema geográfico que mejor la puede sustentar, el gran río compartido por españoles y portugueses, el padre Tajo. Estos versos (dejando aparte, de momento, los referidos a la presencia de la marina inglesa) recuerdan bastante uno de los mejores textos en prosa de Carolina, *Anales del Tajo* (Lisboa, Casa de Bragança, 1875).

Del v. 105 al v. 112 se extiende la diatriba de turno contra el pueblo inglés, verdadera obsesión para Carolina en esos años (tras los problemas económicos contraídos con el negocio del cable submarino de Carcavelhos).

v. 118. Alusión al famoso terremoto de Lisboa, ocurrido en 1755, y que fue seguido de un voraz incendio que acabó con la casi totalidad de la Lisboa medieval y renacentista, y al que nuestra poetisa le dedicó un poema recogido en el volumen de 1852, escrito en serventesios, y en el que se da una visión verdaderamente tremendista y casi dantesca de aquel desastre (cf. el poema titulado así precisamente, «El terremoto en Lisboa», dentro de la larga serie de «poemas para albumes». Y alude a él en este pasaje de la prosa citada en la nota anterior: «*En esos días y esas noches de espantosos cataclismos, cuando bramaban las concavidades bajo las colinas y tú te levantabas encima de ellas, y la infeliz Lisboa temblaba y caía envuelta entre fuego y ruinas, ¡cuántos suspiros de almas infelices has recogido en tu seno*».

Y la poesía levanta la cabeza
entre tanta aspereza

EN EL ÁLBUM DE UN CLÁSICO MODERNO

¡Gracias, señor, gracias mil!
¡Ah siglo... dichosa suerte!
Ya nuestra edad se convierte
en bella edad infantil.

Ya en vez de los lagrimones   5
de romántico dolor,
los ojos del trovador
brotan risa a borbotones.

Ya a la sombra del ciprés
vagos, errantes, inquietos,   10
no nos traen los esqueletos
arrastrando por los pies.

Ni frenéticos en pos
de la muerte anhelan ir,
que a todos hacen vivir   15
el santo temor de Dios.

Murió la *fatalidad,*
los venenos se agotaron;
y los *espectros* cruzaron
huyendo la inmensidad.   20

Ya todo es risa, placer;
y pronto los pastorcillos
con sus tiernos caramillos
y el rebaño, han de volver.

¡Qué risa ver convertido   25
en un alegre zagal,
en la pradera dormido
a aquel que tanto ha gemido
sobre el *arpa funeral!*

¡Qué risa será escuchar   30
al son del tosco rabel
suave, amoroso cantar
a aquella boca de hiel
que ayer nos hizo temblar!

¡Qué risa ver sus amadas   35
ayer mustias y amarillas,
mañana frescas, sencillas
tejiendo en las enramadas
guirnaldas de florecillas!

¡Qué risa será mirar   40
en el verde prado, ameno
el arroyuelo saltar
y en su espejo contemplar
el propio rostro sereno!

¡Qué risa hurtarle sus nidos   45
al mirlo y al ruiseñor,
y verlos como aturdidos
con sus trinos doloridos
nos vuelan en derredor!...

Gracias, señor, gracias mil.   50
¡Ah siglo! dichosa suerte,
si nuestra edad se convierte
en bella edad pastoril;

si en pos de las maldiciones,
del romántico furor,   55
viene el alegre pastor
con su flauta y sus canciones.

La Risa II, nº 26 (8 de Octubre de 1843), pp. 13-14. Con el título «A la jovialidad». Reeditado en *Album de Momo,* Madrid, 1847, p. 358.

Poesías (1852).

Cuartetas y quintillas alternadas.

v. 6: A propósito de este verso puede recordarse el interesante trabajo de Rusell P. Sebold «Sobre el nombre español del dolor romántico» en *El rapto de la mente,* Madrid, Prensa Española, 1970, en el que el prestigioso hispanista comenta que «fue en el año 1794 en el que Meléndez Valdés no sólo acuñó su nombre para la congoja romántica, sino que también dio una definición de esta: «el fastidio universal» (en su elegía moral «A jovino el melancólico»).

v. 7: *los ojos del trovador:* el trovador, como bien se sabe, es una figura ampliamente tratada en la literatura más característicamente romántica: Larra en dos ocasiones, García Gutiérrez, Escosura, o los *Cantos del Trovador* de Zorrilla, entre otras muchísimas referencias.

Es este un interesantísimo poema para entender la estética caroliniana, y su ubicación en un romanticismo tardío, que por un lado se adentra en una poesía preocupada por los estragos del positivismo ideológico y moral, y por otro es una clara superación de la estética más genuinamente romántica–la de la segunda promoción– pero dando un salto atrás, hacia el mundo falsamente pastoril, que roza el pastiche en ocasiones, de la poesía dieciochesca, llamada por algunos críticos *poesía rococó* (Meléndez Valdés entre sus mentores, modelo de más de un poema de Coronado).

AL JOVEN EULOGIO FLORENTINO SANZ

¿Esa voz, ese llanto, esos gemidos
ayes son de engañada fantasía,
o son, bardo, inspirada profecía
los cantos que estremecen mis oídos?
¿Es solamente error de los sentidos   5
o está cercano mi postrero día,
y el signo que en mi estrella sorprendiste
revela tu saludo solemne y triste?

¿Has descifrado la ignorada hora
que allá inmutable en el reloj divino   10
tiene el señor marcada a mi destino
y me la anuncias, tú, clara y sonora?...
Mas no alcanza tu vista escrutadora
hasta el confín del cielo cristalino;
Dios sabe solo el fin de mi existencia   15
y admito solo dél la gran sentencia.

Largos son de la vida los caminos,
descontentos por ellos todos vamos
y son para una flor bella que hallamos
rocas las más y estériles espinos;   20
grandes son esos cielos peregrinos
y a su grandeza ansiosos aspiramos,
mas débil y medrosa el alma mía
ama el mezquino suelo todavía.

Como el árbol que a tierra ingrata asido   25
no puede huir del mal que le devora,
mi corazón que se consume y llora
está a la vida que le aflige unido.
Su mismo desconsuelo le es querido,
al compañero sufrimiento adora   30

638

y aunque paz a la opuesta orilla espera
no se atreve a salvar la ancha ribera.

    Aún respiro, ¡ay de mí!, ¿mas qué le importa
a la tierra si late aquí en mi pecho
mi corazón, o si en polvo deshecho   35
al sepulcro la muerte lo transporta?
Si es mi carrera prolongada o corta,
si sufro o duermo en funerario lecho
eso al mundo, poeta, importa tanto
que he de arrancarle con mi ausencia llanto?   40

     ¿Será que más de un tierno bardo amigo
dejaré cuando emigre a otras regiones?
¡Sus lágrimas, sus dulces bendiciones
hasta el fin de la vida irán conmigo!
Cuando esa vía que con ellos sigo   45
deje, al fin, sus suavísimas canciones
como una santa, bella melodía
vendrán a despedirme en mi agonía!

La Iberia Musical y Literaria, nº 8, p. 31 (28-Enero de 1844).

Octavas reales.

Este poema surge a raíz del que publica en la revista *El Guadalquivir* de Sevilla el poeta Eulogio Florentino Sanz, al recibir la falsa noticia del fallecimiento de Carolina. Así pues este texto debe alinearse con el titulado «A los que lamentaron mi supuesta muerte».

Eulogio Florentino Sanz (1822-1881) diplomático de oficio, aprovechó sus dos años de estancia en Alemania (1854-56) le permitió traducir quince «Canciones» de Heine, que publicó en «El Museo Universal» en 1857, dato que se considera fundamental para la nueva estética que en esos años se abre en la poesía española de la mano de Bécquer. Antes, en 1848, había obtenido un llamativo éxito con su pieza teatral *Don Francisco de Quevedo.* Los escasos críticos que ha tenido este autor consideran que fue algo más que un simple y automático traductor del poeta alemán, sino que tales traducciones eran más de un nuevo tono lírico, de una nueva temática intimista, pero aportando su personal sensibilidad lírica en esa asimilación (Cf. DÍEZ TABOADA, «Eulogio Florentino Sanz, poeta de transición», *Revista de Literatura* XIII, 1958, pp. 48-78.

A ALFONSO DE LAMARTINE

Libre será la voz, fuerte el aliento,
sonoro el instrumento
que vuestro canto, Alfonso, han sostenido,
cuando torpe y doliente
la humanidad presente   5
al inaudito son se ha conmovido.

De pueblo en pueblo, hasta el confín de España,
llegó la voz extraña,
de ese mi pobre valle, nunca oída,
y aun del valle tranquilo   10
en el oscuro asilo
con entusiasmo ardiente fue acogida.

Poco de claras letras entendemos
las hembras que nacemos
en el rincón, sin luz, de humilde villa;   15
y poco nos cuidamos
de esos que no estudiamos
volúmenes de Francia o de Castilla.

Tardo, como de sordos, el oído
apenas el sonido   20
del agudo talento ¡ay! nos alcanza;
y turbios nuestros ojos
ven siempre con enojos
las luces del saber, en lontananza.

Postrado el femenil entendimiento   25
en hondo abatimiento
las vidas silenciosas consumimos;
ajenas a la fama
con que la tierra aclama
los sabios cuyas lenguas no entendimos.   30

Mas una rara historia desdoblamos
en cuyo centro hallamos
impresos nuestros propios corazones;
y ansiosas, palpitantes,
con ojos anhelantes,   35
cruzamos, sin descanso, sus renglones.

De lágrimas, Señor, la vena rota
viérais, gota por gota
las páginas bañar de vuestro escrito;
las almas inflamadas   40
viérais arrebatadas,
de gratitud, alzarse al infinito.

Vos solo revelásteis sentimientos
que nunca los acentos
de nuestros pechos modular osaron;   45
sólo en los labios vuestros
los infortunios nuestros
hoy sus fieles intérpretes hallaron.

¡Cuánto sabéis de penas femeninas!
¡Cuán puras y argentinas   50
corrientes de palabras generosas,
tierno y profundo sabio,
manan de vuestro labio
y alivian nuestras almas fatigosas.

La escala de las penas de la vida   55
tan larga y tan sentida,
habéis en nuestra historia recorrido,
y con distintos sones
todos los corazones
vibrando fuertemente han respondido.   60

Dicen que explica para docta gente
política eminente
de vuestro libro la preciosa historia;
dicen que en las naciones
turbulentas pasiones   65
se levantan en torno a vuestra gloria.

Rudas, señor, y frívolas mujeres,
de los ilustres seres

los encumbrados juicios no alcanzamos;
pero las almas puras   70
de las buenas criaturas
mil votos por instinto os consagramos.

Os alaben los pueblos oprimidos
porque habéis sus gemidos
con soberano esfuerzo levantado,   75
y humíllense en la tierra
los que movieron guerra
al valiente pendon que hais tremolado.

La patria que en sus ínclitos blasones
muestra Napoleones,   80
láurea corona en vuestra sien suspenda;
mas, permitid que os lleve,
Señor, aunque tan leve,
el arpa femenil, su justa ofrenda.

¿Pues no somos también seres humanos?   85
¿No son nuestros hermanos
los que osáis abogar por nuestras vidas?
¿No debemos cantaros
y las manos bañaros
de lágrimas, señor, agradecidas...?   90

Suban entre el ferviente clamoreo
del aplauso europeo
nuestros votos también a vuestro oído,
como sube el ambiente,
con la voz del torrente,   95
el trino de la alondra confundido.

Hoy estamos del mundo en las regiones
hembras, niños, varones,
a general concierto convocados;
caiga perpetua mengua   100
sobre aquel cuya lengua
por vos no rompa en himnos acordados.

Del femenino coro aun el acento
embarga el sentimiento,
y a cantaros, Señor, vengo yo sola;   105
oídme con dulzura,

que es verdadera y pura
la ardiente bendición de una española.

Vos sois francés; la Francia os merecía;
pero no es patria mía,   110
y al ensalzar vuestro glorioso nombre
añado tristemente:
¡Oh Dios omnipotente!,
¿por qué no es español tan grande hombre?

Badajoz, 1847

El Heraldo (11-VII-1845)

Almacén de Frutos Literarios, 90 (14-VIII-1845), pp. 10-12. Esta revista se limita a transcribir el texto que había aparecido un mes antes en «El Heraldo». En ambas ocasiones, por tanto, el poema figura dirigido a otro escritor francés, Eugenio Sue (especificando que por su obra *El Judío errante,* que data de 1844-45, y que fue inmediatamente traducida al español por Ayguals de Izco, entre otros). Las obras del novelista francés (1804-1857) empezaron a divulgarse muy pronto entre el público español; su obra más conocida, *Los misterios de París,* se traduce, ya en 1844, por Juan de Flores. Con Dumas padre contribuyó a difundir la moda del folletín.

Las variantes son mínimas con respecto al texto que, después, se dedica al autor de *Meditaciones y Armonías.* En el v. tercero figuraba el nombre de «Eugenio» en lugar del de «Alfonso»; el verso 42 difería levísimamente: «de gratitud alzando al infinito», como igualmente el v. 57: «habéis en vuestra historia recorrido». El v. 67 introducía el nombre de pila de Sué en lugar del definitivo «señor» que se lee finalmente, y en el verso 81 el adjetivo «láurea» se cambiaba por «áurea».

Poesías (1852).

Sextetos-lira.

v. 31: *desdoblamos:* como si se tratase de un papel que se despliega antes de leer sus renglones.

v. 49: Como recuerda Valis (1991, 496), Carolina participaba de la creencia de que el escritor francés era una mujer.

vv. 61 y ss.: A partir de 1833, con su elección como diputado, Lamartine (1790-1869) emprendió una actividad política destacada, dentro de la oposición al monarca Luis Felipe. Al llegar las nuevas revoluciones de 1848, Lamartine ocupó el cargo de Ministro de Asuntos Exteriores del gobierno provisional. En la fecha del poema, 1847, Lamartine había publicado ya sus libros de poemas más destacados, como *Meditaciones poéticas* y *Nuevas meditaciones poéticas; Amoríos poéticos y religiosos* y *Jocelyn*. De 1847 es la popular *Historia de los girondinos* (¿se refiere a ese libro la autora cuando cita en sus versos una «preciosa historia»?).

A RIOJA

Rioja vive en ellas,
Rioja en esas flores
que brillan a mis ojos aun más bellas
porque son de Rioja los amores.

Esos albos jazmines   5
de su pecho llagado,
por enemigos fieros y ruines
fueron el lenitivo regalado.

Esos claveles rojos,
esas rosas lozanas,   10
honor tuvieron de alegrar sus ojos
y de ceñir sus sienes soberanas.

El bardo agradecido
alzó a sus compañeras
un canto, que en los siglos repetido,   15
vino a llenar también estas riberas.

Y así, cual las historias
y los célebres nombres
de abuelos que obtuvieron altas glorias
repiten a los nietos, otros hombres.   20

Así a las de mi huerto
repito las canciones
que otro pueblo de flores, que ya es muerto,
logró inspirar en béticas regiones.

Y es mucha maravilla   25
el mirar cómo ellas
doloridas oyen, por mi voz sencilla,
de su sentido vate las querellas.

Paréceme que gimen,
paréceme que llanto   30

brota de entre sus hojas, que se oprimen
de sentimiento al escuchar el canto.

  ¡Oh Rioja, oh poeta,
y cuán poco su alma
tiene del mundo a la ambición sujeta   35
quien es vergel humilde halla la calma!

  Un *libro* y un *amigo*
en tu modesta vida
¡oh sabio angelical! bastan contigo
para lograr la dicha apetecida.   40

  No te cuidas de honores,
desdeñas la riqueza
y ensalzas la belleza de las flores
al par que otros del oro la grandeza.

  Fenómeno del mundo,   45
que no comprende ahora
el siglo en ambiciones tan fecundo,
la edad en avaricias tan creadora.

  ¿Quién hoy ya se contenta
con la sencilla vida?   50
¿Quién no va tras de vida turbulenta?
¿A quién la paz del alma es hoy querida?

  Los niños envejecen
de ambición prematura;
los bosques de laureles no abastecen   55
el ansia de laurel de una criatura.

  El atrevido mozo
por el mando se afana,
cuando el albor de su naciente bozo
anuncia apenas su primer mañana.   60

  ¡Y dichoso si fuera
orgullo solamente!
¡Dichosos si esta raza no sintiera
de la codicia el aguijón hiriente!...:

  Mas no, dulce Rioja   65
turbe nuestro reposo
esa amarga verdad que el alma enoja
y el corazón rechaza generoso.

Pensemos que esa tierra
la habitan serafines,   70
pero huyendo su gloria que me aterra,
tomemos a tu reina de jazmines.

Yo en las flores te veo;
tu cuerpo ha fenecido,
mas las alas del tiempo a mi deseo   75
de tu espíritu un átomo han traído.

Y fecunda mi alma,
así tu pensamiento
cual de su amiga a la distante palma
fecunda el germen que transmite el viento.   80

Por eso amo a las flores,
porque vives en ellas;
porque fueron, Rioja, tus amores,
son esas flores a mis ojos bellas..

Si su color admiro,   85
si percibo su esencia,
escucho un melancólico suspiro,
oigo de su arpa dulce la cadencia.

Y llevo reverente
a mis labios su hoja,   90
diciendo al huerto en mi entusiasmo ardiente
béselas yo, pues las cantó Rioja.

Sevilla, 1847

El Museo de las Familias, 1851, p. 90.

Poesías (1852).

Serventesios quebrados (según los define Dorothy C. Clarke).

v. 5: una de las más brillantes silvas florales de Rioja está dedicada, precisamente, al jazmín («¡Oh, en pura nieve y púrpura bañado,/jazmín, gloria y honor del cano estío!»). Es un buen ejemplo este poema del doble interés que tienen las flores para Rioja: la exaltación de la flor y la exaltación de la amada al emblematizarla con la flor en cuestión.

vv. 6-7: Con la caída del Conde Duque de Olivares, protector del poeta sevillano, en 1643, llegaron también las horas bajas para Rioja. Se sospecha que fue coautor de un opúsculo en defensa del valido –*Nicandro o Antídoto contra la calumnia que la ignorancia y la envidia han esparcido por deslucir y manchar las heroicas e inmortales acciones del Conde-Duque de Olivares después de su retiro*– que suscitó un ruidoso proceso y acabó siendo condenado por la Inquisición. Es posible que Carolina se haga eco de la afirmación, no documentada, de López de Sedano, acerca de una supuesta prisión con posterioridad a 1636, motivada –según Sedano– por «gran persecución suscitada por sus émulos». A esta conclusión pudo conducir también lo que se afirma –probablemente de modo metafórico– en el soneto XLIV: «En mi prisión y en mi profunda pena/sólo el llanto me hace compañía». Tras su retiro a Sevilla, refugiándose en el estudio y la poesía, Rioja vuelve a la corte, pero reconoce en alguna carta (1654) que «no vine a pedir nada, ni deseo ocupación: y pocas veces en el común orden de las cosas se da a quien no pide, y yo no he aprendido a pedir ni a rogar» (Cf. prólogo de BEGOÑA LÓPEZ BUENO a las *Poesías* de Rioja, Madrid, Cátedra, 1984).

v. 8: *lenitivo:* 'que mitiga los sufrimientos del ánimo'.

vv. 9-10: los claveles y las rosas fueron, efectivamente, otras dos flores que merecieron la atención poética de Rioja en otras tantas silvas: «A ti, clavel ardiente,/invidia de la llama y de la Aurora» y «Pura, encendida rosa,/émula de la llama».

v. 72: *tu reina de jazmines:* Carolina se hace eco de la vinculación mítica con Afrodita (imagen de la diosa) que utiliza Rioja en su silva sobre esta flor: «¡Oh jazmín glorïoso,/tú sólo eres cuidado deleitoso/de la sin par hermosa Citherea,/y tú también su imagen peregrina!».

Coincidiendo con la estancia en Sevilla, Carolina dedica este homenaje a uno de sus más clásicos antecedentes –Francisco de Rioja– en la utilización de elementos florales como símbolos poéticos de marcado desarrollo. El poema pertenece a la sección de los homenajes a poetas que la extremeña incluye en su edición poética de 1852, siendo el sevillano el único de los vates clásicos que figuran en la relación, compartiendo lugar con Lista, Cienfuegos, Quintana, Espronceda, Larra y el francés Lamartine.

Francisco de Rioja, por otra parte, encabeza una relación de cuatro autores (los otros tres son Polo de Medina, Amós de Escalante y, naturalmente, Carolina) en los que Cossío estudia la importancia poética de las flores. En el caso concreto del sevillano, las flores «son un símbolo virtualmente rico en posibilidades como ambivalente en su significación» (B. LÓPEZ BUENO, *op. cit.,* p. 68). Coronado era bastante consciente de tal valoración, encontrando en esas flores sevillanas –la arrebolera, el clavel, la rosa amarilla, el jazmín, todo un «jardín poético», como escribió Henríquez Ureña– la esencia de todo Rioja, hasta identificarlos al uno con las otras: «Yo en las flores te veo;/tu cuerpo ha fenecido,/mas las alas del tiempo a mi deseo/de tu espíritu un átomo han traído».

Al amparo de los elogios al poeta, Carolina aprovecha –y no es la primera vez ni la última que lo hace– para contraponer la apetencia de una paz horaciana (la necesaria para gustar de la naturaleza, de las flores, como sería el caso –piensa nuestra poetisa– de Rioja) que desaparece, vencida, frente a las apetencias materialistas de su siglo «en ambiciones tan profundo». La estructura métrica usada en esta ocasión por Coronado es una variante del serventesio, que combina heptasílabos con endecasílabos (abAB), experimentando de este modo en una línea documentada en otros vates románticos como S. Bermúdez de Castro, por ejemplo. ¿Elige este esquema métrico Carolina Coronado por similitud con la silva barroca, puesto que silvas son los poemas florales de Rioja, que Carolina pudo leer en el vol. XVIII de la colección de Ramón Fernández, con un prólogo de Quintana, editado en 1797? Por otra parte, este tipo de estrofa bien podría considerarse como una variante más del cuarteto-lira, imitando de este modo, con otro tipo de disposición, una alternacia de endecasílabos y heptasílabos utilizada por Medrano (aBaB), y que la misma Carolina ya usó en algunos poemas de su primera colección, por ejemplo, en el titulado «A la Primavera», en donde se da justo la combinación inversa a la dispuesta en «A Rioja»: ABab:

> Mostró su faz, y de la blanca sierra
> las nieves en raudal se precipitan.
> Hierve a su luz la tierra,
> y las plantas palpitan.

EN LA MUERTE DE LISTA

Ignorada de si yazga mi mente
y muerto mi sentido,
empapa el ramo para herir mi frente
en las tranquilas aguas del olvido.

LISTA

No le lloréis, amigos: ese canto,
himno de gloria al sueño de la muerte,
era la inspiración del alma fuerte
de aquel varón tan apacible y santo;
ya fatigado de enseñaros tanto,   5
y ya sintiendo su entusiasmo inerte,
quiso muriendo de su yerto labio
la postrera lección daros el sabio.

Todas las ciencias del saber tenía
menos la de la muerte el docto anciano,   10
y quiso penetrar en ese arcano
por completar su gran sabiduría;
ya el misterio sabrá de la agonía,
el fin conocerá del ser humano,
y si a la gloria remontó su vuelo,   15
ya habrá medido la extensión del cielo.

Y ya del sol el punto culminante,
y del planeta dócil a su mando
sabrá cómo en sus orbitas girando
van por el cielo en rotación constante;   20
y ya desde Poniente hasta Levante
en la extendida tierra meditando,
«¿cómo, dirá, mientras duró mi sueño
pude estudiar en mundo tan pequeño?»

650

El eje aquel del globo entre los hielos   25
que su mente en las noches fatigaba,
ya de cierto sabrá cómo se clava
para que ruede firme por los cielos;
y ya se habrán calmado sus desvelos
cuando su vista perseguir sin traba   30
pueda en la inmensidad, y por la cumbre
del sol llegar hasta su misma lumbre...

    Ya sabrá si la aurora enrojecida
que a visitar su tumba anoche vino,
de otra desgracia al mundo prevenida   35
es el augurio cierto del destino;
y si es no más la ráfaga lucida
que deja el rayo del mirar divino,
cuando entre sombras, nubes y misterio
traspasa alguna vez nuestro hemisferio.   40

    Y sabrá por qué vienen los cometas
al ignorante mundo a dar espanto,
y si en el cielo por celeste encanto
desterrados están de otros planetas,
o si del orbe son grandes profetas   45
que se aparecen entre sangre y llanto
por cima de las míseras ciudades
sólo para anunciar calamidades.

    Y sabrá do se forma la corriente
que por las noches en el cielo vago   50
parécenos de fuego extenso lago
o de luceros río transparente;
y de la luz la primitiva fuente,
la del diluvio, de espantoso estrago
y el origen, la historia y la fortuna   55
de la estrella polar hasta la luna.

    ¡Ah! ¡si pudiera el inmortal maestro,
discípulos queridos y mimados,
tantos nuevos problemas aclarados
desde su mundo transmitir al nuestro!   60
¡Ah! ¡si la nueva ciencia, el nuevo estro
y los nuevos misterios de los hados,

ocultos al saber de la criatura,
pudiera revelar desde su altura!

Atentos en el valle los oídos   65
a sus doctas palabras, siempre amigas,
como al viento flexibles las espigas,
doblarais vuestras frentes conmovidos;
y él, mostrando los frutos escondidos
que arrancaron del arte sus fatigas,   70
nutriera vuestros jóvenes talentos
de sabrosos y dulces pensamientos.

Yo nunca le escuché; nunca la sombra
de mi ignorancia disipó su ciencia;
¡nunca yo, solitaria en mi existencia   75
hallé a ese sabio que la fama nombra!
Mientras os daba en la campestre alfombra
sus lecciones sonoras de cadencia,
yo, sola por mi valle, no escuchaba
mas que a la pobre alondra que trinaba.   80

Yo nunca le escuché; nunca mi mente
esclareció su antorcha luminosa...
mas recibí la bendición piadosa
que por última vez dio a nuestra frente.
El templo de los hijos del Oriente,   85
donde el cadáver de Colón reposa,
fue el templo en que nos dio su despedida
dejando nuestra frente bendecida.

Luego en la cuna del glorioso Herrera
dicen que reposar quiso el anciano...   90
blando arrullo le presta esa ribera
para adormirlo en el florido llano;
¡no le lloréis, amigos! ¡yo quisiera
tan tranquila dormir! ¡tener cercano
así mi lecho del hermoso río   95
que arrullara también el sueño mío!

Yo quisiera también cerrar mis ojos,
cerrar mis ojos a la tierra oscura,
abrirlos a la luz del cielo pura,
al sol brillante, a los luceros rojos;   100

cerrarlos de la vida a los enojos,
abrirlos de la gloria a la ventura,
¡dormir cuando nos dicen que vivimos,
despertar cuando dicen que morimos!

Yo no derramo lágrimas piadosas   105
por el que asciende a la feliz morada,
que allí quisiera verme regalada
por su ambiente purísimo de rosas;
las lágrimas que vierto dolorosas
son ¡ay! porque me quedo desterrada   110
a sufrir cual vosotros el castigo
de padecer aquí sin nuestro amigo.

Badajoz, 1849

Corona poética dedicada por la Academia de Bellas Artes a Alerto Lista.
Sevilla, Geofrin, 1849, pp. 55-56. Sólo se puede señalar una levísima variante en el v. 30, que en la *Corona...* dice «cuando su ruta perseguir sin
traba».

Poesías (1852).

Octavas reales.

vv. 1-2: Carolina parece aludir a la composición de Lista «Al sueño.
El himno del desgraciado» (vid. *Poesía lírica del siglo XVIII* ed. de Valmar,
III, p. 294) a la que pertenecen los versos que figuran al frente del texto.

v. 5: Lista alcanzó su época fama y prestigio inusitados como preceptor. Primero en Sevilla, como profesor de Matemáticas en el Colegio de
San Telmo; luego en Madrid, en el Colegio de San Mateo, y por último,
en la Facultad de Letras de la capital hispalense, de la que llegó a ser su
Decano. Alcanzó también el grado de canónigo de la catedral sevillana, y
entre sus más destacados discípulos se cuentan Bécquer o Espronceda.
Nótese que lo que más lamenta la poetisa es no haber recibido educación
de tan ilustre maestro.

v. 23: Una formulación muy calderoniana, según la cual «la vida es
sueño». Recuérdese que en el prólogo a sus *Poesías* de 1837 Lista declaró
que le había movido a reunir sus versos «la valentía y fluidez de mi maestro Rioja con el artificio admirable y generalmente poco estudiado de los
versos de Calderón».

vv. 33-36: Vid. el poema de Carolina «La aurora de 1848».

v. 48: Vid. el poema de la extremeña «El año de la guerra y del nublado».

653

v. 61: con esa expresión –*el estro*– se designa la inspiración de los artistas y singularmente de los poetas.

vv. 85 y ss.: Carolina conoció a Lista en Sevilla, en 1847, poco antes de la muerte del poeta y sacerdote, acaecida en 1848. Sobre esta relación copio lo que indica, en nota al capítulo quinto de su biografía, Alberto Castilla (1987, 237): «No hay datos que permitan afirmar que hubiera tenido amistad o correspondencia con él. Pero es posible conjeturar que, dada la amistad que les unía a Lista y a Romero de Tejada, a través de la intercesión de éste, Lista hubiera leído alguno de los primeros poemas de Carolina, y en algunas de sus temporadas en Madrid hubiera hecho saber a Hartzenbusch de la existencia de la joven poetisa extremeña». Alberto Lista era, a la sazón, canónigo de la catedral hispalense, que es el «templo de los hijos del Oriente/donde el cadáver de Colón reposa», al que alude, en larga paráfrasis, la poetisa (vid. el poema «En la catedral de Sevilla»). «Hijos del Oriente» se refiere a los *árabes,* ya que la catedral hispalense se edificó sobre el solar de una anterior mezquita almohade.

v. 91: la ribera del Guadalquivir, obviamente.

Puede compararse esta contribución de Carolina en homenaje y reconocimiento a la figura de Lista con la «Oda a la muerte de don Alberto Lista» de Bécquer, fechada en Sevilla, en octubre de 1848.

A UN POETA CLÁSICO

Pulidísimo poeta,
que siempre os andáis buscando
cefirillos en diciembre
y florecillas en marzo,
ved que es malogrado tiempo   5
el que gastáis en catarnos
esas romanzas melosas
que a vos embelesan tanto.
Porque ninguno os escucha,
ni posible es escucharos,   10
ni debe ¡salvo los sordos!
nadie escuchar vuestro canto.
Vos engalanáis de yerba
fuera de sazón los campos
y a deshora de sus nidos   15
hacéis levantar los pájaros;
vos asida del cabello
sin compasión a su llanto,
a cada instante a la aurora
arrastráis de su palacio,   20
y ni deja miel segura
en el panal vuestro labio
ni brisilla sosegada,
ni libre arroyuelo manso.
Y lo que más impacienta,   25
ingeniosísimo bardo,
es que, cuando estamos todos
con vuestra musa trinando,
sobre la blanda verbena,
muellemente recostado,   30
tan complacido y risueño

vos dispongáis coronaros.
¿A dónde vais por el mirto?
¿De dónde arrancáis el lauro?
¿Y qué logáis con poneros   35
en la frente esos enjalmos?
¿Un mancebo como un roble
no os causa grima pasaros
unas tras otras las horas
entre los juncos holgando?   40
¿No tenéis en vuestra tierra
otro más útil cuidado
que atisbar la rubia aurora
y espantar los tiernos pájaros?
Amigo, trocad de vida,   45
de cantinelas dejaos,
¡sacudid el cuerpo inerme
y haced valer vuestros brazos!

Badajoz, 1845

---

*El Álbum de Mom*o (Madrid 1847) p. 539, con el título «Galas postizas».

Poesía (1852).

Romance.

vv. 3-4: los diminutivos «cefirillos» y «florecillas» apostillan el tono burlesco de este romance, que se mueve en la órbita de aquel anónimo «Pastor Clasiquino», atribuido a Espronceda y publicado en *El Artista,* revista que codirigía el pintor Madrazo, autor, por cierto, del retrato más conocido de Carolina, hoy en el Casón del Buen Retiro. La burla se extiende a la moda –bastante extendida en aquellos años, como que afectó a la propia poetisa– de la coronación de los poetas (y de los poetastros).

v. 37: *enjalmos:* esta voz no está registrada en su morfema masculino (que la poetisa necesita para mantener su asonancia). Se debe referir a la voz *enjalma,* 'albardilla ligera con la que se enjaeza una caballería'. Evidente intencionalidad burlesca y degradadora.

ESPRONCEDA

A la Excma. señora marquesa de Monsalud
y vizcondesa de San Salvador

Rompió el divino sol por Oriente,
engalanado en nuevos resplandores,
hervía el prado en olorosas flores,
rebosaba en perfumes el ambiente,
trinaba el ruiseñor más dulcemente,   5
acrecentaba el agua sus rumores,
de nuestro pueblo humilde el pavimento
retemblaba aguardando algún portento.
   De tu palacio antiguo, solo, oscuro,
en el rincón de la olvidada villa   10
surgió voz melancólica y sencilla,
como de niño tierno acento puro;
así el lloro dulcísimo figuro
del infante Ossián cabe la orilla
de la ruda Albión cuando nacía   15
como el bello Espronceda a luz del día.
   Aquí al genio brillante de la España
plugo elegir su refulgente cuna,
por hacernos rivales en fortuna
con el Morven feliz de la Bretaña.   20
¿Quién la villa estrechísima que baña
por todo mar y arroyo una laguna,
y por muro y jardín cerca un sembrado
sin Espronceda hubiera recordado?
   Ese *cantor del sol* tal vez al cielo,   25
espíritu sin cuerpo, le pedía

657

ver la primera luz del claro día
del gran Cortés en el fecundo suelo.
Y Dios tal vez al prematura anhelo
del alma de Espronceda concedía   30
en raudal de talento transformado
el valor de Cortés nunca igualado.

    Así brotó, cundió como los ríos,
como los mares se ensanchó en la tierra;
tempestad en amor, trueno en la guerra   35
fueron sus cantos bravos y sombríos.
¡Oh! si elevara sus acentos píos
a Dios loando el que blasfema aterra,
profeta de este siglo desgraciado
le volviera la fe que le han robado.   40

    Destemplaron las cuerdas de su lira
los duros vicios, al rozar con ellos,
y en sus cantares, cuanto amargos bellos,
toda verdad apellidó mentira;
loco de padecer, llorando de ira,   45
ve la nieve asomar a sus cabellos;
y ¡ay! ¡cómo entonces se lastima y canta,
y el corazón con su gemir quebranta!

    Dichosa muerte que aplacó tal vida,
dichosa vida por tan presta muerte,   50
¿debe si no yacer en polvo inerte
el que su fe en el mundo ve perdida?
Por todo el corazón ya carcomida
palma gallarda fue que al noto fuerte
no pudo resistir con su corteza,   55
y a la tierra inclinó la gran cabeza.

    ¡Oh! ¡cuán diverso fue el risueño día
en que brotó en la tierra ese capullo
mimado de las brisas al arrullo,
festejado del ave a la armonía!   60
¡Oh quién su primitiva lozanía
sin su infortunio, su impiedad, su orgullo,
pudiera devolver al genio muerto
primer cantor del español concierto!

Madrid, Bretaña, su amargado canto 65
su juventud penosa han obtenido;
mas del pueblo extremeño sólo han sido
sus puros ayes, su inocente llanto.
¡Salve por esa cuna y honor tanto
y tanta gloria, pueblo esclarecido; 70
campana que sonaste alegremente
cuando el agua de Dios bañó su frente!
    ¡Salve campiña floreciente y leda,
que diste aromas al solemne día,
raza de aves que en la patria mía 75
cantaron la venida de Espronceda!
¡Salve morada que tapiz de seda
prestaste al niño huésped que nacía!
¡Salve dueña feliz de la morada
donde tan gran memoria está guardada! 80

Almendralejo, 1846

Poesías (1852).

Octavas reales.

v. 9: *de tu palacio antiguo*. Según la tradición, Espronceda había nacido en el Palacio de Monsalud, en Almendralejo.

v. 14: Ossian fue un legendario héroe y bardo escocés del siglo III, al que Macpherson le atribuyó la autoría de largos poemas como *Fingal* y *Temora*. Los poemas ossiánicos alcanzaron gran difusión y popularidad en el Romanticismo europeo, especialmente de la mano de Goethe. Ossián empezó a ser traducido en España en 1788, por el vallisoletano José Alonso Ortiz, en 1800 por Montengón, y en 1804 lo fue por el Abate Marchena. Se puede hablar de «adaptaciones ossiánicas» en la poesía de Juan Nicasio Gallego, y de deliberada imitación en los poemas de García Gutiérrez y por supuesto de Espronceda, sobre todo en su composición «Oscar y Malvina», si bien ya se advertía ese influjo –como dice Marrast– en el comienzo del poema dedicado a Chapalangarra. La influencia ossiánica se prolonga en la etapa postromántica, además de percibirse también en Arolas, Romero Larrañaga, Pastor Díaz, y –volviendo al comienzo de la penetración y difusión en España– en las odas patrióticas de Cristóbal de Beña, en plena Guerra de la Independencia. Cf. el libro de ISIDORO MONTIEL *Ossián en España,* Barcelona, Planeta, 1974.

v. 15: *de la ruda Albión:* Inglaterra (por extensión, Escocia, patria originaria de Ossián). Primer nombre histórico conocido de Gran Bretaña.

v. 20: Según Vallis (1991, 476) se trata del reino de Ossián.

v. 25: uno de los poemas de Espronceda es el titulado «Himno al Sol», publicado en la revista de *El Siglo* el 28 de Enero de 1834, sin nombre de autor. Marrast opina que el texto debió de componerse un año antes, entre 1830-1831.

vv. 41-48: Esta estrofa podría entenderse como una aproximada paráfrasis de algunos momentos popularizados del poema *El Diablo Mundo,* según la interpretación de Carolina.

v. 50: Se aludiría con este giro a la temprana muerte de Espronceda, en 1842, a los treinta y un años de edad.

v. 54: nombre antiguo del viento que soplaba del sur, o viento *austral.*

vv. 65-66: Carolina alude a las estancias juveniles de Espronceda en la capital londinense, a donde llegó, expulsado de Portugal, el 15 de Septiembre de 1827. Allí vivió en el barrio pobre de Somerstown, en compañía del exteniente Antonio Hernáiz. Allí debió de comenzar su relación con Teresa Mancha, quien había recalado en Londres en Diciembre de ese mismo año 1827. En 1832 Espronceda viajó por segunda vez a Inglaterra.

vv. 71-72: Espronceda fue bautizado en la Iglesia parroquial de Almendralejo un 25 de marzo, pocas horas después de su nacimiento, y recibiendo los nombres de José Ignacio Oriol Encarnación.

v. 73: *leda:* 'alegre', 'contento' (cultismo poético).

vv. 79-80: el poema, en la compilación de 1852, está dedicado –de ahí el «salve» de la última octava– a la Excma. Señora Marquesa de Monsalud y vizcondesa de San Salvador, propietaria en aquel entonces –1846– del edificio que había albergado el primer hogar familiar extremeño del poeta.

A QUINTANA

Buen sabio, ¿de tu tierra y de la mía
tu corazón no ansía
el nombre oír que la memoria encierra
de los pasados años?
¿O a tu memoria extraños   5
serán ya los recuerdos de tu tierra?

Yo, Señor, que heredé de mis abuelos
un libro de consuelos
obra de tu lozana fantasía,
cuando eras mozo o niño,   10
tengo mucho cariño
al buen cantor de la comarca mía.

Siempre al pasar cercana de tus lares
recordé tus cantares,
y otras veces al margen del Guadiana   15
medité dulcemente
en la gloria eminente
que a nuestro pueblo consagró Quintana.

¿Por qué en el aprender ¡ay! soy tan ruda
que, aun cuando ansiosa acuda,   20
en la ciencia a estudiar de tus escritos
las brillantes lecciones,
no logro en mis canciones
remedar tus acentos infinitos?

Mas ¡qué mucho! las artes lentamente   25
vienen, cual la corriente
del manantial sereno del Ruidera,
a visitar los muros
solitarios y oscuros
de esta ciudad de España la postrera.   30

No se pule el salvaje entendimiento
del campesino acento
entre el tosco rumor; y la poesía
levanta su cabeza,
entre tanta aspereza,   35
como una planta estéril y bravía...

¿Qué nuevas te daré que a tu celoso
patrio entusiasmo hermoso
por la fama y el bien de nuestro suelo
alegren placenteras,   40
si antes que estas riberas
pienso, Quintana, que se mude el cielo?

Si las vastas encinas del contorno,
solo y agreste adorno
de estos valles, tal vez, contado hubieras,   45
al despedirte de ellos
en tus abriles bellos,
esas propias hallaras, si hoy volvieras.

Los arraigados juncos de este río
bajo el mismo rocío   50
con que la espuma, al salpicar, los baña,
medran tranquilamente
sin que del hombre intente
otros sauces plantar la mano extraña.

Y aun hay de tierra vírgenes pedazos   55
donde jamás los brazos
del colono feliz su fuerza emplean,
y hay fuentes, manantiales
sin guía y sin brocales
cuyos hilos se pierden y se orean...   60

Más aprisa se mueve la tortuga;
menos tarda la oruga
su bella metamorfosis presenta;
en esta tierra, Quintana,
un solo paso gana   65
de su cultura en la carrera lenta.

Empero un solo nombre hay en el mundo
que del sueño profundo
a este pueblo pacífico levanta
y lo agita, lo enciende,   70
cuando extático entiende
la nota fiel de esta palabra santa.

Grítale «Libertad», verás leones;
que vengan las naciones
a esclavizar a la soberbia España,   75
y será de este otero
cada azadón grosero
hacha incansable en la mortal campaña.

¡Por Dios! este rincón, hoy tan tranquilo,
fuera el último asilo   80
de aquella libertad apetecida
que, aunque no entiendo de ella,
debe de ser muy bella
cuando es tan ponderada y tan querida.

Tú la llamaste flor en tus cantares;   85
¡en la tierra y los mares
cuánta sangre costó! ¿Y eso son flores?
¡Hoy por lo solitaria
Será la *pasionaria*
o la *viuda negra* y sin olores!   90

Negra e inodora fue para los míos
cuyos años sombríos
vagando tras sus pétalos tronchados,
con pertinaz constancia,
las horas de mi infancia   95
y triste juventud han amargado...

No la aborrezco, no: me espanta
esa costosa planta
que nuestro llanto bebe por rocío:
más fruto y menos penas   100
me dan las azucenas
que en mi puerto florecen en estío.

¡Quiera Dios que no tronche en nuestra tierra
nuevo huracán de guerra

663

esa flor que inspiró tus armonías: 105
siquiera porque ha sido
la que más ha lucido
en tu guirnalda eterna de poesías!

Almendralejo, 1845

Poesías (1852).

Sextetos-lira.

v. 1: La vida de Quintana ocasionalmente (y familiarmente) estuvo vinculada a las tierras extremeñas, si bien no nació en Extremadura, como se creyó durante algún tiempo, y lo creía así la poetisa. En Cabeza de Buey (Badajoz) residía su familia paterna y allí se refugió Quintana en 1823, después del Trienio Liberal, hasta que cinco años después, en 1826, se le concedió real permiso para que volviese a Madrid. Por otro lado, durante sus estudios universitarios en Salamanca –en donde intimó con Meléndez Valdés– hará repetidas escapadas a tierras extremeñas. De hecho, un airoso y anacreóntico romance– «La Diversión» («El Amor se ha desprendido/de los brazos de su Madre,/y alegrando el Universo/se está suspenso en el aire») –lo escribe en Mérida en 1792. Finalmente, añadiré que el preceptor de latín que Quintana tuvo en Córdoba fue extremeño Manuel Salas.

v. 8: Carolina puede referirse –indistintamente– a alguna de estas ediciones de las Poesías de Quintana que obraría en su poder (procedente de la biblioteca familiar): o la de 1813, o la de 1821, ambas impresas en Madrid. Teniendo en cuenta los avatares sufridos por la familia Coronado durante la guerra de la Independencia y los primeros años del reinado fernandino, no creo probable que manejase ediciones de Quintana anteriores a la referida de 1821, frente a lo que opina Nöel Valis (1991, 479), quien alude a la edición de sus primeras poesías, en 1788.

v. 27: con esta alusión al importante manto acuífero (unas 17 lagunas) del lugar ciudarealeño de Argamasilla de Alba, Carolina se está refiriendo al río Guadiana, que nace en dichas lagunas y que atraviesa la provincia pacense.

También Bécquer dedicó a la exaltación de Quintana una larga «fantasía» poética, en la que hace comparecer, en homenaje al vate español, a las voces de Osián, Herrera y Petrarca.

A LARRA

¿Qué voz, pobre Mariano,
de mofa, de sarcasmo, de amargura,
al que te ofrezco humano
recuerdo de ternura,
darás riendo en tu morada oscura?   5

Si la mujer que llora
fue blanco del rigor de tu garganta,
¿qué pensarás ahora
de la mujer que canta?
¡Ay! ¿qué dijeras de la *nueva planta*?   10

Al ver a la poetisa
tú contemplaras su cabeza atento,
y entre cruel sonrisa
prorrumpiera tu acento:
«*Aquí yacen el juicio y el talento*».   15

Porque estás muerto canto:
vivo, Mariano, de tu pluma el vuelo
diérame tal espanto,
que no osara del suelo
mi lira levantarse de recelo.   20

¿Qué digo? En este instante
juzgo escuchar desde el profundo hueco
tu voz agria y punzante,
que aun en tu labio seco
para rasgar las almas tiene un eco.   25

«–Mujer ¿á qué has venido?
Al romántico yugo sujetada,
¿ensayas tu gemido
en mi tumba olvidada,
por ser luego del mundo celebrada?   30

El nombre de Mariano,
¿es que presta sonoro consonante
a tu númen profano,
o vienes insultante
a escarnecer aun mi sombra errante?»   35
    —¡Ateo desgraciado!
¡Víbora de las bellas ilusiones!
¡Genio desesperado!
¡Que al mundo no perdones
ni aun las que eleva a ti santas canciones!   40
    Vengo piadosa y triste
no a escarnecer tu nombre, respetado
aun luego que moriste;
vengo, escritor amado,
el libro a agradecer que nos has dado.   45
    Si fue como tu vida
horrible tu morir, de Dios es cuenta;
tu historia dolorida
dos páginas presenta,
una que el mundo aplauda, otra que sienta.   50
    Lástima para el hombre,
corona para el genio esclarecido,
yo al invocar tu nombre
al criminal olvido
para cantar al escritor querido.   55
    Mira si el mundo es bueno,
que en tu risueña pluma a las criaturas
nos da hiel y veneno,
y nuestras bocas puras
gracias te dan por tales amarguras.   60
    La risa convulsiva
en que a tu hablar rompemos, nos quebranta,
¡oh guadaña festiva!,
y en pago a pena tanta
mira si el mundo es bueno, que aún te canta.   65
    Pero de nuevo suena
a interrumpir mi voz tu voz burlona:
«Engañosa sirena,

guárdate esa corona
que ofrece el mundo necio a mi persona.　　　　　　70

　　Sírvate de prendido,
que más le cuadra a tu cabeza lisa
que a mi cráneo *partido;*
coronas que mi risa
excitan como tú, vana poetisa».　　　　　　75

　　–¡Oh! basta. Adiós, poeta,
pues desdeñas mi ofrenda de armonía;
hasta en la tumba quieta
tu genio desconfía;
¡hielas la pobre flor de mi poesía!　　　　　　80

　　¡Que en los ángeles crea
quien duda así de los humanos seres;
que del cielo te sea
la gloria que tuvieres
más grata que del mundo los placeres!　　　　　　85

Badajoz, 1846

Poesías (1852).

Liras.

vv. 6-7: Carolina nos va a dibujar un Larra profundamente amargado y duramente satírico y crítico con su sociedad, y por supuesto con las mujeres de esa sociedad, empezando por las dos que tuvieron destacada relación con «Fígaro»: Pepita Wetorett y Dolores Armijo.

v. 10: Con una referencia bien explícita a uno de los mejores artículos políticos (anticarlistas) de Larra, «La planta nueva o el faccioso» (*La Revista Española,* 10 de noviembre de 1833), la poetisa, siempre sospechosa de la animadversión en torno sobre su condición de «literata», se define a sí misma como «nueva planta».

v. 15: De modo similar al caso anterior, Carolina se atribuye –en boca de Larra– un epitafio que imita los que abundan en el pesimista artículo «El día de difuntos de 1836» (*El Español,* Noviembre de 1836).

v. 24: *Labio seco:* 'yerto', 'labio de un cadáver'.

vv. 26-35: En esta imaginada recriminación de Larra se podría advertir cierta irónica alusión a la intervención del joven y desconocido poeta Zorrilla, cuando aprovechó las exequias del ilustre periodista para darse a conocer con unos sonoros versos a manera de espontáneo y oportunista epitafio.

v. 50: La página de la vida de Larra que el mundo debe sentir, y que justifica lo que se declara en el segundo verso de esa lira, no es otra cosa que el pistoletazo final que le segó la vida. Tal acto explica, igualmente, diversas alusiones en las liras siguientes, como la «lástima» del v. 51, el «criminal» del v. 54, y se reproduce en el «cráneo partido» del v. 73.

v. 71: *prendido:* 'diadema', 'adorno global o de joyas que se pone en el cabello de la dama'.

CIENFUEGOS

No he menester ingenio, el arte es vano,
demás están las musas y la lira;
sobra la indignación que en mí respira
para cantar al vate castellano.
Tendí mis ojos, y busqué en el llano   5
su tumba ilustre, y me encendió la ira,
cuando al decir su nombre, lengua extraña
«yace aquí, replicó, no está en España».

Pueblo ¿es verdad?: los huesos venerados
del noble y generoso caballero   10
¿los cubre por merced polvo extranjero?
¿No están en nuestra tierras sepultados?
¡Pueblo de fuertes hombres degradados,
antípoda de gloria, pueblo ibero,
que hayas de darnos siempre estos sonrojos   15
cuando a tus genios buscan nuestros ojos!

Como largo camino de hormiguero
de nuestra patria a Francia es el camino,
y yo al mirar a tanto peregrino
que recorre sin tregua aquel sendero,   20
van, dije, su adorado compañero
a rescatar del panteón vecino:
¿Traéis su polvo? pregunté impaciente,
«pondré de vose», respondió la gente.

Duerme, poeta, que tu noble sombra   25
no ha menester que nuestro pueblo mire,
mientras contento en los salones gire
francés danzando en la francesa alfombra;

duerme, que al pueblo tu virtud asombra,
y es harto indigno de que el genio admire   30
dándole a tu sepulcro reverencia,
queden tus huesos del francés herencia.

Badajoz, 1846

Poesías (1852).

Octavas reales.

v. 11: El poeta Nicasio Alvarez Cienfuegos, aunque nacido en Madrid en la segunda mitad del siglo XVIII (1764), era oriundo, por vía paterna, del pueblo extremeño de Garrovillas. Durante la guerra de la Independencia Cienfuegos, aquejado entonces de una tuberculosis pulmonar, permaneció en Madrid, y en su puesto de revisor de la *Gaceta de Madrid,* en donde ordenó que se publicara en el día 3 de mayo (la fecha que Goya inmortalizaría en su famoso cuadro «Los fusilamientos») la noticia de la proclamación, una quincena antes en Reus, y de forma inmediata en León, del Príncipe de Asturias como rey de España, iniciando de este modo una firme oposición bonapartista que mantendría hasta el final de sus días. Pues, tras presentar ante el general Murat su dimisión como revisor de la *Gaceta,* se declaró en rebeldía ante el mando francés. En Madrid permaneció también cuando se temía la presencia del Emperador en persona, para reponer en el trono a su hermano José, aunque las gravísimas circunstancias del momento le debieron de obligar a estampar su firma en el documento en el que el pueblo madrileño declaraba su obligada fidelidad al monarca invasor; sin embargo Cienfuegos tuvo pronto ocasión de retractarse de aquella firma arrancada a la fuerza, dirigiendo contra su persona las temibles represalias del gobierno bonapartino. Fue detenido en junio de 1809 y juzgado, condenándosele al destierro «en calidad de rehén». Adelantando un final que recuerda el de don Antonio Machado siglo y medio después, Cienfuegos –y otros compañeros de idéntica suerte– llegaron tras penoso viaje al pueblecito francés de Orthez, en donde falleció el poeta a los tres días de su arribo a dicho lugar. Sus restos, sin tumba identificada, yacen en el cementerio de Orthez. Como escribe José Luis Cano, editor y estudioso de este poeta, «tenía Cienfuegos en el momento de morir 45 años, y su triste final truncaba sin duda una brillante carrera de escritor y de diplomático».

vv. 17 y ss. Carolina lamenta que un compatriota, como Cienfuegos, descanse en suelo extraño, como se lamentará de la misma situación cuando contemple –en el viaje a París de que hizo crónica en el periódico *La Ilustración Universal*– el enterramiento, como exiliado en tierra ajena, de Leandro Fernández de Moratín.

v. 24: Tan extraña respuesta parece reproducir –con una cierta ironía, con la que se alude al pueblo afrancesado (frente al resistente y orgulloso «españolismo» de que hizo gala Cienfuegos)– la respuesta, en francés que se intenta transcribir «fonéticamente», con la que se desprecia, y hasta se hace burla, de la preocupación y del deseo de la española: *pondré* equivaldría a la segunda persona de plural del imperativo del verbo pondre *(pondrez)*, y la voz *vose* equivaldría al posesivo de segunda persona *votre*. En conclusión, lo que se le responde a la poetisa es que 'disponga de sus propias cenizas', y no se siga interesando por las de quien había muerto fuera de España por no ser «afrancesado».

YO NO PUEDO SEGUIRTE CON MI VUELO

Tú, huéspeda de villa populosa,
yo de valle pacífico vecina,
tú por allá viajera golondrina,
yo por aquí tortuga perezosa;
tú del jardín acacia deliciosa,   5
yo del arroyo zarza campesina,
¿qué indefinible, rara inteligencia
enlaza seres de tan varia esencia?

El entusiasmo que hacia ti me impele,
la dulce fe que hacia mi amor te guía,   10
disponen que en amiga compañía,
mi canto unido a tus acentos vuele;
mas yo no sé, paloma, si recele
que, al fin, he de quedar sola en la vía,
pues tal vas ascendiendo por el cielo,   15
que no puedo seguirte con mi vuelo.

Tú desde el centro de la regia villa
domeñas con la voz los corazones,
yo sólo alcanzo a modular canciones
en honor de la simple florecilla;   20
ve si el ala podrá, corta y sencilla,
de la alondra, ganar esas regiones
que traspasas, de sola una carrera,
dejando un cielo atrás la compañera.

Si mi ardoroso empeño a ti me envía,   25
de ti me aparta el genio que te eleva
y sola a conquistar la prez te lleva
que no osara tocar mi fantasía;
pero no temas, no, que el alma mía
de su destino a murmurar se atreva,   30

pues que suyo será el bello destino
de alfombrarte de flores el camino.

Mas, al fijar la perspicaz mirada
en esa sociedad, cuya existencia
ha menester de intérprete a la ciencia   35
para ser comprendida y revelada,
afligida sintiendo y fatigada
acaso tu sencilla inteligencia,
rechazarás el mundo con enojos
y hacia mi valle tornarás los ojos.   40

¿Y qué hallarás?... La garza en la ribera
del fresno cuelga su morada umbría
y allí anhelante a sus polluelos cría
al par de la amorosa compañera.
Guardan los canes la familia entera   45
que a su lealtad valiente se confía,
y fiel a su república la abeja
hijos y fruto a la colmena deja.

¿Todas las madres son tan cariñosas
entre esa gente de la raza humana?   50
¿Custodias tiene la nación hispana
de sus honras y haciendas tan celosas?
¿Las vidas de los hombres generosas
conságranse a la patria soberana?
¿O entre brutos a súbditos y reyes   55
su instinto vale más que nuestras leyes?

Donde el arte no está, donde alterada
no hallamos la creación en sus hechuras,
no ha menester que tengan las criaturas
muy alta comprensión ciencia elevada.   60
Para cantar del campo embelesada
las risueñas perfectas hermosuras,
basta de mi garganta el leve acento,
y sobra tu magnífico talento.

¿Qué bien hiciera aquí?... ¿dar a estos seres 65
de paz y dicha y libertad lecciones?
¿Inspirar a las tórtolas pasiones
o a las hormigas enseñar deberes?...

Ve con tan noble empresa a las mujeres
que muestran los llagados corazones,   70
y de ese ardiente celo el bello fruto
dale a la humanidad por buen tributo.

Deja que mis estériles canciones
mueran sobre este arroyo cristalino,
y sigue tú, paloma, ese camino   75
el vuelo remontando a otras regiones;
deja entre los agrestes pabellones
de la alondra perderse el vago trino,
y allá del grande pueblo en el altura,
difundan tus arrullos su dulzura.   80

Déjame a mí la gloria campesina,
brille en la sociedad tu bella ciencia
que allí a gloria mayor la providencia
tu corazón y tu saber destinas:
¡palpitante lección, viva doctrina   85
a la ignorancia y femenil demencia!
Serás, entre su especie degradada,
tipo de la mujer regenerada.

Ermita de Bótoa, 1846

Poesías (1852).

Octavas reales.

v. 79: *el altura:* se sustituye el artículo femenino por el masculino para evitar la sinalefa que convertiría el endecasílabo en un decasílabo.

Se viene admitiendo que este poema está dedicado a exaltar la figura de Gertrudis Gómez de Avellaneda. Nacida en Camagüey, Cuba, en 1814, se la recuerda como una hermosa y apasionada mujer, de fuerte temperamento («su tez suave y tersa, el cabello oscuro, largo y abundoso, los ojos negros, grandes y rasgados y sus demás facciones regulares y expresivas; su voz era dulce y melodiosa» escribe un temprano biógrafo). En 1836 se trasladó a España. Tras breves estancias en La Coruña, Lisboa y Cádiz, Gertrudis y su familia recalaron en el pueblo sevillano de Constantina, y finalmente en la capital andaluza, en cuyos periódicos –y en los gaditanos– escribe con el sobrenombre de «La Peregrina». En Sevilla estrenará su primera obra teatral, *Leoncia,* y al año siguiente, 1841, editará su novela más famosa, *Sab*, novela que fue casi secuestrada por sus propios familiares a causa de las ideas abolicionistas que propugnaba. Traslado a Madrid y recepción, con todos los honores y de la mano de José Zorrilla, en el Liceo Artístico y Literario (en donde también unos pocos años después sería homenajeada Carolina). La poetisa extremeña sintió siempre por la cubana una sincera y elogiosa admiración, y sobre ella redactó un largo artículo (cuatro entregas) en «La Crónica Hispanoamericana», de donde extraigo algún significativo párrafo: «España no ha tenido nunca una poetisa de tanta energía, de tan sublime genio, de tanta elevación y grandeza. Yo al menos no la conozco por más que miro al través de los siglos (...). La Avellaneda es una heroína más en los fastos de la historia; un escritor, cuyo ingenioso talento concuerda con su apellido literario, dice que su existencia hace creer en la de las amazonas. Es, en efecto, la amazona de nuestro parnaso (...); si como poeta asombra su fuerza, como poetisa encanta su blandura».

UN AÑO MÁS

¡Un año más!... Un año, Ángela mía,
y aun no ha mudado mi horizonte triste,
y de tan ancha tierra como existe
no he descubierto un palmo todavía.
¡Un año más!... Un año día tras día   5
lentos conté, y enero se reviste
de nuevo sol para ostentar mañana
su cabellera por los hielos cana.

Hija de Italia; tú que los jardines
de la reina del mundo has contemplado,   10
tú, que en su bello mar te has retratado
al buscar sus sirenas y delfines;
tú, que de España ahora en los confines
ves a ese mar, que yo nunca he mirado,
removiendo en su azul mil pabellones,   15
no puedes comprender mis ambiciones.

A veces de ese mar las conchas beso,
y si veo por dicha algún marino
la relación de su feliz camino
le escucho con tiernísimo embeleso,   20
y cuando cesa, doloroso peso
siento en el alma, al comparar mezquino
con tan soberbios gigantescos mares
el arroyo en que gimo mis cantares.

Los barcos de los pobres pescadores   25
son los buques que cruzan sus riberas;
los lienzos de las pobres lavanderas
los ricos estandartes brilladores;
y tan sólo a estos puertos salvadores
vienen, en vez de flotas extranjeras,   30

blancos gansos, luchando con la ola
y alguna gallareta errante y sola.

¿Has visto al topo que en la tierra hundido
preso en el hoyo se remueve a oscuras
y con la frente en las paredes duras   35
da cuando intenta ver el sol lucido?
Entre este viejo murallón roído,
yo soy el topo, que las luces puras
que en los alegres campos se reflejan
nunca estos muros contemplar me dejan.   40

Contra este muro donde puso escalas
el francés ambicioso y el britano,
como sus vivas y rugientes balas
mi ardiente corazón se estrella en vano;
en vano tiendo ¡ay! hacia ti mis alas   45
desde este torreón, que el africano
dejó, tal vez, en nombre de Mahoma
para nidos del búho y la paloma.

Aquí muere la flor de la poesía
antes que esponje el aura su capullo;   50
aquí se apaga el sol del noble orgullo
antes que logre esclarecer al día;
aquí de la creadora fantasía
el manantial se agota sin murmullo;
aquí sólo el amor gigante crece   55
y ni se agota, apaga ni envejece.

Aquí, frente por frente a las pasiones,
en imponente lid nos encontramos,
y aquí, como Petrarca, eternizamos
del cariño ideal las ilusiones;   60
aquí en la soledad los corazones
en nuestro amor tan sólo concentramos
y aquí de la poetisa el vital giro
se puede reasumir en un suspiro.

¡Un año más! ¡Un año, Ángela mía,   65
y el doloroso incendio no se apaga,
y esta ansiedad devoradora y vaga
no se extingue en mi pecho todavía!...

Ángela, pues tu voz sonora y pía
a tus hermanos ángeles halaga,   70
¡ruégales porque el sol del nuevo enero
ilumine la paz que ansiosa espero!

   Yo tengo fe en el porvenir oscuro,
yo de engañarme en los recelos trato,
yo a la esperanza el corazón dilato   75
y bello siempre el porvenir auguro;
yo ser feliz en la ilusión procuro
contra el torrente del destino ingrato
y al ver del nuevo año, sol que brillas,
cruzo mis manos, doblo mis rodillas.   80

   ¡Oh nuevo sol, tus rayos bienhechores
no a mí sola su ardor fecundo extiendan,
que a las criaturas todas hoy comprendan
sus vivíficos sacros resplandores!
¡Que alivien la miseria y los dolores   85
de la España infeliz, que al pobre atiendan,
y no pase con nuevos desengaños
un año más, unido a tantos años!

Badajoz, 1846

Poesías (1852).

Octavas reales.

   v. 9: Como bien apunta Välis (1991, 531) la interlocutora de este poema bien podría ser la poetisa Angela Grassi, nacida en Italia. Vid. el poema titulado «A Angela», y lo que allí se refiere sobre tal poetisa.

   v. 10: *de la reina del mundo:* Roma.

   v. 32: *gallareta:* ave acuática de pico grueso, que vive en lagunas y ríos de densa vegetación.

   vv. 41-42: En opinión de Välis, se alude a los dramáticos cercos que ingleses y franceses sometieron a la ciudad de Badajoz durante las diversas operaciones militares de la Guerra de la Independencia.

   v. 46: Sigo la identificación señalada por Välis (1991, 533): la torre pacense de Espantaperros, de estilo musulmán.

A ÁNGELA

Ángela, melancólica mi alma
hacia tus brazos encamina el vuelo
ansiosa de encontrar en ellos calma.

Que siempre son los ángeles del cielo
esos que nos arrullan blandamente   5
y nos prestan reposo y dan consuelo.

Tú tienes una voz que el ruido miente
de las sencillas tórtolas, y el eco
del murmurar tranquilo de la fuente,

    y aunque en el pecho de inocencia seco   10
no halle lugar tan cándido sonido
halla en el mío dilatado hueco.

Sí, yo mi juventud no he consumido,
conservo la ilusión y el sentimiento
y aun puedo al tierno amor prestar oído.   15

Ora celebre amor tu tierno acento,
ora te duelas dél, siempre te escucha
mi enternecido corazón atento.

Y si en el siglo de ambición y lucha
consuelo mutuamente no nos damos   20
de nuestras almas a la pena mucha,

Ángela, ¿con el llanto a dónde vamos?
¿Hacia dónde el amor sencillo y bello
de nuestra musa juvenil llevamos?

De rosas y jazmines el cabello   25
te puedo coronar, si no ambiciosa
por ceñir el laurel doblas el cuello.

Yo quiero consagrar mi edad penosa
a celebrar las cándidas doncellas
que sólo en su amistad mi alma reposa.   30

Entusiasmo y virtud encuentro en ellas
y en sus arpas dulcísimas y santas
el consuelo y la paz de mis querellas.

Por eso vuelo a ti, que tierna cantas
a Dios y a los amores de mi vida,   35
raudal perpetuo de emociones tantas.

Por eso ya sintiéndome abatida,
el alma hacia tus brazos encamino,
porque en ellos la des bella acogida.

Más precio yo tu arrullo peregrino   40
que de las trompas bélicas los sones
donde horribles batallas imagino;

más precio yo, doncella, tus canciones
que los oscuros libros de la historia
donde jamás hallé sino borrones;   45

más precio de amistad la suave gloria,
más de mis compañeros la sonrisa
que del mayor guerrero la victoria.

De dos en dos, las tórtolas, poetisa,
cantan sobre los rudos encinares   50
mecidas en sus ramas por la brisa:

así das tú compaña a mis pesares,
aliento a un pecho lánguido infundiendo
con el celeste ardor de tus cantares...

Ya no sufro; mis párpados cayendo   55
a tu benigno influjo, dulce amiga,
poco a poco y mi espíritu adurmiendo
en tus brazos se van... ¡Dios te bendiga!

Ermita de Bótoa, 1846

Poesías (1852).

Tercetos encadenados.

v. 1: Angela Grassi. Este poema debe relacionarse, por tanto, con el titulado «Un año más», también dirigido a la citada poetisa de origen italiano, pues había nacido, en 1823, en Cremona, si bien se afincó pronto en Barcelona (probablemente a partir de 1829). Cultivó, además de la música y los idiomas, diversos géneros literarios, especialmente la poesía y la novela, medios en los que difundió su ideología conservadora y profundamente católica. Entre 1867 y 1883 (año de su muerte) dirigió la revista «El Correo de la Moda». Se la ha definido como una escritora de mujeres y para mujeres, y en su literatura son los problemas femeninos de su tiempo los que tienen prioridad. Roza un cierto feminismo reivindicador que fue, siempre, subrayado por Carolina, en este poema y en diversas semblanzas en prosa aparecidas en «La Ilustración» y en «La América». En la segunda de tales publicaciones leemos apreciaciones de la extremeña como éstas: «El amor y la piedad forman todo el fondo, anima las imágenes y prestan colorido a sus cuadros literarios. No escribe Angela con lo que piensa, escribe con lo que siente; y lo que siente es siempre bueno (...). Angela, cuya alma verdaderamente de ángel, es el modelo de la mansedumbre, de la indulgencia y de la bondad para con sus compañeras, nos consolará de antemano de cuánto agradable pueda sobrevenir».

Entre los poemas de Grassi que nos han llegado –junto a una notable producción novelística que podría catalogarse como prerrealista– se pueden leer versos en defensa de la mujer frente al dominio del hombre, como estos que copio seguidamente: «Mujer, ay, flor ignorada/en un desierto perdida,/por los vientos combatida/y por el sol calcinada». Y como ocurre en no pocos poemas de Coronado, también Grassi hace de ciertas flores emblemas de la débil condición femenina, como la amapola, la azucena o la rosa marchita: «Pobre rosa marchitada/por el ardiente huracán/¿qué te queda desdichada/de tu gloria en tanto afán?/¿Qué te queda ya? ¡La nada!» (Sobre esta escritora vid. las recientes y complementarias aportaciones de Ramón Andrés y Ruiz Silva en M. Mayoral (1990, 143-154 y 155-166 respectivamente); y sobre la publicación *El Correo de la Moda* el trabajo de Alicia G. Andreu «Arte y Consumo. Angela Grassi y *El Correo de la Moda*», *Nuevo Hispanismo*, 1, Invierno de 1982, Universidad Internacional «Menéndez Pelayo», pp. 123-135). Recientemente se ha reeditado su obra *El copo de nieve*, con introducción de Íñigo Sánchez Llama. Madrid, Castalia e Instituto de la Mujer, 1992.

¿A DÓNDE ESTÁIS, CONSUELOS DE MI ALMA?

¿A dónde estáis, consuelos de mi alma,
cantoras de esta edad, hermanas mías,
que os escucho sonar y nunca os veo,
que os llamo y no atendéis mi voz amiga?
¿A dónde estáis, risueñas y lozanas   5
juveniles imágenes queridas?...
Yo quiero veros, mi tristeza acrece,
la soledad mi padecer irrita;
a darme aliento a mitigar mi pena
venid, cantoras, con las sacras liras.   10
He visto alguna vez que al cuerpo herido
flores que sanan con su jugo aplican;
de mi espíritu triste a la dolencia
yo le aplicara la amistad que alivia.
Flores, que la salud de pobre enferma   15
pudierais reanimar con vuestra vista,
¿por qué estáis de la tierra en el espacio,
colocadas tan lejos de mi vida?...
Ese es, cantoras, de infortunio el colmo,
esa en el mundo la mayor desdicha;   20
sufrir el mal, adivinar remedio
y no lograrlo cuando el bien nos brinda.–
No he de lograrlo sola y olvidada,
como el espino en la ribera umbría,
de mi cariño las lozanas flores   25
lejos de la amistad caerán marchitas.
Nunca os veré; mi estrella indiferente
no marca en mi vivir grandes desdichas,
pero tampoco ¡ay Dios! grandes placeres,
tampoco venturosas alegrías.   30
¿Qué valen las desgracias si a sus horas

de tormentoso afán sigue la dicha?
Es menos bella la existencia, hermanas,
pálida, melancólica, indecisa;
que no tenga un azar de los que rinden 35
ni una felicidad de las que animan.
      ¡A Dios, auras de abril, rosas de mayo,
cantoras bellas de la patria mía!
Yo no puedo estrecharos en mis brazos,
yo no puedo besar vuestras mejillas; 40
pero al ardiente sol mando un suspiro
y a la luna, al lucero y a la brisa
para que allá, donde en la tierra os hallen,
lo lleven en sus alas fugitivas.
¿Qué dais, hermanas, de mi amor en pago? 45
Dadme canciones tiernas y sencillas
reflejo puro de las almas vuestras,
consuelo activo de las ansias mías;
y así podré exclamar «¡nunca las veo,
sin verlas moriré, mas logro oírlas!» 50

Ermita de Bótoa, 1846

Poesías (1852).

Romance heroico, en endecasílabos.

EN UN ÁLBUM DONDE HABÍA ESCRITO DUMAS
ESTE VERSO FRANCÉS

*«Dios me ayude para encontrar en
España la palabra que busco».*

La palabra que Dumas no encontraba
es el nombre de *ingrato,* que merece;
España a Dumas de favor colmado
y él en pago la insulta y la escarnece.

Poesías (1852).

Serventesio asonantado.

v. 3: 'habiendo colmado España a Dumas de favores y parabienes'.

Dumas viajó por España a lo largo de dos meses del año 1846, y recogió sus impresiones de viajero –no demasiado positivas– en forma de cartas que fueron apareciendo en *La Presse,* y posteriormente como libro en los cuatro volúmenes que constituyen su obra *Impressions de Voyage. De Paris a Cádiz.* Paris, 1847-1848.

El biógrafo –un tanto legendario– de Carolina, su pariente Gómez de la Serna, refiere una anécdota del gran escritor francés, según la cual Dumas y su hijo fueron huéspedes de la extremeña en la quinta madrileña del matrimonio Perry. Y, al parecer, la relación llegó a algo más que a las funciones de anfitriona. Le dejo la palabra a Ramón: «Como Dumas llegara sin traje de etiqueta con que presentarse en sociedad, encargó un frac, y como no tuviese dinero para ir a recogerlo, fue Carolina quien pagó al sastre, rogándole que no lo supiera el gran escritor».

Alejandro Dumas no olvidó nunca aquel amable hospedaje, y su hija María Alexandre Dumas, al notificar a Carolina la muerte de su padre en sobre enlutecido, en cuyo lacre estaba marcada la palabra española «Desengaño», le decía: «Mi amado padre ha muerto, y al volver del cementerio pienso en usted, a quien él tanto quería». La verdad es que el contenido de estos cuatro versos parecen poner en duda lo contado por Ramón. Pero ahí queda.

SONETO IMPROVISADO AL PASAR EL CARRO FÚNEBRE DE MARTÍNEZ DE LA ROSA

Cuando vamos llegando a ese desierto
que esté después de nuestra fe perdida,
no busca sus amigos en la vida
el corazón; los busca en los que han muerto.

De los grandes poetas el concierto   5
suena lejos mejor; y es más querida
la imagen del ingenio destruida
así que ya la tierra lo ha cubierto.

Por eso, juventud desesperada,
acompañamos con dolor profundo   10
la sombra de aquel sabio que, en el mundo,

desdeñamos cual gloria ya pasada.
El nuestro guía ha sido... ¡Adiós maestro!
¡Qué pocos quedan, ¡ay! del arte nuestro!

Almanaque Político y Literario de La Iberia para 1862, p. 222.

Soneto.

Francisco Martínez de la Rosa fue un destacado político de la transición española entre la muerte de Fernando VII y el reinado de Isabel II, y un no menos afamado literato, especialmente en el campo del drama romántico: autor de obras cimeras de aquel género como *La Conjuración de Venecia* o *Abén Humeya*. En el poema tardío «A los poetas de Madrid», Carolina vuelve a recordar la figura –como poeta– de Martínez de la Rosa.

ZORRILLA

Zorrilla, ¿qué ha sucedido?
¿Qué nos tienes que decir?
¿Qué ha pasado? ¿Qué has oído?
¿Dónde anduviste perdido?
¿Cómo tardaste en venir?   5

¿Qué jardín te dio la flor
para libar su ambrosía?
¿Qué arroyo te dio el rumor?
¿Qué luna te dio su amor
para cantar tu poesía?   10

¿Es verdad que solo y triste,
tu lira llevando en suma,
allá muy lejos te fuiste,
y que pisaste y que viste
la tierra de Moctezuma?   15

¿Y es verdad que hermosa dama
que en un alcázar vivía,
y no sé cómo se llama,
quiso escuchar la armonía
del bardo del Guadarrama?   20

¿Y qué canción le has cantado,
la de la *mora encantada*
y el cristiano enamorado?,
¿y del castillo encantado
y la *cristiana* encerrada?   25

¿Y del Cristo de la Vega
la milagrosa aventura
de aquella mujer que ruega
de aquel soldado que niega
y aquella mano que jura?   30

¿Y de tu *madre* querida
aquella cantiga ardiente
del alma tuya afligida,
pidiéndole arrepentida
un beso para tu frente?   35

    ¿Y de aquella *pasionaria*
colgada en la noche umbría
la pasión extraordinaria?
¿Y la amorosa plegaria
a nuestra Virgen María?   40

    ¿Y tus dulces ruiseñores?
¿Y tus amantes palomas?
¿Y tus árboles y flores,
los sonidos, los colores,
las brisas y las aromas?...   45

    Tú no olvidaste, lo sé,
ni el *junco* ni la *espadaña*,
porque conozco tu fé;
y aunque tu *sombra se fue*,
¡tú te quedaste en España!   50

    Vuelve, ruiseñor, al nido
que entre laureles guardado
en tu valle hemos tenido;
nadie tocarle ha querido,
nadie al laurel ha llegado.   55

    ¡Vuelve!, y verás tu enramada,
y del arroyo otra vez
la corriente sosegada,
con el *insecto que nada*
medio mosca y medio pez.   60

    Y vuélvenos a cantar,
y volveremos a oír
tu canto, para olvidar
lo que nos hizo llorar,
lo que nos hizo sufrir.   65

    Y no quieras saber, no,
de nuestra desdicha más;
reza por el que murió;

mas no preguntes jamás
lo que en tu ausencia pasó.   70
    ¡Y no nos dejes, crüel,
si tu amigo es para ti
como tú dices, tan fiel,
no te vayas tú con él,
que vuelva el Imperio aquí!   75

———————

La España (16-9-1866).

La Patria, nº 500 (21-9-1866).

Quintillas.

Carolina saluda la vuelta, de México, del poeta Zorrilla. Además de aludir al recientemente ejecutado Emperador Maximiliano (vid. el poema dedicado a este personaje), en los vv. 68-70. Carolina aprovecha para hacer una cita rápida de los motivos argumentales más conocidos de la poesía zorrillesca, y para aludir a algunas de sus más conocidas *Leyendas*, como «A buen juez, mejor testigo» (vv. 26-30), «La Pasionaria» (de *Los Cantos del Trovador*) (vv. 36-38), además del poema *María, Corona poética de la Virgen* (1849) que Zorrilla compuso en colaboración con Heriberto García de Quevedo (vv. 39-40). Los vv. 21-25 parecen aludir a la temática más frecuente en las varios «Orientales» que Zorrilla compuso con prodigalidad.

SALUDO A FASTENRATH

Bardo del Rhin, en mi recinto austero
de lúgubres crespones enlutado,
no hay *númen* a las *fiestas* consagrado,
pero hay un voto de amistad sincero.

Late en el corazón del pueblo ibero   5
el noble orgullo de esplendor pasado,
y de Flandes su nombre está enlazado
a las glorias del *grande caballero*.

Irresistible espíritu nos guía
a estudiar de la ciencia los portentos   10
que vuestro culto pueblo nos envía:

el genio de Hartzenbusch nos trajo alientos,
y una gloria de España es su poesía.
¡Qué gran federación los pensamientos!

Mitra, marzo de 1902

La Ilustración Española e Iberoamericana XVII, 1902 (8 de Mayo), p. 271.
Reeditado en *Revista de Estudios Extremeños,* XLVIII, 1992, mayo-agosto,
p. 520.

Soneto.

Poema de circunstancias, escrito en homenaje al conocido hispanista
alemán Johannes Fastenrath, quien había regresado a España en fecha reciente –1889– para mantener intensas relaciones con la cultura española y
con los escritores y artistas de nuestro país, relaciones que se concretaron
en varios libros escritos en nuestra lengua, en numerosas traducciones al
alemán de poesía y teatro españoles del pasado siglo (N. de Arce Echega-
ray, Zorrilla) y en una amplia difusión de la cultura alemana en España.
En 1899 fundó un conocido premio con su nombre, convocado y fallado
por la Real Academia de la Lengua desde entonces.

Dos notas a otras tantas referencias del poema de Carolina: en primer lugar, y de nuevo, su continuado sentimiento de iberismo (tan sentido desde su estancia portuguesa en los años setenta del siglo pasado); y en segundo lugar, su recuerdo agradecido a la figura de Hartzenbusch, de origen alemán también, quien fue su mejor mentor en los comienzos de su carrera literaria, y con quien mantuvo una interesante correspondencia en los primeros años de su actividad poética, cuando era todavía una incipiente «poetisa de pueblo».

ESPRONCEDA

¡Despierta Harnina!... Al templo soberano
que del genio español guarda la fama,
hoy la voz de Madrid también nos llama
en honra funeral a nuestro hermano.

Por más que en roca aislada y escondida   5
esquivo al esplendor se guarde un nombre,
el generoso espíritu del hombre,
al arte consagrado, no lo olvida.

Así mi nombre la misión hereda,
aunque apartada en el rincón lejano,   10
de transmitir el voto castellano
a la región donde nació Espronceda.

En mi memoria conservé grabada
la relación de donde fue su cuna:
de Monsalud la señorial morada   15
guarda ese lauro más en su fortuna.

Allí Espronceda su primer gemido
exhalaba inocente, y la campana
de mi iglesia natal lanzó el sonido,
voz del bautismo de su fe cristiana.   20

Allí no fue donde su genio ardiente
le arrastró a los abismos de la vida:
allí sólo brilló la luz naciente
de una aurora de gloria prometida.

Allí no fue donde dudó su alma   25
ni blasfemó su espíritu irritado.
Allí de honrado hogar, en dulce calma,
sólo aspiraba ambiente regalado.

¡Ah! ¡Si pudiera en la región agreste
donde corrió después la infancia mía,   30

del hálito purísimo campestre
haber nutrido su inmortal poesía!...

      O si a lo menos en la patria amada
pudiera reposar libre y tranquilo,
en vez de andar su musa desterrada   35
a mendigar el extranjero asilo...

      Pero arrojado por las negras olas
en que el trono vogaba todavía,
¿a qué voz de virtudes españolas
su joven corazón respondería?   40

      ¡Ay! ¡el destierro!: cielo sin fulgores,
de prolongadas horas noche oscura,
cadena inquebrantable de rigores,
torrente insoportable de amargura.

      Allá donde el vapor de niebla densa   45
también perturba la conciencia humana,
no tuvo de sus lares la defensa
ni otro mentor que la pasión insana.

      Así al volver de su letal desmayo
aquella musa, y con febril encono,   50
no pudo celebrar el *«Dos de mayo»*
sin descargar sus iras sobre el trono.

      Su sed de libertad, la sed que abrasa,
la que el ánima sufre eternamente,
sed más ardiente cuanto más escasa   55
es la vena que brota de su fuente.

      ¿Escasa? No. Del manantial ya seco
sólo quedaba en su vertiente el lodo,
y al revolver la muchedumbre el hueco
de aquella libertad faltaba todo.   60

      Luego, al recuerdo del asilo extraño
donde invocó a la patria tiernamente,
de esa adorada patria el desengaño
hirió su corazón, turbó su mente.

      Y exitado su numen iracundo   65
rompió en sarcasmos de infernal crudeza,
dejando el alma con su *«Diablo Mundo»*
la confusión, el miedo y la tristeza.

¿Qué nos quiso decir? ¿Fue profecía
que anuncia al pueblo la social campaña,   70
y el descompuesto grito de su orgía
el deshonor de la vencida España?...

    No laureles, no palmas, no canciones:
cese ya de entusiasmos el tributo;
cubra también la lira nuestro luto,   75
y ante su tumba alcemos oraciones.

Mitra, 15 de mayo de 1902

Revista de Extremadura, 52, Octubre de 1903, pp. 450-452. También en el número extraordinario del «Archivo Extremeño» de Enero-Febrero de 1911, pp. 81-83. Refiriéndose a este poema Ramón Gómez de la Serna comenta en su biografía: «Núñez de Arce la escribe (a Carolina) desde Madrid para que lance sus ayes gemebundos en la velada que se celebró en el Ateneo a propósito del traslado de los restos de Espronceda».

v. 1: *Harnina:* topónimo de la comarca de Almendralejo, patria común de Espronceda y de Coronado, y que corresponde a un arroyo entre Almendralejo y Solana de los Barros. En la *Revista de Almendralejo,* a partir del número 67 (1 de febrero de 1880) se publica –en folletón– una novela de Carolina titulada precisamente *Harnina,* dedicada a su villa natal de Almendralejo, del que dice en el final de esa primera entrega lo que sigue: «Han cortado los almendros que dieron nombre a la villa, y han plantado viñedos y olivares; pero *Harnina* conserva el nombre de la hija de *Harnín* y las norias de sus huertos siguen arrojando el agua de los cangilones como en tiempo de los moros que habitaban la semana. La misma serenidad, la misma sencillez primitivas; el trabajo y la sobriedad por costumbre, la honradez por herencia, la fe por tradición. Este es el privilegio de los pueblos donde predomina la moderada pero sólida riqueza del ganadero y del agricultor».

v. 5: la tumba en la que van a reposar los restos mortales de Espronceda.

v. 11: la ofrenda u homenaje, la adhesión del pueblo castellano, y madrileño, a la figura de Espronceda.

vv. 15-16: A estos versos la propia Carolina adjunta la siguiente aclaración: «Palacio del general Marqués de Monsalud. Yo visité el cuarto donde nació Espronceda y oí la relación de los labios de la anciana Marquesa».

vv. 29-32: Carolina se lamenta de que Espronceda no haya hecho referencia, en sus poemas, al paisaje extremeño, que tanta importancia alcanza en la poesía de Carolina.

vv. 33-48: En este rápido repaso a la biografía esproncediana sale a relucir su estancia londinense.

vv. 51-52: el poema esproncediano «El Dos de Mayo» se publicó por vez primera en la revista *El Labriego* del 2 de Mayo de 1840, con una clara intencionalidad política. Coincidían las circunstancias de aquel poema con las que rodearon al de la Coronado: el traslado de los restos mortales de los héroes Daoíz y Velarde de la Catedral de San Isidro al Campo de la Lealtad. Y en efecto, como escribe la poetisa extremeña, en aquel texto de Espronceda los ataques a la figura de Carlos IV y su entorno más inmediato son tan duros como los que revelan estos versos:

> *La corte del monarca, disoluta,*
> *prosternada a las plantas de un privado,*
> *sobre el seno de impura prostituta,*
> *al trono de los reyes ensalzado.*

v. 62: alude la poetisa al poema elegíaco «A la patria» (publicado en *El Español* en Marzo de 1836, pero fechado en Londres, en 1828).

¿Por qué no eternos son los reyes?

MÉRIDA

¡Cómo en tierra postrada
sin fuerzas yace, quebrantada llora
y sola y olvidada
en su tristeza ahora,
la que opulenta fue, grande y señora!　　　　5
　　¡Cómo yace abatida
Emérita infeliz, ya su cabeza
en polvo confundida,
perdida su belleza,
perdido el esplendor y la grandeza!　　　　10
　　La que fue celebrada
en los cantos sin fin de sus guerreros,
sólo escucha humillada
de búhos agoreros
los clamorosos ecos lastimeros.　　　　15
　　¡Ay Dios, que en torno de ella
los tristes ojos con dolor vagaron,
y sólo amarga huella
de los siglos hallaron,
que su brillo y beldad en pos llevaron!　　　　20
　　Allí el pasado brío
restos de gloria en soledad revelan,
que en ademán sombrío
entre el escombro velan
sombras livianas, que a su pie revuelan.　　　　25
　　Y el arco majestoso
de Trajano, en los siglos venerado,
allí, inmoble coloso,
el cuerpo descarnado
y la atezada faz levanta airado.　　　　30

Mas ¡ay! que ni las huellas
de los soberbios templos se salvaron,
ni ceniza de aquellas
torres que se ostentaron,
y a la matrona bella coronaron.   35

Allá bajo la puente,
de otra edad más feliz reliquia anciana,
camina lentamente
por la vereda llana
el perezoso y lánguido Guadiana.   40

«¡Emérita!» murmura
el onda gemidora lamentando
su triste desventura,
y el polvo recalando,
y los cimientos lúgubres bañando.   45

Anciano compañero,
testigo fue de sus pasadas glorias,
arrulló lisonjero
sus triunfos y victorias,
y ora lamenta el fin de sus historias.   50

A su orilla callada
venid vosotros, que pulsáis divinos
la cítara sagrada,
y los campos vecinos
llenad de vuestros cantos peregrinos.   55

De Emérita olvidada
cantad, poetas, con sentido acento
la suerte desdichada,
y el fúnebre lamento
hiera las aguas y lastime el viento.   60

Poesías (1843 y 1852).

Liras.

Con este poema Carolina se alinea en la tradición de la poesía de ruinas que ya alcanzó un gran momento de esplendor en la literatura renacentista y especialmente en la barroca, a partir del ejemplo paradigmático

de Rodrigo Caro y su poema a las ruinas de Itálica. También el motivo de las ruinas, como mudo y a la vez elocuente testigo del tiempo vencedor, fue tópico usado y abusado en el Romanticismo. En este ejemplo concreto se centra la autora sobre los restos que atestiguan un pasado esplendoroso desde un presente lamentable, invitando a restaurar la gloria fenecida. La Emérita romana se acompaña de una adjetivación realmente negativa, que la perfila en su total abandono en los años de Carolina: *postrada, quebrantada, olvidada, abatida, infeliz, humillada;* todos estos calificativos se pueden leer sin pasar de la tercera estrofa (Cf. «Tópica literaria y realización textual: unas notas sobre la poesía española de las ruinas en el siglo de oro» de Begoña López Bueno. *Revista de Filología Española* LXVI, 1986, pp. 59-74 y reproducido en el volumen *Templada Lira*. Granada, Los Libros de Altisidora, Editorial Don Quijote, 1990, pp. 77-97).

A HERNÁN CORTÉS

Llevadme a contemplar su estatua bella;
llevadme a su soberbio mausoleo...
¡Ah! que olvidaba, Hernán, en mi deseo,
que este es mezquino e ilusoria aquella.
¿Y en tu patria por qué? ¿Qué diste a ella   5
para alcanzar de España ese trofeo?
¡Cuestan ¡oh! mucho piedras y escultores
para labrarte, Hernán, tales primores!–

Paréceme que el héroe se levanta
y hacia América el brazo armado tiende;   10
que avergonzada España le comprende
y el rostro no osa alzar fijo en su planta;
ella, la dueña de riqueza tanta,
hasta la prez de su conquista vende,
y aun juzga escaso el ganancioso fruto   15
para ofrecerle un mármol por tributo.

Cuando a su casa venga el extranjero,
¿qué osará responder la noble dama
si anhela ver, llevado por su fama,
la tumba del ilustre caballero?   20
«Ved, le dirá, si el cementerio ibero
guarda un sepulcro que de Hernán se llama,
que a mí, pues heredé ya su fortuna,
ni su tumba me importa ni su cuna».

Eso dirá, y el hijo de Bretaña   25
o el vecino francés, si el huésped fuera,
con sarcástica risa respondiera
a la matrona: «descastada España,
¿con que no le valió a Cortés la hazaña
ni una tumba de mármoles siquiera?   30

¿Y nacen héroes en la tierra ingrata
que así los huesos de los héroes trata?

    ¿Es la igualdad que esa nación proclama
la que deja en el polvo confundido
al buen conquistador con el bandido,   35
al que la presta honor y al que la infama?
Grande nación esa nación se llama,
y la imagen del hombre esclarecido
no levanta cien palmos sobre el suelo
para mostrarla al pueblo por modelo...?»—   40

    Callad, callad, que vuestra lengua mata;
no a lamentar venís nuestro destino,
sino a mofaros dél, el mal vecino,
y a desolarnos más, el cruel pirata.
Si es con sus hijos nuestra tierra ingrata,   45
nada os importa; andad vuestro camino,
que así cual es la madre que tenemos
mejor que a las madrastas la queremos.

    Así, cual es, la envidian las naciones:
virtudes brota en manantial fecundo,   50
Corteses manda a conquistar el mundo,
que descubren por ella los *Colones;*
si Bonaparte, rotas sus legiones,
la paz desecha, con desdén profundo,
Cortés entre salvajes y traidores   55
pone incendio a sus buques salvadores.

    Arde la flota, irrítase la gente
a quien cierra la huida acción tamaña;
solo, perdido sobre tierra extraña,
Cortés la doma, al bárbaro hace frente;   60
y conquístalo, y tórnase el valiente
a rendir su laurel glorioso a España,
que... lo destierra, lo aprisiona en vida
y lo desprecia en muerte... *agradecida.*—

    No veremos, Hernán, tu estatua bella   65
ni tu losa hallaremos ignorada;
pero en mi tierra existe la morada
donde estampaste tu primera huella;

pensaremos en ti delante de ella,
la extremeña familia arrebatada   70
de orgullo; porque plugo a la fortuna
en nuestra tierra colocar tu cuna.

Badajoz, 1845

La Luna, 1848, pp. 49-50. El v. 70 dice: «la familia extremeña arrebatada».

Poesías (1852).

Octavas reales.

vv. 43-44: Obviamente ese «mal vecino» no es otro que el pueblo francés, y el «cruel pirata» alude, por consiguiente, al ciudadano británico.

vv. 55-56: frente al cobarde derrotismo de Napoleón en Waterloo (vid. el poema dedicado al emperador francés) se destaca el coraje proverbial de Cortés en el episodio que se conoce como «Noche triste», y que recrea Carolina en la octava siguiente.

vv. 65-66: La muerte de Cortés, acaecida en 1547, le sorprendió en el pueblecito sevillano de Castilleja de la Cuesta, cuando el conquistador se aprestaba a regresar a México, tras perder toda esperanza en la resolución de sus pleitos. Su testamento estipulaba que sus restos descansasen en la capital azteca, pero en un primer momento Cortés fue inhumado en la capilla familiar de los duques de Medina Sidonia, en la iglesia sevillana de San Isidoro. La queja de Carolina se puede explicar porque a partir de ese momento el cadáver de Cortés fue objeto de peregrinaciones y controversias: hasta el año 1566 permaneció en el citado enterramiento sevillano, de donde fue trasladado al Monasterio de San Francisco, en Texcoco, hasta que el año 1794, como lugar definitivo, los restos mortales de Hernán Cortés encuentran su último lugar de descanso en el Hospital de Jesús, fundado en México por el mismo Cortés.

vv. 67-68: referencia a la casa solariega, en la que nació Hernán Cortés en Medellín.

EN LA CATEDRAL DE SEVILLA

Sólo en el pobre altar del pueblo mío
adoré yo al Señor. Una mañana
un templo veo junto a hermoso río
que embelesada miro... No es Guadiana...
De árboles tiene pabellón sombrío,   5
y por su orilla vi, con gente humana,
venir rugiendo un monstruo devorante
que se tragaba al río palpitante.

¿Habita en esa torre ese viviente
que con tan brava furia desbocado,   10
rompiendo impetuoso la corriente
se postra al pie del muro fatigado?
¿Es morada del monstruo omnipotente
que he visto por el agua arrebatado
esa gran torre, que arrancando el vuelo   15
se pierde como el águila en el cielo?

¡La torre... el templo... Ah! Yo que en la vida
un templo hermoso vi, tanta grandeza
de repente al mirar, sobrecogida
bajé sobre los hombros mi cabeza   20
cual si se fuera a hundir; yo enternecida
a tan solemne y mágica belleza
lloré admirada, sin rubor lo canto,
de tierna sensación gota de llanto.

Retumbaban los órganos sonoros   25
cuando tímida cruzo las sombrías
bóvedas, y a la par los santos coros
llenaban las eternas galerías;
por mil brillantes cristalinos poros
iba al aire un torrente de armonías   30

tristes, como si fuera el moribundo
¡ay! que la religión lanzase al mundo.

Los que el embate sufren de la suerte,
los que el furor de la ambición agita,
los que cercana sienten a la muerte   35
una existencia en vicios ya marchita;
el dócil, el soberbio, el flaco, el fuerte,
el rico, el pobre, el ateo, el jesuita...,
¡cuántos a su infortunio habrán hallado
alivio en aquel templo sosegado!   40

¡Cuánta oración allí; cuántos vivientes
de aquel recinto en los profundos huecos
habrán llevado mustios y dolientes
de sus miserias hasta allí los ecos!
¡Cuántas extrañas, peregrinas gentes,   45
almas rendidas, corazones secos,
habrán en la oración allí saciado
la sed de su camino fatigado!

¡Sí! Los que al aire libre son blasfemos,
bajo la enorme piedra se estremecen,   50
y con devotos místicos extremos
su incrédula existencia a Dios ofrecen.
Así al crujir de los pesados remos
y las olas al ver que se embravecen,
en medio de la mar tiembla y se aterra   55
el que los mares desdeñaba en tierra.

Allí bajando los audaces ojos
el señor del alcázar opulento,
Pedro el Fiero, el Cruel, también de hinojos
se humillaba ante el rey de firmamento: 60
como el león cargado de despojos
lleva a la selva su botín sangriento
él sus remordimientos ¡ay! llevaba,
y allí en la soledad los devoraba.

Pero en aquel altar el sabio Herrera   65
bebió la copa del sagrado vino,
y allí Rioja por la vez primera
cantó al Señor con su cantar divino;

allí de Zurbarán la sombra austera
aún vaga, y de Murillo el peregrino   70
espíritu recibe en los altares
con su santo el incienso y los cantares.

    Cuando incliné mi frente, y las rodillas
doblé sobre el luciente pavimento,
morada de tantas maravillas,   75
un sabio era también, con paso lento
el que llega al altar; ya en sus mejillas
no hay color ni en sus ojos ardimiento,
pero más que la edad, la ciencia abruma
su cabeza más alba que la espuma.   80

    Heme allí solitaria, humilde, inquieta,
yertas mis manos, mi cabeza ardiente,
la bendición del sabio y del poeta
sacerdote aguardando reverente;
nunca a la voz tonante del profeta   85
la religiosa tribu del Oriente
sintió la viva fe del alma mía
cuando el sabio mi frente bendecía.

    ¡Oh, tú que buscas la perdida estrella
vago marino en los hirvientes mares!   90
Yo he rezado por ti. La tierra bella
donde viste la luz, de tus azares
el término será; si la doncella,
inocente ocasión de tus pesares,
con su plegaria que a la Virgen sube   95
logra en el cielo disipar tu nube.

    Yo tengo un templo, un Dios que me consuela
depositando en él mis oraciones;
tú, deshecho el bajel, rota la vela,
no tienes en tu mar sino... pasiones;   100
traiga la tempestad que te desvela
a mi cielo sus negros nubarrones,
que *tengo fe,* y en mi paciente alma
para toda *borrasca* hay siempre *calma.*

    Y si me rindo al fin, y Andalucía   105
quiere guardar entre sus blandas flores

mi dolorida frente, no aquel día,
hijo de España, mi letargo llores;
pálido el astro ¡ay!, de mi poesía,
oscuro el de mis célicos amores,   110
mejor descansaré muda y dormida
que amorosa cantando en esta vida.

    Tal vez la vista del grandioso templo
mi pequeñez más clara me presenta,
y en el de Dios la majestad contemplo   115
más adorable y mi esperanza alienta;
de árabes y cristianos doble ejemplo
es el gigante que los siglos cuenta
sobre las nubes, cuando ya ha barrido
el aire, el polvo del que lo ha subido   120

    ¿Qué será más que un átomo en el viento
el de mi leve tronco si fenece
a los pies del glorioso monumento?
Una generación desaparece,
¡y es nada para él!... ¡y otras y ciento   125
nada serán tampoco!... ¡El aparece
como un genio que aguarda en las alturas
ver el fin de las últimas criaturas!

Sevilla, 1847

Poesías (1852).

Octavas reales.

v. 7: *monstruo devorante:* alude a cualquiera de los barcos de pequeño cabotaje que surcan el Guadalquivir por sus tramos navegables.

v. 15: la gran torre que se eleva al cielo no es otra que la Giralda.

vv. 37-38: resulta curioso, en esa enumeración de opuestos de los vv. 5 y 6, que se empareje, como contrario del ateo, al jesuita. Implícito elogio que se hace dudosa aceptación y hasta incipiente crítica del Instituto en la novela de Carolina (de 1873) *La rueda de la desgracia.*

vv. 49 y ss: A partir de esta octava se va conformando la imagen del mar proceloso y el peligro de naufragio (*topoi* de larga andadura referido al pecador en el mundo) que en Carolina *se actualiza* con la, al parecer, condición de marino (¿llega a morir realmente en un naufragio?) de Alberto (vid. el poema titulado «Yo tengo mis amores en el mar»).

vv. 57-64: en esta octava se alude brevemente al ciclo de Pedro el Cruel que tanta resonancia tuvo en la literatura narrativa y dramática del Romanticismo (Rivas y Zorrilla, por sólo citar los referentes más llamativos).

vv. 65-72: Junto a los nombres de dos pintores vinculados con el mundo sevillano, Zurbarán y Murillo, Carolina saca a colación en su texto dos modelos del clasicismo poético que decididamente cultivó: Herrera y Rioja.

v. 76: ese *sabio* al que se alude, y teniendo en cuenta el contexto, es fácil identificar con un sacerdote oficiante de una celebración litúrgica a la que asiste Carolina, y del que se dice también, en la octava siguiente, que es poeta (v. 83). Se trata, por consiguiente, de Alberto Lista, a la sazón canónigo en Sevilla y modelo respetado y admirado por todos los poetas del Romanticismo (es raro no encontrar una elegía a la muerte de Lista entre los poemas de muchos de ellos).

vv. 113-128: se vuelve a cantar la magnificencia de la fábrica, que asombra y acongoja a un tiempo –*de árabes y cristianos doble ejemplo* dice el v. 117, aludiendo sin duda a que la catedral sevillana se edificó en el siglo XIV sobre las ruinas de la primitiva mezquita almohade– que será testimonio y testigo (desde su apariencia de eternidad, ya que es cobijo de lo Eterno por definición) de la desaparición de generaciones y generaciones de feligreses: nada, comparado con la huella de los siglos sobre las naves y los altares de tan espléndido templo.

Con este poema en octavas, Carolina declara –en rendido y a veces retórico homenaje– su admiración por la majestuosidad de ese gran templo a orillas del Guadalquivir, como símbolo material de una fe declarada y de un consuelo anhelado que restaure su perdida paz interior (el poema se escribe a raíz del viaje de convalecencia que la poetisa hace por Andalucía –Sevilla, Cádiz–). Su lectura nos remite a textos anteriores y posteriores al de la extremeña, como el que inspira a Zorrilla la catedral toledana (1837), o a Rosalía la de Santiago («N'a Catedral» del libro *Follas Novas*), o el poema de Núñez de Arce «Tristeza» (1874).

A NAPOLEÓN

«No es ira, no es amor, no es del poeta
inspiración febril, es más ardiente
la llama que discurre por mi frente,
y el alma absorbe, el corazón me inquieta.

Yo amo la tempestad, amo el estruendo;   5
cuando el vértigo insano me arrebata,
sueño que en nube de luciente plata
voy por el mundo un huracán siguiendo.

El rayo en torno de mi frente gira,
el aquilón bajo mis plantas brama,   10
y lucho y venzo, y mi furor se inflama,
y ansiosa el alma a otra victoria aspira.

Yo quiero alzado al fin sobre los hombres,
avasallar los pueblos y los reyes,
romper sus cetros; derrocar sus leyes,   15
hollar sus triunfos y borrar sus nombres.

Ancha cadena que circunde el polo
yo quiero eslabonar con mis guerreros;
y bajo el pabellón de sus aceros
la gran nave en la mar llevar yo solo.   20

Y ¡oh!, si pudiera hurtar al firmamento
sus brillantes magníficas estrellas,
¡también imperios levantara en ellas
para ensanchar allí mi pensamiento!»

* * *

¡Francia, levanta! Sal del caos profundo   25
en que yace tu pueblo sepultado,
que en brazo poderoso tremolado
va tu estandarte a conquistar el mundo.

¿Quién distinguir entre la inmensa grey
podrá al caudillo de tamaña empresa?   30
¿Qué señal en el rostro lleva impresa
el que del solio arrojará a tu rey?

Ese mancebo que los brazos grave
cruza sobre su seno, y la mirada,
como águila en el sol, ardiente, osada,   35
clava en la multitud... ese lo sabe.

¡Oh!, ¡cuál contra el mancebo se irritara
si su mirar la turba comprendiera!...
¡Si su ambición oculta sorprendiera
de ese rubio garzón, cuál se burlara!   40

Joven es el león; mas ya en la tierra
no hay fuerza que a igualar su fuerza alcance,
y, ¡ay de la Europa, o Francia!, cuando lance
ese joven león grito de guerra.

Verás cómo esa voz de los franceses   45
de pecho en pecho noble se difunde;
como chispa de fuego prende y cunde
de caña en caña por las secas mieses.

Verás, tras el magnífico estandarte
donde el águila altiva se reposa,   50
cómo tu juventud marcha orgullosa,
la libertad, la gloria a conquistarte.

¡Verás!... Mas antes que el caudillo sea
héroe conquistador de las naciones,
deja que a Egipto lleve sus legiones   55
y del grande Ramsé la tumba vea.

*   *   *

«Estas de reyes son y emperadores
las moradas magníficas que habitan;
este es el rico manto en que dormitan
de tierras y de mares los señores...   60

Este es el cetro que en sus regias manos
fue látigo cruel o adorno inútil;

709

no es que un brillo me seduzca fútil
si hoy os le arranco, ¡nobles soberanos!

No es que me ciega joya tan lucida,   65
¡es que me irrita que los pueblos lloren,
es que me irrita que temblando adoren
los pueblos esa joya envilecida!...

Y esta corona... ¿sola una diadema?;
¿cien batallas por una solamente?   70
¿Será una sola incienso suficiente
para este fuego que mis sienes quema?

Reyes, emperadores, ¡guerra! ¡guerra!
Yo haré que en una sola se refundan
las coronas que, inútiles, circundan·   75
tantas míseras frentes en la tierra!»

* * *

¡Huid del monte aquel resplandeciente
que de Austerlitz se eleva en las llanuras...!
¡Huye, Alejandro, antes que en sus alturas
volcán oculto brote de repente!   80
¡Ay!, que ya va tu juventud ardiente
a estrellarse en las águilas seguras...
Las nubes su vapor todo han juntado,
y el suelo va a quedar todo anegado.

Pero en sangre, Señor, en sangre pura,   85
porque el rey de las águilas osadas
donde terrible asienta sus pisadas
de cadáveres cubre la llanura.
Cual los ojos de fiera en noche oscura,
relucen entre el humo sus espadas,   90
y a bandadas los cuervos por el viento
síguenle en torno con feroz contento.

Caen, como en horrible terremoto
las torres desplomadas, sus legiones
sobre los extranjeros campeones   95
que osan poner a sus victorias coto;
bajo los pies de sus caballos roto

yace el blasón de dos fuertes naciones,
y dos imperios juntos retroceden
y dos monarcas el laurel le ceden.   100

* * *

¡Oh! tú que, alzado al fin sobre los hombres,
lograste avasallar pueblos y reyes,
romper sus cetros, derrocar sus leyes,
hollar sus triunfos y borrar sus nombres.
    ¡Napoleón!, tú que abarcando el polo   105
con tu cadena inmensa de guerreros,
bajo del pabellón de sus aceros
la gran nave en la mar llevabas solo.
    ¡Ay!, ¿cómo a la merced del Océano
dejas bogar tu nave huyendo de ella?   110
¿Has ido a conquistar alguna estrella
para alzar otro imperio soberano?

Badajoz, 1845

Poesías (1852).

Cuartetos.

vv. 49-50: Napoleón eligió la silueta del águila en el estandarte de sus ejércitos, a imitación de las legiones del Imperio romano, que él intentó restaurar.

vv. 55-56: Efectivamente, la campaña de Egipto y la toma de Alejandro ocurrió en 1798. En cuanto al «Gran Ransé», Carolina se refiere al faraón Ramsés II y a su monumental templo funerario erguido en Abú-Simbel.

v. 78: victoria napoleónica de Austerlitz sobre austriacos y rusos, en 1805.

v. 79: Alejandro I Pavlovich, zar de Rusia, derrotado en Austerlitz por las tropas napoleónicas.

v. 82: *a estrellarte en las águilas seguras:* metonimia alusiva al poderoso ejército napoleónico, que ostentaba el águila imperial como insignia de sus estandartes y uniformes (Cf. el verso 86, «el rey de las águilas osadas» nombrando a Napoleón; o los vv. 49-50 ya comentados).

vv. 98-100: según lo que se refiere en el v. 78, referido a la victoria napoleónica de Austerlitz, esos «dos imperios» serían el austriaco y el ruso.

El Napoleón Bonaparte que nos presenta Coronado se aproxima, bastante, al tipo del rebelde satánico que puso en circulación el Romanticismo, con Byron al fondo.

Por otra parte, y para completar estas notas, hay que recordar que la figura del emperador francés fue piedra de toque muy frecuente entre los poetas decimonónicos, tanto hispanos como extranjeros. Ese mismo perfil diabólico, satánico, sobrehumano que Carolina infunde al emperador persiste en estos versos de un poema de la Avellaneda (imitación de una oda de Lamartine) titulado «A la tumba de Napoleón»:

> *Tu voluntad lanzaste cual saeta*
> *del arco, despedida,*
> *que, aun, a través de corazón amigo,*
> *para llegar al blanco, senda se abre*
> *por la certera mano dirigida.*
> *Sin gozar te elevaste, y ni un lamento*
> *te arrancó tu caída: nada humano*
> *palpitaba en tu pecho de diamante.*
> *Sin odio y sin amor, el pensamiento*
> *era tu sola vida. —Semejante*
> *el águila soberbia, que la lumbre*
> *bebe del sol en solitario cielo,*
> *de su ambición al vuelo*
> *se alzó tu mente a una desierta cumbre...*

Poema que puede contemplarse con otro texto de la cubana suscitado por el traslado de los restos de Napoleón, en 1840, de la isla de Santa Elena a la cripta de los Inválidos, en París, hecho propiciado por el monarca Luis Felipe. Sobre tal evento escribieron, en España, Tassara o Espronceda («Miseria y avidez, dinero y prosa»).

A ISABEL LA CATÓLICA

Si alcanzaran los ojos
a descubrir la inmensa pesadumbre
de los luceros rojos,
en la celeste cumbre
te hallaran con la santa muchedumbre.   5
   En resplandor el oro
trocado de la espléndida corola,
que puso espanto al moro,
a los cielos, tú sola
prestas, más luz que el sol, con tu aureola.   10
   ¡Oh tierra, gobernada
por tu cetro sagrado y victorioso,
cuál se miró encumbrada!
¡Oh pueblo venturoso,
oh trono de la Iberia glorioso!   15
   Por ti aquel noble empeño
con fama coronó el pueblo cristiano;
por ti de la mar dueño
el genio soberano,
un nuevo mundo halló en el Océano.   20
   Mas eran a tu alma
dos mundos en la tierra espacio estrecho,
y una tercera palma
a conquistar derecho
tu espíritu se alzaba a mayor trecho.   25
   Reina a la par y santa,
de majestad en majestad te alzaste,
y hasta do se levanta
el mismo sol llegaste,
y sobre los luceros te asentaste.   30

713

¡Oh sacra! ¡Oh gran matrona
de la cristiana grey! ¡Oh reina mía!
Sé tú de la corona
que sustentaste un día,
inexpugnable amparo y guarda pía.   35
    Bendice tú, y alienta
la adorada, infantil, cabeza pura
que hoy tu diadema ostenta,
y bajo la ternura
de tu divino amor crezca segura.   40

Ermita de Bótoa, 1846

Poesías (1852).

Liras.

v. 7: *corola:* metáfora elemental que sustituye al sustantivo que se podría esperar, «corona» (las exigencias del consonante han impuesto su sus-
titución por el paranomásico «corola»), puesto que la corona embellece la
cabeza real, como la corola una flor, y ambas son metonimias de sus respectivos sustantivos. Aquí se recuerda uno de los dos hechos decisivos del
reinado de Isabel la Católica como fue la conquista de Granada.

v. 20: alusión al descubrimiento de América, el otro hecho histórico
descollante del reinado de los Reyes Católicos.

v. 26: Isabel alcanzó, desde muy pronto, un gran prestigio humano y
político; por ello no ha de extrañar que se abriese paso la opinión sobre la
«santidad» de la reina castellana.

vv. 36-40: alusión a la jovencísima Isabel II, que ha estrenado mayoría de edad y reinado hace menos de tres años a contar desde la fecha en
que se escribe este poema.

Este poema, y en general todos los que figuran en la sección de las
Poesías de 1852 «Memoria a los reyes y a los héroes», se corresponde con
el interés de la pintura española sobre temas históricos (al igual que en el
resto de Europa). De héroes, santos, reyes y gestas patrióticas se llenan los
lienzos de Federico Madrazo, Eduardo Cano, Casado del Alisal o Eduardo Rosales, cuya pintura más famosa, en esa temática, es precisamente «El
testamento de Isabel la Católica» (1864).

AL EMPERADOR CARLOS V

¡Memoria al grande César! Yo le canto.
Si el rayo sacosanto
del entusiasmo que mi sangre enciende,
alienta la poesía,
¿cuál mejor que la mía   5
de Carlos el espíritu comprende?

Alta categoría entre los reyes,
fueron, ya, de sus leyes
soberanos altivos los vasallos;
los príncipes de Europa   10
le siguieron en tropa,
sirviendo a su carroza de caballos.

Aun su excelso valor, su genio santo
al héroe de Lepanto
y a Felipe virtudes infundieron,   15
que bastó la vertiente
del colosal torrente
para engendrar los ríos que corrieron.

¡El César!, el que, asombro de Pavía,
la lis que florecía   20
sobre las sienes del primer Francisco
arranca, y al valiente
conduce con su gente,
como a dócil rebaño, hacia el aprisco.

¡El César!, que espantando al africano   25
lleva el pendón cristiano
flotando por encima de los mares
a la moruna almena,
donde el clamor atruena
de bárbaros vencidos a millares.   30

      ¡El César!, el que en Sena y en Toscana
a la gente otomana
y a los hijos del alto Pirineo
hace volar medrosos,
dejando vergonzosos   35
cien banderas deshechas por trofeo...

      Empero ¿a qué, Señor, pasada gloria
recordar a esta escoria
de la española raza? ¿Para ejemplo?
¡Ha mucho que mi lira   40
que por gloria suspira
de los héroes de España en honor templo!

      ¿Y quién me oyó? ¿Los pájaros del monte
que pueblan mi horizonte?
¿Los reptiles que habitan el sembrado?   45
¿El perro de cabaña,
o la oscura alimaña
que atraviesa de noche este collado?

      ¡Qué somos ya! Las gentes humilladas
al extranjero dadas,   50
a servir a sus fardos de camellos;
¿tenemos corazones
que sientan emociones
con la memoria de los héroes bellos?

      ¿Sabemos qué es valor, lo que es nobleza?   55
¿Nos deja la tristeza
cuando del pecho roba hasta el aliento,
ni fuerza en nuestro pasmo
a un soplo de entusiasmo,
de noble admiración a un pensamiento?...   60

      ¿Por qué no eternos son los grandes reyes?
¿Por qué a las mismas leyes,
sujeto de morir, que los tiranos
está Carlos divino?
¡Qué injusto es el destino!   65
¡Qué duros de entender son sus arcanos!

      Y aún el breve reinado de consuelo
·nos acortara el cielo,

túnica revistiendo penitente
al que manto vestía, 70
que puso al Mediodía
pavor, envidia al Sur, miedo al Oriente.

    «Pueblos –dijo el gran rey a las naciones–
ya visteis mis blasones,
donde asomé la faz, tembló la tierra, 75
Francia besó mi planta,
y a mi antojo se canta
el himno de su paz y el de su guerra.

    ¿Veis que avasallo al indio, al castellano,
alemán y al romano, 80
tanta de mi corona es la grandeza?
Pues con desdén profundo
yo la cambio en el mundo,
–¡qué escarmiento, ambición!– por la pobreza».

    Y desciñendo de su augusta frente 85
la diadema potente,
apareció más alto a los mortales
de humildad revestido
que orgulloso ceñido
con las áureas coronas imperiales. 90

Ermita de Bótoa, 1846

Poesías (1852).

Sextetos-liras.

v. 14: Juan de Austria, hijo natural del Emperador y de Bárbara de Blomberg, nacido en Ratisbona en 1545, cuya fama como militar y marino se confirmó en la batalla de Lepanto.

vv. 16-18: el colosal torrente no es otro que el Emperador que engendró esos dos ríos, Juan y Felipe.

v. 19: la batalla de Pavía (1525) en la que el Emperador obtuvo la gran victoria sobre el rey de Francia I, y del que obtuvo la firma del Tratado de Madrid, por el que el monarca galo renunciaba en favor de la corona española a los territorios de Nápoles, Milán y Génova, cedía Borgoña y se prometía en casamiento con Leonor de Aquitania, hermana del

Emperador. Francisco I fue encarcelado en Madrid, en la llamada «Torre de los Lujanes». La lis es el símbolo del pendón francés.

vv. 31-36: se alude a dos campañas triunfales de Carlos V. Ya se ha comentado la que obtuvo contra el reino francés, y luego contra el imperio turco (la gente otomana).

v. 69: Se refiere al retiro del Emperador al Monasterio de Yuste, en 1556, en donde pasó los dos últimos años de su vida.

AL EMPERADOR DON PEDRO DE PORTUGAL

Si mi extranjera planta, lusitanos,
gustaseis cortesanos
por la tierra guiar, para mí extraña,
a cantaros iría
una tierna poesía   5
del gran Pedro en honor, la hija de España.

¿En dónde yace el capitán osado,
en dónde el celebrado
conquistador, de vuestras tierras fama?
¿Dónde están sus despojos   10
porque admiren mis ojos
de sus laureles la fecunda rama?

Con el fuego que brota de la tierra
que sus restos encierra,
mi corazón entonces abrasado   15
audaz prorrumpiría
en himnos de armonía
que dejaran al pueblo entusiasmado.

Cantara del gran Pedro las hazañas
en sus largas campañas,   20
su genio, su valor y su nobleza,
y os arrancara el llanto
de ese entusiasmo santo
germen de la virtud y la grandeza.

Y también de tus ojos lograría,   25
soberana María,
lágrimas dulces de piadoso lloro,
con el elogio ardiente
que el labio reverente
al héroe diera, cuya tumba adoro.   30

Porque él dejó en los pechos su memoria,
María de la Gloria,
con fuego tan vivísimo esculpida,
que hasta el arpa extranjera
que lo canta y venera   35
se siente a su recuerdo enternecida.

¡Oh cuánto bien al pueblo lusitano
su protectora mano
hizo sentir, cuando celoso y tierno
sus males atendía,   40
al par que dirigía
de brasileños climas el gobierno.

Él le dio libertad, le dio laureles,
él los tercios crueles
del temerario príncipe arrollando,   45
marco su feliz era
a la hermosa heredera
sobre el paterno trono colocando.

Aún arde el pueblo, aún de entusiasmo siente
la agitación ferviente   50
cuando de Pedro la marcial figura,
cuando su frente hermosa
grave y majestuosa,
ve, como sombra, alzarse en la llanura.

Aun de alegría se conmueve y llora   55
su voz fuerte y sonora,
al recordar cuando a su pueblo un día,
mostrando con ternura
a la doncella pura,
gritó el labio real «¡viva María!».   60

¡Cuán alto apareció sobre la tierra
el hijo de la guerra
al desnudar sus sienes imperiales,
aún joven su existencia,
de dos reinos la herencia   65
dividiendo con manos paternales!

Bien su espaciosa frente dos coronas,
de las opuestas zonas,

pudo ceñir el adalid valiente,
mas, un solo cabello   70
por más rico, más bello,
le pareció corona suficiente.

    ¡Cántalo, Portugal, canta orgulloso
al héroe generoso
cuya tumba saludan las comarcas,   75
que si breve es tu suelo,
son, por gracia del cielo,
más grandes que tu reino tus monarcas!

Yelves, 1846

Poesías (1852).

Sextetos-liras.

v. 6: Ese personaje que se retrata en el presente poema fue el Emperador del Brasil Pedro I (1798-1834), que desde 1826 fue Pedro de Portugal, abdicando después en favor de su hija María.

v. 25: Como se indica en la nota anterior a la muerte del rey de Portugal, en 1826, Pedro –emperador del Brasil– heredó el trono luso, pero renunció a sus derechos en favor de su hija María II, imponiéndole contra la voluntad de la Iglesia y de la aristocracia, capitaneada por su hermano Miguel.

vv. 44-48: Pedro I, con la ayuda del ministro español Mendizábal (y puesto que su hija había ayudado a los liberales durante la primera guerra carlista) logró organizar un ejército con el que inició una campaña contra su hermano Miguel, que se había apoderado del trono portugués. Logró, así, entrar en Lisboa, en 1833, restaurando enseguida a su hija en el trono de la nación vecina.

v. 65: esos dos reinos son Portugal y Brasil.

A LUIS FELIPE DESTRONADO

¿A dónde vas ¡oh rey! con tus pesares?
¿No sabes que en los mares
aún la roca inmortal de Santa Elena
te brinda con su asilo?;
¿que allí lecho tranquilo   5
tienes guardado en la caliente arena?

Aún hallarás la arena removida
con la huella atrevida
de otro Napoleón, que destronado
fue también a esa tierra;   10
aún su lauro de guerra
los trópicos allí no han marchitado.

Tú no fuiste a insultar con tus trofeos
los muertos Ptolomeos,
ni entre el eco marcial de los cañones   15
ligero cabalgando,
cadáveres hollando,
has llevado el terror a las naciones.

Mas tú, sin esgrimir hierro iracundo,
dabas leyes al mundo,   20
y a una mirada sola que lanzaban
tus ojos indignados,
los tercios espantados
el acero a tus plantas humillaban.

Y ¿piensas tú que el mundo te perdona   25
que unas genio y corona
y gobernando sin temor ni traba,
des, a tu antojo, leyes
y domines los reyes,
y a Europa tengas de tu mente esclava?   30

...Ve, rey, a descansar. Londres te espera
como una hambrienta fiera
para tragar de Francia los despojos;
ella, que hundió en la tierra
vuestro genio de guerra,   35
también a ti te cerrará los ojos.
 Rivales en lo eterno ambas naciones
con dos Napoleones,
de la guerra y *la paz*, a ti te halaga
¡oh Francia! la fortuna;
mas ¡ay! tú eres su cuna
e Inglaterra es la tumba que los traga.

Sevilla, 1848

Poesías, (1852).

Sextetos-lira.

 Una ferviente defensora de la monarquía isabelina, como fue Coronado, no podía por menos que responder, con el elogio poético (a manera de convencional *consolatio*) al destronamiento y destierro que la revolución francesa de 1848 supuso para su monarca Luis Felipe (que había reinado en Francia desde 1830). Carolina, aprovechado el sobrenombre de «Napoleón de la Paz» con el que se le conocía en la época al monarca galo, alude (el paralelo salta, por muchos motivos, a la pluma) al recuerdo funesto del otro Napoleón (el «Napoleón de la Guerra»), encomiando así –sobre el paralelo– la figura del destronado, cuando inicia su exilio londinense. Así el retiro en Santa Elena, del corso, y sus campañas africanas, salen a relucir, para contraponerlas a la trayectoria de Luis Felipe, quien había logrado un protagonismo en Occidente sin necesidad de recurrir al brazo armado ni «llevar el terror a las naciones». Efectivamente, Luis Felipe, de acuerdo con Inglaterra, intervino en la política española, mantuvo el poder de Isabel II, arbitró en su casamiento y hasta eligió a la infanta Luisa Fernanda para mujer de su hijo, el duque de Montpensier. Por consiguiente, Luis Felipe representaba para Carolina todo un ejemplo de actitud pro-monárquica y un símbolo de la vinculación de la alta aristocracia española con el mundo fastuoso de las grandes cortes europeas, algo que a la provinciana extremeña debía atraer con singular fuerza. También, hacia el final del poema, se detectan las antipatías de la autora hacia las manipulaciones inglesas en relación con la ruina del rey francés.

Este texto pertenece a la sección «Memoria de los Héroes y de los Reyes» en la compilación de 1852, y por tanto podría relacionarse con otro texto, de la misma sección, dedicado al emperador corso, en el que Carolina dibuja el perfil de un tirano obsesionado por derrocar toda monarquía. Remito, por tanto, a los comentarios y anotaciones de ese texto.

El argumento de la Revolución francesa de 1848 interesó a algún otro poeta de la generación de Coronado. Una de las tres epístolas en verso que García Tassara envía a su amigo Donoso Cortés trata de este hecho, si bien está fechada en septiembre de 1851, sin la inmediatez, por tanto, que tiene el texto de Carolina (cf. *Poesías* de GARCÍA TASSARA, Madrid, 1872, pp. 383-394). Es una composición retórica y grandilocuente en exceso, y así la enjuició don Juan Valera).

A LA COMISIÓN DE MONUMENTOS HISTÓRICOS
Y ARTÍSTICOS DE BADAJOZ

A vosotros, que dais a lo pasado
un culto apasionado,
arrancando, señores, del olvido
las gloriosas hazañas
del pueblo en sus campañas,   5
batiendo a los franceses atrevido;

a vosotros, que un bello monumento
con generoso intento
alzáis sobre los campos de la Albuera,
para que no olvidada   10
tan famosa jornada
quede en la edad remota venidera,

a vosotros, sus tímidos acentos,
hoy por breves momentos
a dirigir se atreve mi poesía;   15
oídme atentamente,
que en mi entusiasmo ardiente
la disculpa hallaréis de mi osadía.

¡Oh sí!, que al pronunciar el alto nombre
del más ilustre hombre   20
que ha visto el sol, mi corazón se inflama,
y juzgo que abrasado
su pueblo idolatrado
también se siente por la propia llama.

Os hablo de Cortés en alabanza,   25
aunque el numen no alcanza

al remontarse al cerco de su luna:
pues llena de sonrojos
con el llanto en los ojos
he visto al pueblo donde fue su cuna.   30

      Y ¡oh vergüenza!, ¡vergüenza! allí olvidada,
y a su primera morada
asilo de las pobres golondrinas,
sin un solo letrero
este otoño primero   35
va a desplomarse en míseras ruinas.

      Y ¿qué nos quedará de tanta gloria
si esa débil memoria
furioso el aquilón nos arrebata?
¿Qué de tantos honores   40
como nos dio, señores,
en cambio le dará su tierra ingrata?

      ¿No tendrá entre sus mármoles Castilla
una piedra sencilla
donde su ilustre nombre coloquemos?   45
Con nuestras propias manos
guerreros y artesanos
y... hasta las damas a grabarlo iremos.

      Más trabajo, más pena, más fatiga
en la tierra enemiga   50
pasó el gran capitán por darle solo
a su patria grandeza,
por hacer que en riqueza
fuera el reino mayor de polo a polo.

      Por él fue nuestra patria rica y fuerte, 55
por él con tanta suerte
del soberbio cristal del Océano,
surgieron cien navíos,
transportando carguíos
del inmenso tesoro americano.   60

      Ved hoy esas magníficas ciudades
que fueron soledades
tristes ayer alzarse florecientes,
fundadas por su mano,

llevando el nombre hispano 65
en su poder, en esplendor crecientes.

Él hizo interminable nuestra tierra
con la perpetua guerra,
asolación del pueblo mejicano,
y por él solamente 70
flota entre aquella gente
la santa insignia del pendón cristiano.

Y ¿se dirá que ingratos y egoístas
sus valientes conquistas
nosotros españoles desdeñamos? 75
¿Que un puñado de cobre
por una piedra pobre
con voluntad siquiera no le damos?

En tanto que su nombre no ensalcemos
y en Medellín alcemos 80
un monumento a los brillantes soles
de su gloriosa guerra,
las gentes de esta tierra
¡¡no somos ni extremeños ni españoles!!

Medellín, 1846

Poesías (1852).

Sextetos-liras.

v. 9: El topónimo citado –la Albufera– corresponde a una población
del S.E. de Badajoz, enclavado en La Tierra de Barros y próxima a la capital de la provincia. Por lo que se dice en el verso 6, Carolina está aludiendo a la segunda de las dos batallas de Albuera que la Historia registra: la
acción militar contra el ejército napoleónico que tuvo lugar en el mes de
Mayo de 1811 por las tropas aliadas anglo-hispano-portuguesas. Fue una
victoria de especial renombre: la solemnizaron las cortes españolas y el
parlamento británico, y la cantó en versos Byron *(Childe Harold).*

v. 30: Se alude, obviamente, a la ciudad de Medellín (en la que está
fechado el poema) y patria chica de Cortés. Convendrá reproducir ahora
y aquí la nota que Coronado puso al frente de este poema en su edición
de 1852: «Cuando dirigí la siguiente poesía a la Comisión existían aún las

paredes de la casa de Hernán Cortés: tres años han pasado, y he vuelto a Medellín y las he visto derribadas y el solar sembrado de forraje». En realidad el poema se acaba convirtiendo en un nuevo elogio a la figura de Cortés (Cf. el poema que abre la sección dedicada a los héroes y a los reyes).

v. 59: *carguíos:* «cantidad de géneros u otras cosas que componen la carga» (DRAE).

A S. M. LA REINA EL DÍA DE SU SALIDA.
LA REINA QUE DOS VECES HA NACIDO

Madrid aguarda tu triunfal salida
para cubrir de flores tu carrera
como si el pueblo por la vez primera
celebrara en España tu venida;
la fiesta a que gozoso te convida,   5
cual si de nuevo a coronarte fuera,
tiene un placer que hoy halla repetido
la Reina que dos veces ha nacido.

Carlos quinto inmortal cuando ceñía
a sus sienes la fúlgida corona   10
del pueblo que adoraba a su persona
oyó el supremo canto de alegría;
mas para Ti, Isabel, es doble día
el de esta aclamación que el Pueblo entona,
porque tú, cuando el seno te han herido,   15
para España dos veces has nacido.

Tú apareces al Pueblo castellano
con tu Niña tan dulce y tan hermosa,
como la luna de color de rosa
que ilumina las noches del verano;   20
y dejas luego de alumbrar el llano,
quedamos en tiniebla pavorosa,
pero ya con reflejo más lucido
luna nueva en el Cielo has renacido.

Ya la Virgen te aguarda en los altares,   25
y a la niña cubriendo con su manto
desde el Cielo confirma el nombre santo
que el Serafín celebra en sus cantares;

¡vive, Madre feliz libre de azares,
que al triunfar de la muerte, por encanto,   30
doble vida del Cielo ha merecido
la Reina que dos veces ha nacido!

Poesías (1852).

Octavas reales.

v. 15: Isabel II sufrió dos atentados, en 1847 y en 1852. Carolina alude a este segundo, protagonizado por el cura Martín Merino. Tal hecho ocurrió un 2 de febrero del año citado, cuando la reina visitaba la Basílica de Atocha para presentar ante la Virgen a la recién nacida princesa María Isabel Francisca (circunstancia a la que se alude en las dos últimas octavas). Merino penetró en el palacio, fingió que iba a darle un memorial, y le asestó una puñalada, de la que le salvó el corsé. El autor del frustrado regicidio fue ejecutado a garrote vil cinco días más tarde. Temáticamente, este poema se relacionaría con los dedicados al regio alumbramiento de la reina Isabel II.

ODA A LINCOLN

¡Lincoln, salud! Tu nombre que ha vencido,
del pueblo el escogido,
atravesando por inmensas olas
el terrible oceáno,
del mundo americano   5
ha llegado a estas playas españolas.
    Grandioso ejemplo de valor cristiano,
hoy ya tu acento humano
contra la injusta esclavitud levantas,
para que el genio altivo   10
del pueblo primitivo
rescate el libro de sus leyes santas.
    El libro, admiración de las edades,
que en esas soledades
el genio de Washington ha inspirado,   15
y del cual torpemente
otra bastarda gente
las páginas sublimes ha rasgado.
    Hijo fiel de Washington el glorioso,
el justo, el bondadoso,   20
el héroe sin rival de las naciones,
tú eres hoy elegido
para alzar del olvido
el escudo inmortal de sus blasones.
    Yo te veo sereno en la pelea,   25
sin pavor a la tea
que en América enciende bando fiero,
hollar el pendón rojo,
que del honor sonrojo
tremola en el cañón filibustero.   30

Y oigo el «hurra» del Norte repetido,
al pueblo embravecido
luchando para darte la victoria,
y también sin sosiego,
alzo mi humilde ruego   35
por vuestro triunfo y libertad y gloria.

Porque también yo soy americana,
aunque el manso Guadiana
me vio nacer en su abrasada orilla;
como flor destinada   40
para ser trasplantada
y dar a otro hemisferio su semilla.

Y fueron de mi estirpe antecesores
como tú, exploradores
de América, valientes caballeros,   45
que dejaron memoria,
cual la tuya en la historia
dejarás a los siglos venideros.

Y siento que mi espíritu se agita
con zozobra infinita,   50
al ver que las conquistas de los bravos
hayan luego servido
para haber extendido
el odioso país de los esclavos.

¡Ay! ¿Qué será del pueblo americano   55
si el nubarrón insano,
que por su cielo amenazando vaga,
y el azul oscurece
con su sombra que crece,   60
nuestras estrellas vívidas apaga?

Yo, contemplando con los ojos fijos
la patria de mis hijos,
tiemblo también por la insegura estrella;
pues está ya mi vida   65
a su fulgor unida,
y he de extinguirme si se extingue ella.

Y al escuchar del Norte embravecido
el «hurra» repetido

732

que lanzan los que anhelan tu victoria,   70
yo también sin sosiego,
alzo mi humilde ruego
por vuestra paz y libertad y gloria.

    Y a ti, señor, de América esperanza,
salud y venturanza   75
quiero enviar, por las inmensas olas
del terrible Océano;
¡que al mundo americano
lleven mi voz las brisas españolas!

<hr />

La Iberia (18-11-1861)

La América, Crónica Hispanoamericana (8-III-1861), p. 13.

    Sextetos-liras.

    vv. 12-18: Ese «libro de sus leyes santas» no es otro que la Constitución norteamericana proclamada en Septiembre de 1787, y que fue una obra de compromiso, gracias a la habilidad de Hamilton, Franklin y Washington, proclamando a este último como primer Presidente de E.U.A.

    v. 22: El poema se publicó unos días después, tan sólo, de la toma de posesión de Lincoln como presidente de Norteamérica.

    vv. 62-67: ¿Es esa insegura estrella, identificada como «patria de mis hijos», uno de los estados de la Unión (una de las «estrellas» de la bandera norteamericana), concretamente el Estado de New Hampshire, pues en la pequeña ciudad de ese estado, Keene, había nacido el padre de sus hijos – Horacio Perry– un 23 de Enero de 1824?

    El poema se inscribe en el impacto que –desde el mismo ámbito familiar– tuvo el estallido de la Guerra de Secesión, a principios de 1861, coincidiendo con la llegada al poder de Abraham Lincoln. De hecho, al estallar la guerra Perry se propuso regresar a su país y enrolarse en el ejército de la Unión, pero se le hizo desistir de tal propósito al nombrársele «encargado de negocios» de la Embajada estadounidense, hasta la llegada del nuevo embajador Carl Schurz. La actuación diplomática del marido de Carolina fue decisiva –a juicio de Alberto Castilla– para conseguir del gobierno español la proclamación de neutralidad en el conflicto.

    Por su parte Carolina, que nunca ocultó su inclinación por la causa federal (esta oda a Lincoln es una temprana prueba), desarrolló una cierta actividad en favor del abolicionismo de la esclavitud, también en la Isla de Cuba (donde estaba vigente todavía). Se prolonga lo afirmado en el presente poema en un artículo de la misma poetisa aparecido en *La Regeneración* (27-Febrero-1864), «Carta a los catalanes», respondiendo con dicho artículo a la invitación que se le había hecho para que escribiese un libro contra la esclavitud en la colonia española. En dicho artículo Carolina no regatea elogios a Lincol como estos: «Lincoln, el patriarca, el prudente, el amigo de la paz, que al mismo tiempo que levanta a los cielos su mano paternal pidiendo misericordia para los pueblos, sostiene con el otro enérgico brazo el estandarte de la guerra». Efectivamente, Carolina hizo algún poema para pedir por la abolición de la esclavitud en la isla antillana: cf. el soneto que principia «Si libres hizo ya de su mancilla», soneto que reproduce Ramón en su biografía. A raíz del asesinato del presidente americano en 1865, Carolina escribió otro homenaje poético a Lincoln (Cf. el poema «El Aguila Redentora»).

A MÉNDEZ NÚÑEZ

No a ti, águila audaz, que alzas el vuelo
del estrellado cielo
en la inmensa región siempre triunfante,
es hoy a quien envío
de honor el canto mío,   5
por las olas sonoras del Atlante.
    No a ti, no para ti, republicana
águila americana,
que el Potomac y el Missisipi admira;
mi desusado canto   10
hoy otra vez levanto,
postrero acento de amorosa lira.
    No del hurra con el feral saludo
a celebrar acudo
el nuevo triunfo que la mar corona;   15
porque es hoy de la España
la inmarcesible hazaña
que asombra al mundo desde zona a zona.
    ¿Has de ser siempre tú? ¿No es ya bastante
que te eleves triunfante   20
vencedora del sur dictando leyes,
mientras que vacilando,
hacia el golfo mirando,
te saludan de Méjico los reyes?
    Antes que vieras tú la luz del día,   25
y antes que en tu osadía
cruzaras de Hurón la orilla helada,
de la vecina Antilla
la fama de Castilla
resonaba en tus cielos aclamada.   30

Hércules, al fijar su gran columna,
le dijo a la fortuna
que la ibera nación culto rindiera,
y todo el oceáno
vio flotar soberano   35
el estandarte de Isabel Primera.

América brotó, cual por encanto,
bajo el lábaro santo
que transportó nuestra cristiana flota,
y del árbol sagrado   40
que dejamos plantado,
todavía el laurel fecundo brota.

Y de la ingrata raza todavía
la loca rebeldía
castiga España con rigor sangriento,   45
y la sangre española
enrojece la ola
y en cañón español truena en el viento.

Y la enemiga hirviente granizada
envuelve nuestra armada,   50
y el torpedo infernal mudo revienta,
y ella de luz ceñida,
abrasada y herida,
triunfa vengando la ominosa afrenta...

¡Héroe del corazón, bravo marino!   55
Espejo cristalino
del honor y virtud de edad pasada;
a ti te canto sólo,
y desde polo a polo
quisiera que mi voz fuera escuchada.   60

Mi voz, que es eco de la España entera,
que te llama y te espera,
de bendecir ansiosa tus laureles;
esos laureles santos,
que entre reveses tantos,   65
del antiguo esplendor nos restan fieles...

¡Pero no vengas, no! No quiere el alma
que la gloriosa palma

premio de tu valor en esos mares,
para ser destrozada   70
por la tormenta airada,
transportes ahora a los antiguos lares.

    Queda en el mar con tu gloriosa guerra.
No vengas a la tierra;
que en ella para ti no hay digno templo;   75
y en la borrasca fiera,
que pronto nos espera,
tú servirás con tu lealtad de ejemplo.

    Tú vuelves por la prez, ya deslucida,
de la patria caída   80
en el abismo, ¡ay! de sangre y lodo;
y si alzamos la frente
aún orgullosamente,
¡después de Dios, te lo debemos todo!

Lo tomo de Ruiz Fábregas, pp. 363-65. No se fecha, pero podría datarse este poema poco después del 2 de Mayo de 1866, fecha en la que Méndez Núñez consiguió su gran victoria frente a la fortaleza de El Callao (Perú), haciendo efectivo su conocido lema: «primero honra sin marina, que marina sin honra».

Sextetos-lira.

Casto Méndez Núñez (1824-1869) prestigioso marino español, que al mando de la fragata Numancia alcanzó gran renombre en los ataques a las plazas americanas de Valparaíso y El Callao. Hazañas novelizadas por Galdós en su episodio «De Sagunto a Numancia».

El primer sexteto-lira del poema recuerda enormemente el poema pro-federal «El Aguila Redentora».

v. 9: El Potomac y el Missisipi son dos conocidos ríos americanos. La cuenca del segundo ocupa la mayor parte de los Estados Unidos, y el primero, desde la cordillera de los Apalaches en la que nace, cubre una importante superficie del NE de los Estados Unidos.

v. 13: *feral:* cruel, sangriento.

v. 27: *orilla helada del Hurón:* El Hurón es uno de los grandes lagos de EE.UU, cuya superficie se mantiene helada en un sesenta por ciento, entre enero y marzo.

v. 38: el monograma de Cristo, o la cruz del cristianismo.

v. 43: A partir de aquí Carolina hace referencia a los sucesos bélicos peruanos y chilenos que motivaron la heroica intervención del marino al que se dedica este poema.

A MAXIMILIANO

¡Luto y desolación! ¡El mar, la tierra,
cuanto lo humano encierra
luto y desolación cubren el mundo!
Los reyes congregados
el Sena ve espantados   5
de América ante el rayo furibundo.

Rayo que en las entrañas de los mares,
de remotos lugares
mensajero fatal vino escondido,
y sobre el gran palacio   10
cayendo del espacio,
turbo el regio festín con su estampido...

¡Ah! que allá en Miramar muda y sombría,
aguarda noche y día
el soñado bajel princesa amante...,   15
turbada su memoria.
¡Qué la fúnebre historia
ignore siempre, hasta el postrer instante!

Era por libertar a los esclavos
la guerra de los bravos,   20
y ya abrasada su bandera y rota
cadáveres cubría,
cuando a la mar salía
limpia y soberbia la francesa flota.

Lincoln, el patriarca americano,   25
vio allá en el Océano
de aquellas naves los pendones rojos,
y su frente serena
anublando la pena,
volvió hacia ti los lastimados ojos.   30

739

Mártir, cual tú, con tierna simpatía
tu suerte presentía,
y alzando sobre el mar la voz tonante,
con el labio seguro
os hizo su conjuro   35
desde el seno de Méjico al Atlante.

    Las tumbas de los reyes mejicanos
se abrieron en los llanos;
tornóse el Golfo de color sangriento,
y en la iglesia cristiana   40
la piedra castellana,
al resonar su voz, tembló en su asiento...

    ¡Ay! ¿Por qué fuiste tú; tú y sin fortuna
la bella, cual ninguna,
honor y encanto de la Europa entera?   45
¿Por qué al pueblo sin leyes
no fueron a ser reyes
los vástagos de estirpe aventurera?

    ¿Por qué allí donde el águila batiente
con garra prepotente   50
puso a la Majestad eterno veto,
ese guerrero amigo
no se quedó contigo
a sostener con su pendón el reto?...

    Príncipe, os engañaron: no hay coronas   55
en las opuestas zonas
donde lanzaron vuestra ciega nave;
y al ver que a tu cabeza
no valió tu grandeza,
Francia lo sabe al fin; Austria lo sabe.   60

    Lo sabe el mundo; mas serás vengado:
al pueblo desalmado
El Capitolio la crueldad no abona.
La libertad desdeña
su ensangrentada enseña.   65
Tú perdonaste. ¡Dios no le perdona!

La Cruzada. Revista semanal de ciencias, literatura y artes. Madrid, nº 21 (21-Julio-1867), p. 168. También en *El Ángel del Hogar,* 1867, 21 de julio, p. 218.

Sextetos-lira.

El poema está referido a la figura del Emperador de Méjico Maximiliano, que intentó gobernar el país azteca entre 1864 y 1867. De origen austríaco (v. 60), pues era hermano del emperador Francisco José, fue impuesto en tierras mejicanas por el rey francés Napoleón III, quien intentó apoderarse del país americano en 1863, manteniendo sus tropas en aquel territorio para apoyar la entronización del archiduque austríaco, quien firmó con Napoleón III, en Abril de 1864, el tratado de Miramar (v. 13). El final de la guerra secesionista norteamericana dificultó la estrategia francesa, pues el presidente Lincoln (a quien se alude por extenso en el poema, y a quien dedicó Carolina otra composición) reconoció al presidente Juárez e intentó presionar sobre Francia para que retirara sus tropas, y con ello el apoyo logístico al nuevo emperador. El gobierno de Maximiliano entró pronto en una verdadera anarquía. En julio de 1866 el Emperador intentó abdicar, aunque tras la definitiva retirada del ejército francés la facción conservadora mejicana le convenció para proseguir la lucha contra Juárez. Sitiado en Querétaro, fue fusilado junto a Miramón y Mejía al amparo de la misma ley que había promulgado en Octubre de 1865 el depuesto emperador contra los rebeldes de entonces. Carolina lamenta en su poema la dramática noticia de ese fusilamiento, y la falta de apoyo francés (vv. 43-54).

El Golfo del v. 39 no es otro que el Golfo de Méjico, y el Capitolio nombrado en el v. 63 debe de ser el de Washington, que –en opinión de Carolina– no debe sancionar el acto de violencia llevado a cabo por el gobierno de Juárez al deponer y ejecutar al monarca austríaco. Por último, la alusión que se hace en la tercera estrofa se explica porque, en efecto, Carlota, la esposa de Maximiliano, enloqueció cuando se dirigía a Roma, para lograr del Papa el apoyo político que Maximiliano necesitaba para mantenerse en el poder, y que las diversas naciones europeas le habían retirado.

AL ALMIRANTE FARRAGUT,
A SU LLEGADA A BARCELONA

¡Salve al gran Farragut! Su rauda nave,
al llegar a las costas españolas,
la mar saluda con bullentes olas
y el fondo mueve con el eco grave;

    el mundo entero, que su nombre sabe,   5
saluda las gallardas banderolas,
y hasta el Tajo y las orillas solas
hay quien su gloria inmarcesible alabe.

    Ave soy, Farragut, que solitaria
cante tus triunfos en la patria mía,   10
cuando del norte la fortuna varía

    la estrellada bandera oscurecida;
hoy, que brillan triunfantes tus estrellas,
no has menester mi voz; te bastan ellas!

Sigo el texto que da Ruiz Fábregas (1978) (p. 353).

Soneto.

David Glasgow Farragut fue un almirante norteamericano (1801-1870) que se distinguió en la conquista de Nueva Orleans, durante la guerra de Secesión americana. En 1867, año en el que debe fecharse probablemente este poema, recibió el mando de la flota norteamericana en Europa.

La estrellada bandera del verso duodécimo no es otra que la de los Estados Unidos norteamericanos.

Nótese la peculiar manera de distribuir las rimas en los tercetos (CDC-DEE) cerrando el soneto con un pareado. Por otra parte hay que señalar la pequeña anomalía que se produce entre las rimas (sólo en asonante) de los versos 10 y 12.

EN LA MUERTE DE MÉNDEZ NÚÑEZ

    Faltábale a España
tremendo castigo;
venganza sangrienta
el Hado tomó:
jamás tan alegre   5
se vio el enemigo;
jamás tan dolida
la patria se vio.

    Sus naves semejan
fantasmas latentes;   10
la luna, rojiza
también de llorar,
envuelta entre nubes
escucha dolientes
los hondos gemidos,   15
el llanto del mar.

    El mar, que orgulloso
llevaba en sus brazos,
de oriente a poniente
su heroico valor;   20
el mar, que rojiza
su sangre candente,
vertida en las aras
de incólume honor.

    ¿Por qué de los mares   25
le trajo el destino?
¿Por qué de la tierra
al mar nos volvió?
¿Qué mano alevosa
torció su camino?   30

¿Qué espíritu infausto
sus glorias turbó?

    Sus chispas de gloria
mi mente exaltando,
soñando despierta   35
su fin vislumbré;
y así, en su venida,
su mal anunciando,
al par de sus triunfos
sus riesgos canté.   40

    ¡Qué poco su acento
sonó en los oídos!
¡Qué poco en la tierra
duró su mirar!
El mar se ha llevado   45
sus años floridos;
sus tiernos amores
han sido del mar.

    Innoble es la roca
del férvido Atlante;   50
inquieta ya el alma
esperaba por él;
mas dice en el viento
el hilo vibrante
que el piélago eterno   55
cruzó su bajel...

    Entonces recorro
del agua el abismo;
sus senos penetro
con ansia y horror;   60
al polo me lleva
leal fanatismo,
su muerte dudando,
temiendo al dolor.

    De vasta penumbra   65
las vívidas olas
su sombra tendida
semejan allá.

La ola que viene
parece su vida,   70
parece su muerte
la ola que va.

    ¡Qué blanda y qué pura
brillando en la playa
los niños risueños   75
la vieron venir!...
¡Qué vaga y oscura,
deshecha en la arena,
al ponto infinito
la vimos huir!   80

    ¡En qué breve espacio
el genio se encierra!
¡Del bruto elemento
qué extenso el poder!
Y el genio se apaga.   85
Y el mar y la tierra
se quedan vacíos
sin voz y sin ser!...

    Después que ha volado
su espíritu al cielo,   90
después que su pecho
dejó de latir,
¿quién busca en la patria
ni amor ni consuelo?;
¿quién sueña con gloria?;   95
¿quién sufre el vivir?

    Deshecha borrasca
el norte oscurece.
¿Adónde la nave
sin él vogará?   100
¿Sin ti quién navega?;
¿sin ti quién ya sabe
adónde está el puerto,
la luz dónde está?

    Sin ti la tiniebla   105
tendremos ya sólo;

perdimos contigo
la estrella y el sol.
¡Qué noche tan larga
la noche del polo,
la noche que dejas
al cielo español!

110

Texto procedente de la tesis de Ruiz Fábregas (1978), pp. 370-372.
Se indica que es un folleto fechado en San Sebastián un 23 de Agosto de
1869, e impreso en la imprenta de I. R. Baroja, año que, efectivamente
corresponde al de la muerte del prestigioso marino español. Deberá, pues,
relacionarse este poema con el titulado «A Méndez Núñez».

Octavillas agudas.

En los versos 33-40 Carolina alude a unos versos suyos, del otro poema referido al ilustre marino (vv. 67 y ss) en los que Carolina invitaba al
héroe a no regresar a tierra, porque intuía la muerte que ahora se lamenta.

EL ÚLTIMO NAPOLEÓN

Al fin cayó. Del Mosa
en el sangriento espejo
su púrpura retrata
Augusto emperador.
Corriente de cadáveres   5
le sirve de cortejo.
El orbe le despide
con un grito de horror.
    Al fin cayó. Mas vive;
la muerte le rechaza;   10
el antro de las ánimas,
que lleno está por él.
Su ánima no recibe;
ni le acoge su raza;
ni le admite el averno;   15
ni le sufre Luzbel.
    ¡Oh!, cómo habrán crujido
del héroe de Marengo
los huesos en la tumba
de Ardenes al cañón;   20
pálida habrá subido
su sombra a las pirámides,
y allí «cobarde» grita
¡«No eres Napoleón»!
    ¡Oh mísero del niño   25
que sufre injusta pena,
del tronco napoleónico
retoño sin raíz;
que encuentra en los combates
Sedán en vez de Jena,   30

del Metz la oscura noche
y no el sol de Austerlitz!

¡Oh mísera de Francia
que a necio aventurero
por locas vanidades   35
entrega su valor!
¿Qué hiciste de su enseña?
¿Qué hiciste de tu acero?
¿Qué hiciste de su gloria?
¿Qué hiciste de su honor?   40

Torrentes de metralla
tus huestes abrasaron;
los montes relucieron
cual nuevo Sinaí;
heroicos los caudillos   45
al rayo se lanzaron,
y en tanto rueda fría
la bala para ti.

Los cascos del alano
destrozan tu corona,   50
impresa su herradura
sobre tu frente va;
y aún vives, y tu vida
el enemigo abona,
y hospitalario asilo   55
a tu insolencia da.

Y aún llevas oropeles
que insultan nuestro duelo;
y áun osas de Alemania
los campos recorrer;   60
y entre el humo y la sangre
que cubren tierra y cielo,
como Nerón a Roma
ves a la Francia arder.

Mas, sí, que aún eres césar;   65
que aún van cien mil guerreros
detrás de tu carroza
sirviendo a tu esplendor;

tu guardia de vencidos,
guardia de prisioneros, 70
que en el prestado alcázar
te ofrece el vencedor.
    ¡Duerme!... Guillermo vela
tu sueño vergonzoso;
la historia borra un nombre; 75
París cubre su faz;
el sol de la república
se eleva luminoso;
¡Que Dios salve a la Francia!
¡Que Dios traiga la paz! 80

Lo tomo de Ruiz Fábregas (1978), quien lo da como un folleto de tres páginas, fechado en San Sebastián, a 8 de septiembre. No se indica año, pero es lógico pensar en el de 1870, fecha de derrocamiento de Napoleón III.

Octavillas agudas.

La poetisa, inclinada por lo general a la rememoración y exaltación del pasado, no puede por menos que comparar el «último Napoleón» que acaba de ser derrocado con aquel otro emperador corso, primero de la dinastía, al que también dedicó la Coronado su poema correspondiente en el volumen de 1852.

v. 1: El río Mosa atraviesa Francia, Bélgica y Países Bajos.

v. 9: Napoleón III, tras proclamarse su derrocamiento en París, fue conducido prisionero al castillo de Wilhelmshöhe (cerca de Kassel).

v. 18: En Junio de 1800 Napoleón Bonaparte obtuvo, en Italia, la difícil victoria de Marengo.

vv. 25-28: Napoleón III, casado con la española Eugenia de Montijo, tuvo un único hijo en 1856: Eugenio Luis Napoleón.

vv. 30-32: Carolina contrapone las dos figuras de la estirpe napoleónica, contrastando la batalla de Jena (1806) en la que Napoleón se impuso sobre los prusianos, frente a la capitulación de Sedán (1870), a la que se vio obligado, precisamente frente a los prusianos; comparación que se reitera en la pareja de topónimos Metz/Austerlitz, pues en el primer caso se refiere a la humillación del ejército francés sentida ante el prusiano, pues tuvo que capitular sin condiciones en dicha ciudad (1870), frente a la gran victoria napoleónica en Austerlitz (1805) sobre la coalición austro-rusa.

v. 49: *alano:* uno de los pueblos bárbaros que invadieron el Imperio romano. Aquí, por extensión, equivale a ese ejército prusiano que provoca la ruina del Imperio francés bajo el mandato de Napoleón III.

vv. 55-56: como se indicaba antes, el Emperador permaneció, como prisionero, en una fortaleza próxima a la ciudad alemana de Kassel, antes de retirarse a Gran Bretaña, una vez firmada la paz. Cf. también los vv. 70-71.

v. 73: Guillermo I, rey de Prusia y emperador de Alemania. En 1871, tras la victoria frente a los franceses, fue coronado Emperador en la Galería de Espejos del palacio de Versalles.

A CABRERA

(RECTIFICACIÓN A LA NOTICIA DADA POR LA PRENSA DE LA VENIDA DE CABRERA A LA CASA DE LA AUTORA)

¡Monstruo!, ¿de dónde sales?
¿En qué negra caverna
guardaste los despojos...?
Mas, ya comprendo, sí;
La sangre que en raudales   5
vertiste, a nuestros ojos,
prestó jugo a los campos
y el fruto es para ti!

¡La libertad, Cabrera,
la libertad hollada   10
por ti en los patrios lares
emblema, hoy, de tu honor?
¿La paz?... ¡Quién lo dijera!
Tú que nuestros hogares
incendiabas, Demonio   15
¿de España hoy redentor?...

Alfonso, hijo del alma,
la cuna de tu madre
mártires generosos
ciñeron de laurel;   20
y hoy torpes cortesanos
los símbolos gloriosos
arrojan a las plantas
del renegado cruel.

¿Qué espíritus malignos 25
perturban las conciencias?
Madrid, templo del arte,
custodia del saber,
torre de ignotas ciencias,
adivinantes signos 30
que de lo humano alcanzan
hasta el confín a ver;

Madrid, luz de los ciegos,
de los errantes guía,
látigo de soberbias, 35
fragua de la virtud;
Madrid, Madrid, Alfonso
tu cetro rompería
si con tu cetro impones
la baja esclavitud. 40

Del antro de la historia
el bárbaro caudillo
no venga tus guerreros
impúdico a guiar;
que hicieron en Tarifa 45
la guardia del castillo
y no pueden traidores
sus timbres empañar.

De dos reyes cristianos
la lucha sarracena 50
tal vez resuelva el cielo
y triunfe sólo Dios;
si están nuestros hermanos
en una y otra arena
honor es siempre uno 55
aunque reyes dos.

Destierro voluntario
de alma desesperada
lejos de España gimo,
¡ay!, sin volverla a ver; 60
mas guardo en el sagrario,
reliquia inmaculada,

la fe que mis mayores
me dieron al nacer.

Y no el recinto austero   65
de antiguos patriarcas,
hospitalario claustro,
mi lusitano hogar,
prestara su techumbre,
ni el santo candelero   70
al que venció a sus reyes,
al que injurió su altar.

¡Oh sombras veneradas,
que en el supremo duelo,
de mi incesante noche   75
vagáis en torno a mí;
rogad, rogad al cielo
que no sean profanadas
las tumbas que tenemos
los náufragos allí!   80

Lo tomo de Ruiz Fábregas (1978), pp. 391-393. Lo identifica como un folleto de tres páginas, fechado en Lisboa, el 16 de Abril de 1875. Se trataría, pues, de uno de los textos más tempranos del dilatado período de estancia de la autora en Portugal.

Octavillas agudas.

Ramón Cabrera (1806-1877), destacando general carlista, que se distinguió por sus crueles represalias durante algunas de las campañas militares en las que intervino, lo que le mereció el sobre nombre de «Tigre del Maestrazgo» (la comarca que fue su fundamental teatro de operaciones, afincándose en la villa de Morella). A raíz de su exilio inglés, y de su aburguesamiento y vida acomodada, tras casarse con la acaudalada Marianne Catherine Richards, cambió progresivamente su manera de pensar y de sentir. A partir de 1870 se produce una ruptura total entre Cabrera y la camarilla de Carlos VII, y en 1875 –cuando está fechado este poema de Carolina– Cabrera se declaró partidario del restaurado Alfonso XII, a quien reconoció como rey. Por ello el tono satírico de estos versos, en los que Carolina muestra todas sus reticencias ante lo que considera como una seria incoherencia del destacado antiguo carlista y le echa en cara sus represalias anteriores.

v. 17: Alfonso XII.

vv. 45-46: alusión a los defensores de la plaza de Tarifa, encabezados por Guzmán el Bueno.

v. 50: *sarracena:* vale por «sarracina», 'riña o pelea', aludiendo a las diversas guerras carlistas.

AL TRIUNFO DEL SUBMARINO ESPAÑOL

Descubríos, señores de los mares.
Bajad la frente saludando a España,
que la gloria de nuevo la acompaña
con su corte de genios seculares.

Alumbrado por sacros luminares,   5
lleve Colón sobre la mar su hazaña;
hoy de la mar bajo la misma entraña
navegan nuestros dioses titulares.

Guardad las flotas, hijos de la nieve,
bárbaros de los grandes océanos;   10
no vengáis en el siglo diez y nueve
a luchar con marinos castellanos:
¡que no fue sólo conquistar un mundo;
han hecho la conquista del profundo!

(*Paço d'Arcos,* marzo de 1890)

La Idea, 15-Agosto-1890 (Número en homenaje a Isaac Peral)

Soneto.

Carolina contribuyó al fervoroso homenaje de la indicada revista pacense a la figura de Peral con este soneto, en el que se equipara la hazaña del marino español con la que siglos antes había protagonizado Cristóbal Colón. El orgullo español de Carolina anhela reverdecer la gloria de la marinería española frente al poder y éxitos de la flota inglesa, y en general de las marinas extranjeras.

Como se recordará, el marino y científico murciano Isaac Peral concibió en 1884 la idea de la navegación submarina que coronó con una serie de pruebas satisfactorias en 1889 y 1890, si bien el Ministerio de Marina emitió informe desfavorable, impidiendo la continuación de aquellas pruebas e incluso ordenando el arresto de su inventor, quien se retiró de la marina en 1891.

*Las nuevas de este mundo
tormentoso*

AL LICEO DE BADAJOZ

Vamos a vindicar de Extremadura
la capital oscura
y a levantar en palmas, extremeños:
que, por Dios, es vergüenza,
que otra ciudad nos venza   5
siendo de igual poder nosotros dueños.

Vamos a levantarla como espuma,
la pereza que abruma
los talentos brillantes sacudiendo;
y un *mentís* de tal modo   10
a dar al reino todo
que está de nuestra inercia sonriendo.

Porque los ojos fijos en la tierra,
que ilustre cuna encierra
del más valiente capitán del mundo,   15
España atentamente
siempre aguarda impaciente
nuevas flores de suelo tan fecundo.

Porque tuvimos héroes esforzados,
vernos quiere ilustrados;   20
porque tuvimos sabios y poetas
nos piden ciencia y canto;
y nosotros, en tanto,
¿mudos dejamos nuestras glorias quietas?

Juventud numerosa en torno veo   25
que en ardiente deseo
de aspirar a saber arde y se inflama;
juventud animosa
que vuela hoy presurosa
donde la voz de ilustración la llama.   30

No ha menester buscar en otro suelo
la juventud modelo
para trazar creaciones inmortales;
que en la ciudad oscura,
si adora la pintura,   35
tiene en soberbio altar al gran Morales.

Si de otros genios las carreras bellas,
quiere andar por sus huellas,
no ha menester cruzar tierras lejanas,
que un siglo solamente,   40
presenta en nuestra gente
Donosos, Esproncedas y Quintanas.

En las armas, las letras y las artes,
cunden por todas partes,
de ingenios extremeños las victorias;   45
y nuestros pueblos sólo,
lo más rudos del polo,
¿habrán de desdeñar tan altas glorias?

¡Tierra bendita!, donde brotan, crecen,
se ensanchan y florecen   50
los más hermosos troncos de Castilla:
las fuerzas te ofrecemos
con que cultivo demos
a tu nueva y riquísima semilla.

Ábranse libros, ármense pinceles,   55
y acudan los donceles
en esta lid a conquistar hazañas;
y vosotras, doncellas,
no os esquivéis por bellas,
que ya no sois a este recinto extrañas.   60

En danzas y festines os han visto,
y no es, por Jesucristo,
la danza y el festín más inocente
que la bella pintura,
que la música pura,   65
y la rima sonora y elocuente.

Dejad atrás preocupaciones viejas,
dejad rancias consejas,

mostrad, si lo tenéis, ingenio hermoso;
que sólo el vicio feo,   70
y no el útil recreo
es en las damas malo y vergonzoso.

    Venid, todos venid: de Extremadura
la capital oscura
a vindicar con vuestro celo ardiente;   75
y a esa ciudad ufana,
tal vez, puedan mañana
cuna llamar de la discreta gente.

    ¡Constancia! ¡aplicación! Yo la primera
alumna placentera   80
vuestras lecciones aprender deseo;
y hoy con mi débil canto,
por beneficio tanto,
saludo a los señores del Liceo.

Badajoz, 1846

La Elegancia, 30 (1846), pp. 235-236.

Poesías, 1852.

Sextetos alirados.

v. 15: Presumiblemente Carolina está pensando en Hernán Cortés...

v. 36. *el gran Morales*: El nacimiento del pintor Luis de Morales (c. 1510-76) se suele situar en Badajoz, porque allí tuvo abierto taller durante muchos años, y un buen número de sus obras quedaron en la región extremeña. Muestra, en su pintura, no pocas influencias de Rafael, Durero, Leonardo y de los manieristas flamencos. Su labor destacó sobre todo en la confección de cuadros domésticos con los que satisfacer las crecientes demandas de arte particular. Todos ellos tratan de algunos de sus temas preferidos, como el de la Virgen y el Niño («La Virgen del Pajarito» su primera obra datada en 1546, hoy en una parroquia madrileña, o el cuadro titulado «La Virgen con el Niño escribiendo», que se cuelga en el Museo de San Carlos, en México) o el de la Piedad. En el Prado hay algunas muestras de su pintura, como el lienzo «La presentación de Jesús en el templo». Es digno de mencionarse el retablo de la iglesia de Arroyo de la Luz (Cáceres), de 1565. Fernández de los Ríos, en la nota biográfica de Coronado que puso al frente de las *Poesías* de 1852, recoge un dato personal de la escritora que es pertinente recordar aquí: «¿Hay quien desee visitar el gabinete de la cantora del Gévora, quien quiera echar una mirada por los objetos más notables que la rodean? He aquí pues la lista de ellos para satisfacción de su curiosidad: un cuadro del divino Morales que representa, en actitud de escribir, a Santa Teresa de Jesús».

v. 42: Sobre la «extremeñidad» de Manuel José Quintana téngase en cuenta lo que se dice en el poema que Carolina le dedicó en otra sección de este volumen. Hubo controversia sobre el lugar de su nacimiento, que al parecer fue, definitivamente, en Madrid, en 1772 (cf. el trabajo de A. DEROZIER, «Les étapes de la vie officielle de M. J. Quintana», *Bulletin Hispanique*, LXVI, 1964, 3-4, pp. 363-390).

vv. 61-66: El elogio de las bondades de la región propia también se extiende a su folklore.

El presente poema, verdadero «Laus Extremadurae» (a partir de un elogio de Badajoz, «la capital oscura de Extremadura») fechado en 1846, mucha relación guarda –incluso métrica– con otros poemas de Coronado, de la misma fecha, como «A la juventud española del siglo XIX», «A España» o «A la comisión de monumentos históricos y artísticos de Badajoz».

SOBRE LA GUERRA

Nos ha dado el Señor cielos hermosos
con luz, porque los ojos alumbremos;
y nosotros los pueblos ingeniosos
con humo del cañón la oscurecemos.

Nos ha dado unas tierras deliciosas   5
donde las vidas sustentar podamos,
y nosotras las gentes belicosas
con sangre de los nuestros las regamos.

Nos ha dado suprema inteligencia
para adorar su ley mientras vivimos,   10
y nosotros negamos su existencia
y de la propia nuestra maldecimos.

Nos ha dado pasiones generosas
y odiándonos vivimos en la tierra;
«almas, nos dice, paz; sed venturosas»;   15
y respondemos: «infortunio, guerra».

Guerra al Oriente, *guerra* al Mediodía,
por cuanto abarca el sol guerra sangrienta;
nuestra campana eterna de agonía
por las batallas sus minutos cuenta.   20

Hacen trocar los siglos pasajeros
leyes, imperios, religiones, todo;
pero la horrible estirpe de guerreros
tiende su rama del egipcio al godo.

¡Oh de asesinos fuerte monarquía   25
de siglo en siglo trasmitida viene;
reinó antes de Moisés tal dinastía
y aun después de Jesús príncipes tiene!

Un perpetuo clamor son las naciones;
toda la humanidad es sólo un grito;   30

cansado de sufrir generaciones
el mundo está, y cansado el Infinito...

Tiende ¡oh paterno mar! tiende los brazos
y, por piedad de nuestros hondos males,
de la tierra los míseros pedazos   35
abisma entre tus formas colosales.

Tal vez al arrollar el viejo mundo,
tus soberanas moles avanzando,
otras tierras mejor desde el profundo
se irán a tus espaldas levantando.   40

Aquí están las semillas corrompidas,
a Dios no pueden dar ya fruto bueno,
y pues a Dios no sirven nuestras vidas,
¡húndenos mar, te servirán de cieno!

Ermita de Bótoa, 1846

La Ilustración. Álbum de las damas, 8 (2-XI-46).

El Genio (Algeciras, 7 (18-II-1849), p. 51). Variantes: v. 18: «en cuanto abarque»; v. 25: «¡Oh de asesinos larga monarquía»; v. 32: «la tierra está, cansado el Infinito».

En el v. 21 en *El Genio* se lee «han de trocar los siglos pasajeros», y en el versos 25, «¡Oh de asesinos larga monarquía».
En el año en que se fecha el poema –1846– se inició, en Cataluña, la segunda Guerra Carlista o «guerra des matiners».
Serventesios.

A LA INVENCIÓN DEL GLOBO

Águila altiva, que la nube asaltas
y en la cumbre a mirar al sol te atreves;
águila rauda, que los mares saltas
cuando las alas anchurosas mueves;
águila audaz, que en las regiones altas   5
la hiriente lumbre de los astros bebes;
águila reina, ya tiene el espacio
rival que te dispute tu palacio.
    Si hallaras por acaso en tu elemento
veloz cruzando por las propias vías   10
al hombre que se eleva al firmamento
«vive Dios, al pasar, le gritarías,
que ni libres están, genio avariento,
de tus asaltos las regiones mías;
venció tu brazo cuanto halló en la tierra   15
¿y ora viene a mover al cielo guerra?».
    Sí, sí, corcel para correr el suelo,
ligero pez para salvar los mares,
es águila atrevida para el cielo
el libre ser que en tu camino hallares: 20
déjale remontar contigo el vuelo
que de estrellas tal vez nuevos millares
cuando más huya la terrestre esfera
va a descubrir en su feliz carrera.
    ¿Qué vales tú si allá de las alturas   25
las bellezas que alcanzas no nos cuentas?
¿Qué importa cuanto ves en las anchuras
que mides con tus alas turbulentas
si nuevas no nos das a las criaturas
que estamos de saber aquí sedientas,   30

si un himno a la creación por obra tanta
jamás tu pico inexpresivo canta?

    Mas aquel otro ser que el éter hiende
sube ya a comprender tanta belleza,
y del nuevo prodigio que sorprende   35
bajará a relatarnos la grandeza;
ya por cima del mundo se suspende
a contemplar la gran naturaleza,
y si le place el mar, su vuelo ataja
y como el ave acuática al mar baja.   40

    Y cual vapor del mar se eleva luego
y con las nubes por los aires gira,
del encendido Can resiste el fuego,
del furioso aquilón sufre la ira;
sus fuertes alas en su presto juego   45
salvan al hombre que asombrado mira
allá por bajo de sus pies tendido
el monstruo enorme de quien es nacido.

    Como naturalista observa atento
de ignorado reptil la forma extraña;   50
el hombre aquel verá, pegado al viento,
cómo es la tierra que el Océano baña;
del polo ignoto, de viviente exento,
escrutará, tal vez, la oculta entraña,
y tal verdad puede alcanzar su idea   55
que la ciencia de ayer fábula sea...

    ¡Tanto saber...! ¿si escalará tu estancia
esta turba, Señor, de inquieta gente?
¿No pusiste, gran Dios, harta distancia
entre tu solio y nuestro genio ardiente?   60
No lograremos ¡ay!, por mi constancia
el triunfo de encontrarte frente a frente,
mas libres ya sobre los aires vamos:
¡Gloria porque a tu sol nos acercamos!

Ermita de Bótoa, 1845

Poesías, 1852.

Octavas reales.

Canto admirativo a una conquista de la técnica como fue la del globo aerostático, medio de transportes casi legendario desde 1785, año en el que Blanchard y Jeffries lograron atravesar el Canal de la Mancha. El poema de Carolina, fechado en 1845, pudo estar sugerido, tal vez, por el vuelo del primer globo dirigible que realizó su primer periplo el 9 de agosto de 1844, capitaneado por Ch. Renard y Krebs.

El poema se inscribe dentro de esa admiración por el progreso humano que el Romanticismo hereda del mundo neoclásico y lo intensifica casi hasta lo ditirámbico. Si Quintana en el siglo anterior había cantado a la vacuna y a la invención de la imprenta, el siglo XIX se llena de alusiones y de homenajes a las nuevas conquistas técnicas, desde la navegación a vapor –que titulará un periódico de la época, «El Vapor», publicación que en su segundo número se hacía eco del primer atraque en el puerto de Barcelona de un barco propulsado con la nueva técnica, y publicando, al respecto, un anónimo romance– y los numerosísimos textos sobre el ferrocarril, el gran invento, sin duda, del siglo pasado por sus repercusiones sociales y económicas, tema sobre el que también participó Carolina, circunstanciándolo a su preterida región. Entre los primeros cantores de la aerostación figura Buenaventura Carlos Aribau, quien diez años antes que Carolina (1835) ya incluía un poema con este motivo entre sus *Ensayos Poéticos.*

Puede extrañar el giro que el poema adopta en su última octava, pero es que en última instancia, se trata de un texto colocado en la sección de poemas religiosos, dentro de la edición de 1852, titulada «Inspiración de la Soledad». Por ello Carolina trascendentaliza el motivo del avance técnico que es el vuelo aeroespacial, porque puede interpretarse como una manera de acercarse –en la ascensión del hombre hacia altas cotas de su ciencia terrestre– al arcano de la divinidad.

A LA JUVENTUD ESPAÑOLA DEL SIGLO XIX

¡Salud prole gallarda!; salud hijos
en quienes tiene fijos
sus ojos la nación que en vos confía:
las madres orgullosas
sus frases cariñosas   5
que os trove, ordenan, en el arpa mía.

«Doncella, me dijeron; tú que sabes
de las voces suaves
el sonoro compás, blanda caída;
escoge las más bellas   10
y fórmanos con ellas
una dulce canción, tierna y florida.

Hoy regalar queremos los oídos
de los hijos queridos
que alfombran nuestro suelo de laureles».   15
Yo respondí: «Matronas,
tejed vos las coronas
y yo las llevaré a vuestros donceles».

¿Por qué de aquellas madres la dulzura
y amorosa ternura   20
de los acentos que por vos elevan,
con la misma armonía
de su ardiente poesía
mis vagos tonos, juventud, no os llevan?

Cantan y lloran, ríen y deliran,   25
cuando pasar os miran,
sabios mancebos, en lucida tropa;
y ¿no es su orgullo justo?;
¿de España el nombre augusto
no defendéis vosotros ante Europa?   30

¿Quiénes, sino vosotros, han sacado
al pueblo extraviado
en la ignorancia estúpida, al camino?
¿A quiénes hoy debemos
lo que el siglo sabemos   35
sino al ingenio vuestro peregrino?

Esa ruda corteza que tenía
nunca arrancar podía
de los viejos el pueblo moribundo;
no en sus hombros inertes   40
en los del mozo, fuertes
un paso más logra avanzar el mundo.

¿No podrá del saber la rica vena
bajo negra melena
juvenil palpitar, que necesita   45
que las frentes lozanas
se coronen de canas
para ostentarla en la vejez marchita?

¡Si puede, responded, turba gloriosa
a la voz envidiosa   50
que en el antiguo pueblo se levanta
en boca del que espera
tener en su carrera
al genio que a su ciencia se adelanta.

Dejad al cuervo atrás cansado y ronco,   55
graznar sobre ese tronco
por antiguo en el bosque mutilado,
y, garzas placenteras,
volad siempre ligeras
hacia el árbol que veis recién brotado.   60

Puedan sus altas ramas algún día,
con verde lozanía
dar sombra a multitud de vuestros nidos,
que en sus hojas colgados
los hijos regalados   65
os guarden de los vientos defendidos.

Flores, aromas, frutos, hermosura,
pompa, galas, frescura

el árbol fecundísimo esparciendo,
¡cuán abundante y puro   70
para el siglo futuro
su frondoso ramaje está nutriendo!

            Hasta el pastor en su gentil corteza
podrá grabar «riqueza»;
hasta las hembras «libertad, ventura»;   75
hasta los bardos «gloria»,
y hasta «paz», por memoria,
el guerrero esculpir con su armadura.

            Para nosotros ¡ay! no bien brotados
sus ramos deseados,   80
ni sombra prestan, ni nos dan verdores;
y en su blanda corteza
hoy grabamos, «pobreza,
infortunio, baldón, llanto y dolores».

            ¿No asoma la tristeza a nuestra frente   85
al ver que solamente
en la vana ilusión de la poesía
tenemos los primores
de esos frutos y flores,
galas, aromas, pompa y lozanía?   90

            ¿No sentís vuestras sangre, hijos de España,
hervir con fuerza extraña,
correr desesperada por las venas
al mirar que logramos
en vez de lo que ansiamos   95
miseria, oscuridad, guerra y cadenas...?

            En vosotros no más, gallardos hijos,
tiene sus ojos fijos
la española nación, que en vos confía;
las madres orgullosas   100
en frases cariñosas
ruegos os mandan por la trova mía.

            Yo quisiera saber, como las aves,
de las voces suaves
el sonoro compás, blanda caída,   105
para daros con ellas

unas canciones bellas
dignas de vuestra mente esclarecida.

    Pero está en cabeza el pensamiento
falto de atrevimiento   110
y en los labios la voz de la poetisa,
de la propia manera
que en la nación ibera
la nueva sociedad, torpe, indecisa.

Badajoz, 1846

Poesías, 1852.

Sextetos liras.

Poema a medias circunstancial, a medias importante, que opone un presente concebido como algo postrado, negativo, desesperanzado casi (Carolina, desde su provincia y luego desde la corte, hasta su marcha a Lisboa acusó una notable sensibilidad por la difícil andadura del siglo que le tocó vivir) a un futuro, a un mañana que se sueña pujante, donde las divisas *riqueza, libertad, ventura, gloria y paz* sustituyan a las que hoy –el presente de Carolina– se llaman *pobreza, infortunio, baldón, llanto y dolores.* Frente al atraso presente, necesidad de progreso; frente a oscurantismo, lucidez; frente a inmovilismo por vejez, avance por juventud. Carolina aboga por todo eso, por una *ciencia española* (la que defenderá años después Menéndez Pelayo) que deberá surgir de la presente juventud. Es uno de los poemas más decididamente crítico y esperanzado, a un tiempo, de Carolina, que bien podría considerarse como antecedente –en su regeneracionismo antes del desastre noventayochista– de aquellos poemas machadianos en que desde un pasado efímero se adivina, primero, un mañana también efímero, y después –ante la juventud que Ortega dirigía– el atisbo de un mañana venturoso. Como Machado arenga:

> *Tú, juventud más joven, si de más alta cumbre*
> *la voluntad te llega, irás a tu ventura*
> *despierta y transparente a la divina lumbre,*
> *como el diamante clara, como el diamante pura* (1914).

Carolina pronostica:

> *En vosotros no más gallardos hijos,*
> *tiene sus ojos fijos*
> *la española nación, que en vos confía.*

También G. Gómez de Avellaneda se interesó por esa juventud decimonónica y lamentó que sus nobles ideales fuesen manipulados por una ideología excesivamente positivista que sólo idolatra el oro, «arrojando de sí como desdoro/la fe divina y el sentir fecundo» (según se lee en el poema «La juventud del siglo»).

A ESPAÑA

¿Qué hace la negra esclava, canta o llora?
Tú, Europa, gran señora,
que a tu servicio espléndido la tienes,
responde: ¿llora, canta,
o dormida a tu planta   5
apoya ora en tus pies sus tristes sienes?

Yo que en su misma entraña me he nutrido,
y en su pecho he bebido
su ardiente leche, con amor la adoro,
y por saber me afano   10
si al pie de su tirano
reposa, canta o se deshace en lloro.

Venga el pueblo que a madre tan querida
debe también la vida,
las nuevas a escuchar, que de su suerte   15
por caridad nos diga
la señora enemiga
de quien vive amarrada al yugo fuerte.

Oigan los hijos de la negra esclava
lo que orgullosa acaba   20
de trasmitir su dueña a las naciones,
para que mofa sea
del mundo que la vea
sufriendo eternamente humillaciones.

Dice que por nodriza solamente   25
al Norte y al Oriente
conducen a la madre, cuyo seno
a mucha boca hambrienta
sin cesar alimenta
con la abundancia que lo tiene lleno.   30

773

Y nos dice también que latigazos
la dan con duros brazos
los hijos de Bretaña y del Pirene,
después de haber sacado
al seno regalado   35
el jugo que los nutre y los sostiene.
      Y se atreve a decir la fiera dueña
que en rendirla se empeña,
dejándola cansada, enferma y pobre,
para que no en la vida   40
emprendiendo la huida
su independencia y libertad recobre...
      ¿No tenemos un Cid? ¿No hay un Pelayo
que nos presten un rayo
de indignación, con que a librarla acuda   45
ese pueblo indolente,
esa cobarde gente,
egoísta, ambiciosa, sorda, muda?
      ¿Dónde está la bandera, caballeros,
que dos pueblos enteros   50
con su anchuroso pabellón cubría?
¿Dónde los castellanos
en cuyas fuertes manos
la enseña nacional se sostenía?
      Ya no hay bandera. El pabellón lucido   55
en trozos dividido
como harapos levanta nuestra gente
sin escudo y sin nombre,
sirviendo cada hombre
de caudillo y de tropa juntamente.   60
      Cual árabes errantes, cada uno
sin domicilio alguno
vagan los desdichados en la tierra,
huyendo del vecino
que hallan en su camino   65
por no poder marchar juntos sin guerra.
      Quien levanta su tienda de campaña
en un rincón de España
y por su rey a su persona elige,

y quién sobre la arena 70
traza, escribe y ordena
las leyes con que él sólo se dirige.

    Y quien burlando al Dios de sus abuelos
nombra para los cielos
otro señor que nos gobierne el alma, 75
juzgando la criatura
que siendo el Dios su hechura
más fácilmente alcanzará la palma.

    Patria, leyes y Dios, siervo y monarca
el español abarca, 80
refundiendo sus varias existencias
en el cerebro loco,
para quien juzga poco,
de esa inmensa reunión, cinco potencias.

    ¡Soberbia, necia vanidad mezquina 85
que a padecer destina
la soledad, el duelo, el abandono,
a esa España afligida
que siempre desvalida
se ve juguete de extranjero encono! 90

    Ha menester alzarse una cruzada,
ha menester la espada
blandir al aire la española tropa,
los reinos espantando
para salvar luchando 95
a esa que gime esclava de la Europa.

    Mas ¿dónde habéis de ir, tercios perdidos,
de nadie dirigidos,
marchando sin compás por senda oscura,
con rumbo diferente, 100
a dónde, pobre gente,
a dónde habéis de ir a la ventura?

    ¿Resucitó Cortés, vive aún Pizarro,
o de encarnado barro
queréis poner vestido de amarillo 105
un busto en vuestro centro
por que al primer encuentro
vengan rodando huestes y caudillo?

Nunca se lanza el águila a la esfera
sin medir su carrera;   110
nunca el toro acosado en la llanura
rompe en empuje fiero,
sin pararse primero
a reforzar su aliento y su bravura.

Unid el pabellón roto en pedazos,   115
enlazad vuestros brazos,
a un mismo campo el español acuda;
y al brindar la pelea
que un mismo nombre sea
el que invoquéis a un tiempo en vuestra ayuda.   120

Así de negra esclava que es ahora
será España señora,
por vosotros del yugo rescatada;
y al abrigo del trono
con soberano tono   125
de los pueblos servida y respetada.

Así, ¡ay!, de infeliz que hoy se presenta
será España opulenta,
por vosotros no más enriquecida;
bella y engalanada,   130
de laurel coronada,
respirando salud, contento y vida.

¡Veréis cómo ya entonces no la insultan
los que su diente ocultan
entre sus pechos, con hambrienta boca,   135
después de haber sacado
su jugo regalado,
llamándola salvaje, necia y loca!

Veréis, ¡oh!, cómo entonces las banderas
de aquellas extranjeras   140
que la trataron con tan dura saña,
inclinando su frente,
con voz muy reverente
la dicen al pasar –«Salud, España».

Badajoz, 1846

Poesías, 1852.

Sextetos liras.

v. 33: Es decir, los ingleses y los franceses y sus intentos de expansionismo político y económico a costa de España (Vellis, 1991, 412). Es crítica que Coronado repite en otros poemas. Por ejemplo en el titulado «A Herminia», en el que puede leerse una metafórica acusación similar a la de este texto: «Por cada grano de tierra/brota en ella una semilla;/no hay extranjera avecilla/que no nos venga a hurtar».

v. 50: Con esa referencia a la única bandera que cubría dos pueblos, identificados, sobre el solar patrio, y siguiendo las referencias a símbolos históricos de los versos inmediatamente anteriores, ¿alude Carolina a castellanos y aragoneses y a la unidad nacional que sus respectivos monarcas cimentaron, rota ahora con el estallido de las dimensiones carlistas?

v. 105. *vestido de amarillo:* ese busto fingido y fingidor, de amarilla vestimenta, ¿alude al color propio de la muerte, de lo que es inservible, o —en otra dirección— sería una representación del «peligro amarillo», del cólera, que diezma pueblos tan inmisericordemente, como ha lamentado Carolina en varios poemas?

vv. 133 y ss.: La poetisa vuelve a referirse, en su pesimista análisis de la situación española, a los pueblos (cf. v. 33) que, hipócritamente, disimulan enemistad, agresividad, e incluso traición frente a la nación española.

No está muy lejos (y probablemente en él se inspiró) este poema de Carolina de otro de Espronceda —«A la Patria»—, elegía compuesta en Londres hacia 1828 o 1829 y publicada en *El Española* el 11 de marzo de 1836. El mismo recuerdo de un pasado glorioso, y casi idéntico lamento de un presente postrado. Nótese la correspondencia que se advierte entre los vv. 61-72 del poema de Coronado (más discursivo que el de Espronceda) y estos versos del texto del autor de *El Diablo Mundo:* «Mas ora, como piedra en el desierto/yaces desamparada,/y el justo desgraciado vaga incierto/allá en tierra apartada». Con el recuerdo de los trenos elegíacos de Herrera al fondo, tampoco podemos excluir como otro modelo de Coronado el retórico poema de Quintana «A España después de la revolución de Marzo», cuando el poeta madrileño se lamenta de este modo al principiar la segunda estancia: «Ora en el cieno del oprobio hundida,/abandonada a la insolencia ajena,/como esclava en mercado, ya aguardaba/la ruda argolla y la servil cadena». O pasajes de este otro de Meléndez: «A mi Patria, en sus discordias civiles»: «Ella en la tumba ha hundido/una generación; tanta grandeza/cual sombra ha fenecido; la española riqueza/cebo fue del soldado a la fiereza»).

A CUBA

Cuando los recios vientos se embravecen,
cuando mugen los mares irritados,
cuando estallan con furia los nublados,
cuando las olas borrascosas crecen,
cuando los buques míseros perecen   5
por las revueltas ondas anegados,
cuando la Europa envuelta en la tormenta
traba en la oscuridad lucha sangrienta,
        barca dichosa en medio del Océano,
tú sola vas del huracán segura: 10
Francia se anega, y en la noche oscura
el rayo incendia el pabellón romano;
y oyes los gritos del naufragio humano,
y te duele tal vez su desventura,
¡ay!, cuando ves de las antiguas zonas   15
por la espuma del mar flotar coronas.

        Y ves como cadáveres perdidos
al agua nuestros pueblos arrojados,
y ves como timones destrozados
los cetros a las playas sacudidos;   20
y a los que, aun viven, en el mar hundidos,
por los marinos monstruos devorados,
y como barco que encalló en la arena
a España inmóvil junto al mar que truena.

        Y te contemplas tú, y en el espejo   25
de tus serenos mares retratada,
de la luz juvenil por el reflejo
ves tu belleza pura, inmaculada;
y de la Europa con el rostro viejo
a la fealdad rugosa comparada,   30

entre perlas tu hermoso cuello engríes,
y de lástima acaso te sonríes.

    ¡Oh!, ¡cuánta es tu beldad, cuál tu riqueza!
¡Oh!, ¡cuánto es tu esplendor, hija de España!:
por eso están los buzos de Bretaña   35
asomando a tus golfos la cabeza...
Mas no serán ¡oh perla! tu belleza
y tu valor de su codicia extraña;
pues antes que cedérsela al britano
nos tragará contigo el Océano.   40

    Dicen que tienen sobre tres castillos,
de los mares en medio levantados,
a los reinos del mundo aprisionados
del oro del Perú con los anillos;
y que van a engarzar nuevos zarcillos   45
a la reina feliz de sus estados,
si la prenda mejor que la engalana
hurtan a la corona castellana.

    ¡Ah!, bien los oigo por la noche oscura
cuanto te entregas a tu sueño blando,   50
en la vecina costa murmurando
cantos de seducción a tu hermosura:
«Despierta, dicen, reina sin ventura,
esclava del poder de San Fernando,
que ya de libertad llegó la hora   55
y ya puedes reinar, y eres señora.

    Si hubieron cetro tus antiguos reyes,
¿por qué el yugo sufrir de la extranjera?
Si tú le puedes dar al mundo leyes,
¿por qué no alzar tu nacional bandera?   60
¿Serán tus hijos como pobres bueyes,
cuyo trabajo a la comarca ibera
dará las mieses de tu campo ameno,
mientras ellos no más pacen el heno?...».

    Pero adormida tú, nunca a su canto,   65
inocente beldad, prestes oído:
¡ay de tu corazón si seducido
pierde la dicha de candor tan santo!

¡Ay si de España el amoroso manto
donde por tantos años has dormido,   70
loca rasgando tras la voz que miente
te osaras aclamar independiente!

      Pobre beldad, despojo del pirata,
ese mismo cantor que te enamora
te forjará en su harem, altiva mora,   75
recias cadenas con tu misma plata;
y ese brillante espejo que retrata
tus fiestas y tus náyades ahora,
por su navales guerras empeñado
reflejará tu rostro ensangrentado.   80

      ¿No eres libre y feliz? ¿No estás contenta
mientras nosotros sin cesar lloramos?
Mientras nosotros viejos peleamos,
¿no estás joven, tranquila y opulenta?
¿No nos ves en la noche turbulenta   85
que en las rocas del mar nos estrellamos,
que vamos a morir ya sin consuelo
mientras serena tú cruzas el cielo?

      ¿No ves nuestros monarcas fugitivos?
¿No ves nuestros pontífices huyendo?   90
¿No ves a Europa, cuya hoguera ardiendo,
se sustenta con carne de los vivos?
¿Serán nuestros dolores incentivos
que te harán suspirar por el estruendo
y del infierno con que Europa lidia   95
América, gran Dios, tendrás envidia?

      Cuentan los sabios que en la noche vienen
espíritus lanzados del profundo,
que la ruina del antiguo mundo
con acentos fatídicos previenen...   100
y que, será verdad... y que, ellos tienen
miedo del pueblo loco y moribundo,
que entre las ansias ya de la agonía
llama a la libertad con voz tardía...

      Y que a su triste voz vendrán las fieras   105
de esas comarcas tras la muerta gente

a hundir en sus cadáveres el diente
hozando entre su sangre sus banderas;
y que allá en las edades venideras
irán los peregrinos de Occidente   110
enseñando al francés en su ignorancia
a qué desierto se llamaba *Francia*.

Y a contar al inglés, que oyendo atento
de su patria estará las aventuras,
en qué vasto erial, en qué llanuras   115
la populosa *Londres* tuvo asiento;
cómo en chozas buscaron aposento
los hombres que habitaban las alturas,
y cómo sus magníficos vapores
se tornaron en barcos pescadores.   120

Y que, así como queda por los huertos
si la sacude lluvia anticipada,
no madura la fruta abandonad,
España quedará por los desiertos...
¡España con la sangre de sus muertos   125
hijos queridos, sin sazón regada,
que sacudida al golpe de la guerra
sin madurar se pudrirá en la tierra!...

Mas, primero que aquellos que con vida
queden en los desiertos europeos,   130
recogiendo sus libros y trofeos
irán a tu ciudad esclárecida;
y que, en vez de la historia entretenida
que nos enseñan hoy de los hebreos,
la nuestra en este libro han de enseñarte   135
«*Vida de Hernán Cortés y Bonaparte*».

Por eso aguardas tú como heredera
a que exhalemos el postrer aliento,
y ves rodar al pie de tu palmera
nuestras hojas de acacia por el viento;   140
porque has de trasplantar en tu pradera
a este mundo arrancado de cimiento,
para que en ese suelo más fecundo
broten las flores del antiguo mundo.

Por eso alhajas tu preciosa villa   145
para hospedar a nuestras pobres gentes;
por eso a tus hermanos de Castilla
les preparas caminos relucientes;
por eso de tus mares a la orilla
guardas entre tus palmas reverentes: 150
¡isla de salvación del pueblo ibero!
las reliquias del náufrago primero.

　　　¡Cortés, Cortés!, que le legó su gloria,
Cortés que prefirió tu cementerio,
la existencia en el mundo transitoria   155
temiendo sabio del anciano imperio,
la tumba de Cortés en tu hemisferio
de nuestra santa unión es la memoria:
¡sus huesos son de nuestra fe la prenda!
¡maldito el indio que sus huesos venda!   160

Sierra de la Jarilla, 1848

Poesías, 1852.

Octavas reales.

vv. 7-8: El poema está fechado en 1848; luego Carolina alude a la situación de revueltas generalizadas que ese año viven casi todas las naciones europeas. Son varios los poemas que de un modo u otro sacan a colación tan críticas circunstancias históricas. De hecho cuatro poemas de la compilación de 1852 («La aurora boreal», «En el castillo de Salvatierra», «En la muerte de una amiga» y «El amor de los amores») se ubican bajo el epígrafe *Adiós del año 1848* (pp. 62-67), y en las páginas inmediatamente anteriores de la referida edición (pp. 59-62).

v. 15. *de las antiguas zonas:* evidentemente, Europa, puesto que esa «barca dichosa» que es Cuba pertenece al nuevo mundo y es, por tanto, *nueva zona.*

vv. 35-36: *los buzos de Bretaña:* Inglaterra quería anexionarse Cuba en 1848 (Vallis, 1991, 418). Recuérdese el poema «Porque quiero vivir siempre contigo», vv. 163-164.

vv. 41 y ss.: ¿se alude a la flota inglesa que navegaba por el Atlántico, a la búsqueda de su expansión americana?

v. 77. *ese brillante espejo:* el Mar Caribe en el que se espejea la isla de Cuba.

vv. 89-90: En opinión de Noël Vallis (1991, 420) Coronado se refiere a dos hechos acaecidos ese aciago año de 1848: por un lado al destronamiento de Luis Felipe en Francia, y por otro a la huida de Su Santidad Pío Nono. Las dos referencias ya aparecen tratadas en otros textos de Coronado, como «A Luis Felipe destronado» y «La aurora boreal».

vv. 153-160: Carolina se equivoca al ubicar el enterramiento de Cortés en la isla cubana. Es verdad que la biografía del conquistador de Medellín está vinculada a Cuba en sus primeros años de aventura, pues participó en la expedición de Diego Velázquez a la isla, en 1511. Allí ejerció actividades muy diversas y llegó a ser alcalde del cabildo de Santiago de Baracoa. De allí partió en 1518, camino de la conquista de Méjico. Como bien se sabe, Cortés falleció en el pueblecito sevillano de Castilleja de la Cuesta, en 1547.

El año en que está fechado el poema, el 6 de julio, lord George Bentinck –como se alude en otros poemas de la extremeña– proponía ante el Parlamento británico que una manera de cobrar la deuda española a los acreedores ingleses sería la de anexionar a la corona británica las islas de Puerto Rico y Cuba. Y esa operación debería llevarse a cabo incluso por la fuerza. Esta situación se había visto precedida, y anunciada, cuatro años antes, cuando se produjo en la isla una sublevación de negros promovida por técnicos ingleses contratados por España para modernizar el cultivo de azúcar. La difícil situación que tuvo que afrontar el capitán general de la isla O'Donnell se suscitó ante la acusación de que España no cumplía los tratados de abolición del tráfico de negros (vid. el poema de Coronado a favor de la abolición de la esclavitud). (Para ampliar estas referencias, vid. Castilla, 1987, 117 y ss).

AL LICEO DE LA HABANA

Aquí ha vivido al pie de la corriente
conmigo nada más la golondrina:
¿quién pudo en ese vasto continente
el nombre repetir de Carolina?;
¿quién os dijo que canto tristemente   5
sino fuera del valle esa vecina,
que os va a contar al cielo americano
lo que pasa en mi tierra en el verano?

¿Es esa negra quien mi voz sorprende
cuando gimo en el valle descuidada,   10
y allá más lejos mi secreto vende
cuando yo de su amor no cuento nada?
No ha podido ella ser..., ella no entiende
ni mis suspiro ni mi voz ahogada,
y aunque a mi lado viva en el estío   15
nada os pudo llevar del canto mío...

¿Cómo tampoco el viento que a las olas
del olvidado Gévora murmura,
en las últimas tierras españolas,
os pudo trasmitir mi voz oscura?   20
¿Cuál, pues, de las marinas banderolas
que flotan de la mar por la llanura
agitando en sus olas la poesía,
americanos, transportó la mía?

Porque sabéis de mí... sabéis mi nombre...   25
sabéis que canto y repetís mi acento...
y en alabanza, porque más me asombre,
respondéis a mi oculto pensamiento;
y no adivina el corazón del hombre
lo que puede sentir ni lo que siente,   30

como en mi propio canto repetido
mi eterna gratitud no hayáis oído.

Sabréis que ha sido mi ventura tanta,
que yo he nacido en la inmortal colina
donde nació aquel hombre a cuya planta   35
el pabellón de América se inclina;
aquel por quien se eleva la cruz santa
y la luz evangélica ilumina
en ese mundo hermoso y opulento,
a donde fue a exhalar su último aliento.   40

Y sabréis que me siento en una peña
a ver al toro derribar la cuna
de aquel grande Cortés que nuestra enseña
clavó sobre las torres de la luna;
que en la cóncava piedra berroqueña   45
de su blasón echar de la laguna,
he visto el agua... y dar a nuestros bueyes
la copa digna de beber los reyes.

Y que levanto la mirada al cielo
a darle gracias porque el gran caudillo   50
no tiene su sepulcro en este suelo
que empaña de su cuna el claro brillo;
y que dirijo con gozoso anhelo
al Occidente el corazón sencillo,
para decir «salud» a los hermanos   55
que guardan los sepulcros castellanos.

Hijos de aquella isla hospitalaria
donde brindan las palmas en reposo,
sabréis cómo en mi tierra solitaria
agradecemos vuestro asilo honroso;   60
y apenas escucháis nuestra plegaria,
cuando teniendo el brazo generoso,
atravesáis el mar con digno ejemplo
para hacernos entrar en vuestros templo.

Y ¿a quién hoy sino a mí, pobre criatura,   65
cigarra de estos suelos labradores,
del áspero rincón de Extremadura
se tornan vuestros ojos protectores?

Mi canto agreste por mi tierra dura
el oído desgarra a los pastores,   70
y yo propia, cansada de mi tono,
al silencio del campo me abandono.

     Pero a vosotros mi insonoro eco
dulce parece por sonar lejano,
y ya del sulco en el ingrato hueco   75
vuelvo a cantar en mi eternal verano;
no importa que mi son rústico y seco
aleje a los pastores de este llano,
si atravesando los lejanos mares
llegan a vuestro cielo mis cantares.   80

     ¡Gracias!: el llanto que al oíros brota
refresca mi semblante y me consuela;
el alma a bordo de mi arpa rota
ya por los mares a encontraros vuela;
al pie de vuestra palma gota a gota   85
caerá ese llanto que mi fe revela;
¡y a la sombra feliz de vuestra palma
entre las vuestras vivirá mi alma!

Ermita de Bótoa, 1848

Poesías, 1852.

Octavas reales.

v. 51: Sobre la equivocada afirmación del lugar en el que descansan los restos de Hernán Cortés, vid. lo que se dice a propósito de los vv. 150-153 del poema «A Cuba».

v. 86: Es necesaria una sinéresis en la voz *caerá* para evitar el dodecasílabo.

El más reciente biógrafo de Coronado, Alberto Castilla, escribe lo siguiente sobre las circunstancias que generaron este poema: «Simultáneamente a su coronación en Madrid, el Liceo de la Habana dispuso admitirla como miembro de honor y rendirle homenaje, para cuyo acto Carolina compuso un poema que habría de ser leído en su ausencia.

De nuevo, Carolina mostró su fervor y pasión por la isla lejana a la que había emigrado uno de sus hermanos» (1987, 123).

EL SIGLO DE LAS REINAS. AL NACIMIENTO
DE LA PRINCESA DE ASTURIAS

¿Quién nos llora?... Un dulcísimo lamento
en el lejano viento
me parece escuchar... ¿Resuena un lloro,
o es el gemido blando
que en las peñas rodando   5
alza el agua del Gévora sonoro?

Mas, ¿no es el medio siglo?... ¿No es el día
en que nacer debía
nueva princesa, porque Dios abona
su reinado en el mundo,   10
y de reinas fecundo
es de reinas por siglos la corona?

En dos brazos el siglo dividido,
el uno ha recorrido
doce veces las horas del pasado,   15
y lento en su carrera
el otro de la esfera
a la mitad del círculo ha llegado.

Esta es la hora del suceso fijo
que el alma nos predijo   20
cuando rogamos con fervor al cielo,
y el acento más leve
que la ráfaga lleve
será la voz del ángel del consuelo.

¡Ay! yo apartada en valle tan distante   25
escucho palpitante
de roncos vientos el rumor lejano,
y no puede mi oído

percibir si el gemido
se exhala del alcázar soberano.   30

      Pero es mi corazón arpa vibrante,
que rompe en este instante
lanzando un himno de alegría a España,
y si me engaña el viento
remedando un acento,   35
la santa inspiración nunca me engaña.

      ¡Oh vosotros ligeros peregrinos
que podéis los caminos
cruzar por la pendiente de estas sierras!
Volad a las ciudades,   40
y desde Creus a Gades
veréis el resplandor de nuestras tierras.

      Si andáis de vuestra patria desterrados,
¡oh pobres desgraciados!,
sabed que ya al hogar volvéis mañana;   45
sabed que vuestros hijos
con locos regocijos
se acercan al cañón y a la campana.

      El bronce va a lanzar con voz tonante,
mísero caminante,   50
el grito de perdón de torre en torre,
perdón de muro en muro,
y del perdón seguro
ya de la torre al muro el niño corre.

      Esa voz misteriosa que gemía,   55
y que el son parecía
del viento que murmura en la palmera,
ese lloro suave
como el trino de un ave,
del ángel salvador el llanto era.   60

      ¿Por qué vienes llorando, tú, alma mía,
si eres nuestra alegría
y a esperarte los pueblos van cantando?
¿Por qué tu boca pura
que nos da la ventura,   65
ángel del cielo, nos la da llorando?

¡Bendito el llanto que tu rostro baña,
riego fecundo a España,
bebida de los pobres condenados
a los duros tormentos   70
que caminan sedientos
de sus huérfanos hijos apartados!

Agua bendita que de culpas lava
la humilde frente esclava
del que amarrado a las argollas gime;   75
¡cuántos beben tu llanto
y aclaman por mi canto
al ángel salvador que los redime!

Tú eres sólo, Señora, la afligida,
tú que eres tan querida,   80
tú que nos cumples la esperanza santa,
tú que el dolor serenas,
tú que calmas las penas,
tú sola lloras cuando el reino canta.

Hoy se calman por ti nuestros rencores,   85
hoy todos los clamores
son un canto de paz a tu venida,
tus tierras y tus mares
resuenan en cantares
que América repite conmovida.   90

Tus villas se iluminan una a una
para alumbrar tu cuna
como blandones de tu reino entero,
y a sus luces brillantes
se ven sombras errantes   95
que cruzan por el Tajo y por el Duero.

La historia que leí de los profetas
y divinos poetas,
viene esta noche a la memoria mía
por aquel gran consuelo   100
que en el monte Carmelo
la tribu del desierto recibía.

Ya cantan en el valle los pastores
entre zarzas y flores;

ya encienden las candelas a lo lejos   105
con la seca retama
a cuya roja llama
del Gévora relumbran los espejos.

      Es como entonces el diciembre helado.
El cielo está anublado   110
y blanco el suelo por la escarcha fría;
y así como has venido,
parece que ha nacido
el hijo deseado de María.

      Mas Dios permite, en sus eternas leyes,   115
que en vez de nacer reyes
nazcan a nuestro reino soberanas,
y a un dulce reinado
el siglo acostumbrado
te saluda en las tierras castellanas.   120

      Dios ha querido, en su saber profundo,
que de reinas fecundo
fuera este siglo con que al sexo abona,
y de reinas envía
la bella dinastía,   125
y es de reinas, por siglos, la corona.

      ¡Vivirás! –¡reinarás!–: la fe no miente
al corazón ardiente
que te presagia gloria venidera;
nuestro siglo ha vencido;   130
tú, princesa, has venido
a coronar el fin de su carrera.

Ermita de Bótoa, 24 de diciembre de 1851

Poesías, 1852.

Sextetos lira.

Esa Princesa de Asturias a quien se dirige el poema fue la hija primogénita de Isabel II, la infanta María Isabel Francisca, venida al mundo en

diciembre de 1851. La pluma de Carolina estuvo pronta a celebrar el natalicio real.

v. 41: Es decir, desde el cabo de Creus, en el extremo de la costa del noreste español, casi en la misma frontera con Francia, a la ciudad de Cádiz, en el extremo inferior de la Península.

v. 42: Se aludiría a las luminarias con las que se solía celebrar cualquier evento regio, como es el que se recoge en estos versos. Lo que se indica en esta ocasión se prolongaría con lo que se dice en el verso 48, las diversas manifestaciones con las que se indicaba los hechos felices o luctuosos relacionados con la corona: salvas de artillería o volteo de campanas.

v. 51: Según Noël Vallis (1991, 467) se refiere a la amnistía general concedida en 1850 por el gobierno de Narváez.

vv. 100-102: El Monte Carmelo, en Israel, protege la bahía de San Juan de Acre y sirve de abrigo natural al puerto de Haifa. En este monte, según la tradición, el profeta Elías reanudó su ministerio bajo el reinado de Acab, tras de un período de persecución del pueblo judío, y mostró, frente a los sacerdotes de Baal, que Yahvé era el único Dios verdadero (*Libro Primero de los Reyes,* cap. 18).

vv. 103-114: El poema está fechado en el día de Navidad de 1851, y en esas fiestas se produjo el alumbramiento de la reina. La alegría de las gestas ante el nacimiento regio se hace comparable a la del nacimiento de Nuestro Señor, conmemorado cada Navidad.

v. 117: Vigente todavía la ley sálica, la primogénita de Isabel II sería, lógicamente, su heredera al trono. Por ello había recibido el título de Princesa de Asturias.

En la Biblioteca del Palacio Real de Madrid (signatura X-1.140) se conserva un ejemplar encuadernado en raso, con tafiletes dorados, que reproduce este poema, sin variantes, en una tirada de la Tipografía del Semanario Pintoresco, y remitida probablemente por la autora o por los editores a la Real Casa. El referido impreso, fechado en 1852, va precedido del siguiente título: *EL SIGLO DE LAS REINAS. ODA AL NACIMIENTO DE LA PRINCESA DE ASTURIAS POR LA SEÑORITA DOÑA CAROLINA CORONADO.*

A.S.M. LA REINA MADRE DOÑA MARÍA CRISTINA DE BORBÓN

Aquel nombre primero
que bendijo mi labio balbuciente,
después que prisionero
vi a mi padre inocente,
fue, Señora, tu nombre reverente.   5

    Aquella faz hermosa
que, después de la faz hermosa y santa
de mi madre amorosa
miré con ansia tanta,
fue, Señora, tu faz que al mundo encanta.   10

    La primera alegría
que de mi triste infancia en los albores
recuerda el alma mía,
brotó con tus favores
como al rayo del sol brotan las flores.   15

    Y la primera gala
que el sereno y trasparente cielo
al puro azul iguala,
la vestí con anhelo
por celebrar tu nombre y mi consuelo.   20

    Yo entonces no sabía
cómo en la vaga mente se creaba
la sonora poesía,
pero entonces cantaba
los himnos que en tu honor el pueblo alzaba.   25

    De tu dulce amnistía
a la sombra feliz hemos crecido,
las que niñas un día

tanto habemos sufrido
que sin ti fuera triste haber nacido.   30

    Con noche muy oscura
nacimos en el siglo desgraciado,
y nunca la luz pura
hubiéramos gozado
si no le amaneciera tu reinado.   35

    Luz trajo tu venida,
luz tu sonrisa, luz es tu mirada,
y a tu luz atraída,
ave desorientada,
yo te vine a buscar triste y cansada.   40

    Y tú al ave importuna
que de Aranjuez al campo retirado
fue a gemir su fortuna,
tendiste con agrado
tu mano, que es su nido regalado.   45

    Al verte, a mi memoria
vino el recuerdo de la infancia mía,
toda la amarga historia
del padre que gemía,
y tu grandeza soberana y pía.   50

    Recordé tu hermosura,
como del campo la primera mañana
que en nuestra infancia pura.
Con el alba lozana,
se muestra tan risueña y tan galana.   55

    Y los himnos suaves
que gozosos cantaban mis hermanos,
al compás de las aves,
por los floridos llanos,
en honor de tus rasgos soberanos.   60

    Y por eso a tu planta,
sin poder exhalar palabra alguna
mi anudada garganta,
quedé, como en la cuna
el niño enbelesado al ver la luna.   65

Y nunca mi cariño
te hubiera expresar con un acento,
si, cual la madre al niño,
no me enseñara atento
tu labio a traducir mi pensamiento.   70

Tú al canto del *Petrarca*
y del *Tasso* a los épicos sonidos,
en la bella comarca
los muy blandos oídos
tienes acostumbrados y entendidos.   75

Yo no sé hacer canciones
que el genio inspira, que el talento ordena,
mas, ¡ah! los corazones
que el entusiasmo llena,
tienen de gratitud fecunda vena.   80

De un alma agradecida
comprende el amoroso sentimiento,
sin arte y sin medida,
que el agradecimiento
es, Señora, virtud, mas no talento.   85

Mejor sé verter llanto
estrechando tus manos contra el pecho,
que encerrar en mi canto,
con un límite estrecho,
la gratitud que Dios tan grande ha hecho.   90

Al decir que te ama
el corazón, Señora, no se inquieta
por la apolínea llama
que, al numen no sujeta,
prefiero ser mujer a ser poeta.   95

No puedo consagrarte
rico poema do tu augusto nombre
con perfección del arte
al universo asombre,
que los épicos cantos son del hombre.   100

Mas ruego cada día
en piadosa oración, que es más sonora,
a la Virgen María,
que te sea, Señora,
como eres tú, mi augusta protectora.   105

Madrid, 1852

Poesías, 1852.

Liras.

vv. 1-5: Se hace referencia en la primera lira de este poema a unas circunstancias familiares que eran aludidas, muy de pasada, en el verso 20 del poema «Despedida de mi hermano Ángel. El Dolor de los dolores». Efectivamente, Don Nicolás Coronado y Gallardo, padre de la poetisa, estuvo encarcelado en Badajoz hasta la amnistía de 1829, con motivo del matrimonio de Fernando VII con María Cristina de Borbón (*Castilla,* 1987, cap. primero).

v. 35: María Cristina de Borbón (1806-1878), cuarta esposa de Fernando VII, fue regente del reino a la muerte del Deseado y hasta la mayoría de edad de su hija Isabel II (1833-1840). Tuvo que afrontar los avatares de la primera guerra carlista e intentó el gobierno del país con el Estatuto Real que redactó Martínez de la Rosa, pero el motín de La Granja le obligó a volver al Constitucionalismo. Abandonó el poder en 1840, exiliándose en Francia.

vv. 41-43: Deducimos en estos versos que el presente poema –de ocasión– se escribió con motivo de la audiencia que la reina madre concede a Carolina en 1852, en el palacio de Aranjuez (v. 42), a poco de contraer matrimonio. Desde luego en aquellos años, en que reinaba Isabel II, María Cristina influyó poderosamente en política, y se mezcló con una serie de negocios turbios que acrecentaron su desprestigio.

LA DESGRACIA DE SER HIJOS DE ESPAÑA

Esta serenidad de la campiña,
la virginal vegetación del suelo
que a nuestros ojos representa niña
la vieja tierra; el canto, el manso vuelo
del bando de aves que hacia aquí se apiña: 5
la vaca dando leche al tierno hijuelo
en medio el monte solo y sosegado
¿habéis en este mayo contemplado?

Y de ese monte en la tranquila falda,
sentado sobre el tronco de la encina,   10
admirando el azul, la rica gualda
del cielo, el orden con que el sol camina:
de aquella sociedad que a nuestra espalda
dejamos tan ruin y tan mezquina,
¿no os parece el recuerdo en este instante   15
más cruel, más agudo, más punzante?

El filósofo, amigos, nos engaña
cuando nos da del campo la armonía,
la paz y sencillez de la cabaña,
del bosque la risueña lozanía   20
para alegrarnos; ¡ay! no los de España
que comemos el pan de cada día
más amargo que hiel; dulzura hallamos
en las campiñas ya: ¡tarde acordamos!

Si fuera antes de ver caliente y tinta   25
la requemada sangre del soldado
correr a nuestros pies... la suave cinta
del gracioso arroyuelo plateado
que entre las flores de variado pinta,
juego bullendo en el lujoso prado,   30

nos pareciera alegre, como un día
a los hijos de Arcadia parecía.

  Pero se avienen mal desdichas graves
con la benigna paz de los oteros,
con los trinos gozosos de las aves   35
y el humilde balar de los corderos.
Cuanto son estas horas más suaves,
más duros son nuestros pesares fieros,
dándonos por contraste aquí en la tierra
la ajena paz con nuestra propia guerra.   40

  Porque en el campo ya plantas extrañas,
desde que allá a jardín nos trasplantamos,
para insectos, reptiles y alimañas
el campestre placer abandonamos;
las inseguras débiles arañas   45
andan mejor que por la selva andamos,
y es más rica y feliz la baja hormiga
que logra un agujero y una espiga.

  ¡Cuánta envidia nos dan! ¡Cómo hace alarde
hasta el negro moscón que rasga el viento   50
de aquella libertad, que esta cobarde
generación no logra! ¡Qué sediento
nos queda el corazón cuando en la tarde
después de contemplar el movimiento
de esa naturaleza satisfecha,   55
su parte de placer de menos echa!

  Parece que los vivos colorines
que a los nidos retornan gorjeando,
de nuestras artes, ciencias y festines,
cuando al pasar nos ven, se van mofando.   60
¿No sentís en el rostro los carmines
del rubor asomar, tristes pensando
que con tanto saber el hombre sabe
pues no se hace feliz menos que el ave?

  ¿Qué hemos de hacer sino sentir tristeza   65
hasta en medio del mundo campesino
que nos brinda tan sólo su belleza
para agravar aún más nuestro destino?

En vano el monte muestra su grandeza
y sus alas despliega el blanco espino;   70
murmura el río, las alondras cantan
y los cielos y tierra se abrillantan.

Nosotros nos venimos al riachuelo
para admirar su pez ni ver su espuma,
ni divertimos espantando el vuelo   75
del pajarillo de graciosa pluma.
Poco sabe de penas ¡vive el cielo!
quien tal de nuestro espíritu presuma,
y vano corazón tendrá el menguado
que tan contento viva y descuidado.   80

No, no venimos a esparcir al viento
el ánima doliente en nuestros días;
no venimos en busca de contento
ni tampoco a dejar melancolías;
venimos, pues no entienden nuestro acento   85
las duras rocas, las encinas frías,
venimos a esconder en la montaña
la desgracia de ser hijos de España.

Ermita de Bótoa, 1847

Poesías, 1852.

Octavas reales.

A meses vista de los levantamientos republicanos del 48 y del comienzo de la segunda guerra carlista, la controvertida situación española durante el período de gobierno moderado que se inicia en 1845 inspira a Carolina estas octavas en las que la poetisa contrapone la mítica Edad de Oro, propia de una cosmovisión arcádica, con la situación de su presente, cuando el refugio en la Naturaleza (huyendo de una civilización corrompida y corruptora) no es para gozar en ella y de ella, sino para confiarle –confidente– la queja por una situación de la que la poetisa se siente avergonzada, y que expresa en el último verso del poema.

v. 11. *la rica gualda:* Planta herbácea de flores amarillas. En este texto se utiliza como sinónimo de 'adorno' del cielo (estrellas, luceros, nubes, etc.).

v. 32. *Arcadia:* Como se representa en el cuadro de Nicolás Poussin *Los pastores de la Arcadia,* se designa con ese nombre (el de una región del centro del Peloponeso) el mítico espacio de la literatura pastoril en el que reina la más total de las armonías entre Hombre y Naturaleza. Carolina procura oponer a un espacio agresivo, violento, incluso bélico (español o europeo) del que le llegan noticias, el espacio personal, interior, inmediato a su geografía vivencial, que bien pudiera calificarse de «arcádico» en muchas de sus características y cualidades.

EL ÚLTIMO DÍA DEL AÑO Y EL PRIMERO

A mi hermano Pedro

    Aquí tienes al anciano
terminando su agonía,
y al niño en el mismo día
empezando su vivir.
   Escucha cual suena, hermano,   5
de ese que viene el gemido
con el adiós confundido
del otro que va a partir.
     ¿Qué es más triste, la ignorancia
de aquel que busca la vida,   10
o de otro que perdida
deja la vida, el saber?
   ¿Qué lloras más, a la infancia
que a padecer se encamina,
o a la vejez que termina,   15
hermano, su padecer?
    Tuvo el año lozanía,
bella fue su primavera,
mas ¿sabes en la pradera
para qué las flores son?   20
  Para hacernos más sombría,
cuando acaba su belleza,
de los campos la tristeza
en la invernal estación.
    ¿Dudas? ¡Ay!, estrecha cuenta   25
hoy al año reclamemos,
y sus penas coloquemos
al lado de su placer.

Ya verás cuál se acrecienta
ancho el cerco de sus males,   30
y el de sus bienes cabales
cuán estrecho viene a ser.

Tenemos pena cumplida,
ventura sólo aplazada,
con lágrima anticipada   35
tan antes pagada ya,
que parece que la vida
proscrita al placer tenemos,
y sólo que le soñemos
castigo el dolor nos da.   40

Tal nos pasa, tal sufrimos,
tal es el mundo presente;
tras nosotros otra gente
más dichosa ha de venir;
que las almas que nacimos   45
de este siglo entre las guerras,
para cruzar nuestras tierras
en un perpetuo gemir.

Bardos vendrán más contentos
en otra edad venturosa   50
que la vida hallen hermosa
y canten sólo placer;
mas nosotros, descontentos
de estos tiempos revoltosos,
con los ojos lagrimosos   55
cantamos el padecer.

Y cuando el año termina
más nuestro duelo se aumenta;
triste el año es que ahuyenta
¿más cómo el otro será?   60
Esa aurora que vecina
sigue ya a la noche esta,
en alas del sol traspuesta,
¿sabes tú qué luz traerá?

¿Podrán los ojos mirarla   65
frente a frente sin recelo?

¿Brillará pura en el cielo?
¿Saldrá envuelta en lobreguez?
  ¿Vendrá algún rostro a eclipsarla,
tanta nube a oscurecerla,   70
que nunca logremos verla
en completa brillantez?
      Allá los sabios que miran
por la noche a los luceros,
en sus cálculos certeros   75
lo que averiguan dirán;
  mas a mí que no me inspiran
profecías las estrellas,
no puedo decir por ellas
lo que los años traerán.   80
      Pero los temo y los lloro,
y entre su noche y su aurora
está para mí la hora
más triste del corazón;
  del rudo bronce sonoro   85
que entrambos años separa,
temblando aguardo la clara
y solemne vibración...
      Dos... cuatro... seis... alegría
al que nace saludemos;   90
ocho... diez... doce... ¡lloremos
al que deja de vivir!
  Es del año la agonía
y el nacimiento del año,
la esperanza y desengaño   95
lo pasado y porvenir.

Ermita de Bótoa, 1847

Poesías, 1852.
Octavillas agudas.

EL AÑO DE LA GUERRA Y DEL NUBLADO

Antes apareció rojo cometa
y sobre España levantó su vuelo,
y una noche sombría por el cielo
le salió a contemplar la gente inquieta;
y entonces anunció el vulgo-profeta,   5
en confusión y vago desconsuelo,
calamidades tristes que vendrían...
y los sabios entonces se reían.

¡Ay, pero yo jamás! Alcé la frente
y la terrible aparición mirando,   10
en una piedra me senté llorando,
sin apartar los ojos del Oriente;
y no olvidé la claridad hiriente
de aquel fantasma, aunque con rostro blando
para borrar su imagen importuna,   15
tras el cometa apareció la luna.

Al año del augurio temeroso
que tan triste os canté cuando nacía,
¿le vísteis ya?; ¿no os dije que traía
el disco de su frente nebuloso?   20
¿no os dije que una noche, sin reposo,
gimiendo por el año que moría
sentí en mi corazón pavor extraño
al asomar la luz de nuevo año?

¿No os dije que el espíritu invisible,   25
que vuela con la sombra en el vacío,
vaga en la noche siempre en torno mío
y habla a mi corazón en voz sensible?
¿No os dije que en su canto, incomprensible
para el alma sin fe del hombre impío,   30

escuché el porvenir infortunado
del año de la guerra y del nublado?

       Yo conozco al dolor. Constante lazo
formado con el hilo de mi vida
tiene conmigo, y siento su venida   35
al recibirle con estrecho abrazo;
yo le he dado pedazo por pedazo
el alma, y en sus marchas entendida,
si un paso hacia nosotros adelanta
primero que el feliz, siento su planta.   40

       ¡Ay, por eso lloré cuando de enero
el sol primero lastimó mis ojos!
Otros alegres sus matices rojos
tomaron por señal de buen agüero.
¡Ay de mi corazón, que fue el primero   45
para sentir del año los enojos,
sufriendo ya el dolor anticipado
del año de la guerra y del nublado!

       Triste nube cubrió la primavera..
¿Las flores dónde están? ¡Flores perdidas!,   50
¡antes para mis ojos tan queridas,
tan olvidadas hoy en la pradera!
Ved si será mi pena verdadera
que las huellas mis plantas homicidas,
y con amarlas tanto y ser tan bellas,   55
morir las dejo sin dolerme de ellas.

       Así también murieron mis venturas,
y no me duelo ya. ¿Qué de las flores?
Por las plantas, Emilio, nunca llores,
llora por el dolor de las criaturas;   60
a las aves que mueren, sepulturas
abres con simulacros de dolores;
¡ah! ¡que el mundo el padecer no sabes,
cuando también te dueles por las aves!

       ¿No ves las nubes del oscuro cielo   65
crecer y resonar? Alza los ojos.
¡No ves la luna entre vapores rojos
que nueva tempestad anuncia al suelo!

Llora, llora con grande desconsuelo
del irritado Arcángel los enojos,   70
que a los pueblos, Emilio, ha condenado
al año de la guerra y del nublado.

            Por tu inocente boca habla a las gentes,
ora habiten los campos, las ciudades,
y diles que a las nuevas tempestades   75
preparen ya los ánimos pacientes;
diles que en las alturas eminentes
de las más escondidas soledades
huyan a conjurar el genio airado
del año de la guerra y del nublado.   80

            Vuela, y al labrador de valle en valle
grítale y al pastor: «¡Huid la tormenta;
que ni en la mies ni en la cabaña os halle
del huracán la ráfaga violenta!
Que no aguardéis a que en el aire estalle   85
ese ardiente vapor que se acrecienta;
porque es mortal el fuego concentrado
del año de la guerra y del nublado».

            Y torna hacia el altar donde recemos
la más larga oración que tu memoria   90
conserve, Emilio, de la santa historia
que de la propia madre ambos sabemos;
y ojalá que estos ruegos que elevemos
los escuche el Señor desde la gloria;
y salve a nuestro pueblo desgraciado   95
el año de la guerra y del nublado.

Ermita de Bótoa, 1848

Poesías, 1852.

Octavas reales.

vv. 1 y ss.: Tal vez Carolina aluda a uno de estos dos cometas, IV
(Vico) o V (Brorsen, éste último uno de los seis cometas de la familia de
Neptuno) que fueron avistados respectivamente en 1846-1847.

Por otra parte en el poema también se hace eco Carolina –en coincidencia con lo referido en otros textos, como el dedicado al destronamiento del monarca francés Luis Felipe– de los numerosos e intentos sucesos revolucionarios que registraron casi todos los países europeos durante ese año (en España se prolongaban las operaciones de la segunda guerra carlista) y que iban suponiendo el despertar de un creciente proletariado con conciencia de su propia clase en todo el viejo continente. Recordemos que en ese año, además de los decisivos sucesos franceses, se registró una revolución en Berlín a comienzos de marzo y a mediados del mismo mes Metternich huye de una Viena casi al mismo tiempo que se proclama independiente Venecia. En ese año de 1848, el de la unificación de Italia, registra un motín en Roma (24 de noviembre) que obliga al Papa a refugiarse en Gaeta, al tiempo que Marx y Engels redactan el Manifiesto Comunista.

LA AURORA DE 1848

Ya se presenta allí, ya nos aguarda:
decid, ¿no os acobarda,
corazones humanos, su venida?;
¿hay alguno que inquieto
no esté con el secreto   5
que esconde el porvenir para su vida?

Yo os conjuro a mirar la última estrella
que humilde luz destella,
cuando empieza a radiar el sol naciente;
y os conjuro, mortales,   10
a recordar los males
que lloráis del pasado amargamente.

Yo en mi atrevido, pertinaz empeño,
quiero apartar del sueño
el ánimo tranquilo y descuidado,   15
porque en sí mismo lea,
y en cuanto le rodea
estime el porvenir por lo pasado.

¿Quién el feliz será que ningún daño
ha sufrido en el año   20
que hacia el abismo rápido desciende,
y en soñolencia vaga
ve el astro que se apaga
y no quiere mirar al que se esciende?

¿Quién será que del año en el espacio   25
la rueda de topacio
del sol sobre su frente no ha sentido,
destrozando las flores
de sus bellos amores,
de su esperanza, de su bien querido?   30

Cada cual en su historia lastimada
arroje una mirada
de su pena al recuerdo lastimero;
y temblará de espanto
al pensar que otro tanto   35
tal vez te aguarda el año venidero...

  ¡Ah! –Vos diréis que lóbrego y sombrío
empiezo el canto mío,
en vez de alzar con plácida sonrisa
himno que alegre el alma,   40
dulce expresión de calma
del feliz corazón de una poetisa.

  Vos diréis que los mágicos jardines,
los bosques de jazmines,
orgullo de la hermosa Andalucía,   45
deben de mi cabeza
alejar la tristeza,
despertar mi entusiasmo y mi alegría.

  Diréis que en el murmullo de esas fuentes
se calman las vehementes   50
penas del joven corazón herido,
y que a esta tierra agravio,
si no expresa mi labio
la dicha que en sus campos he sentido.

  ¡Ay! sí; yo cantaré cuando me aleje   55
tal vez por siempre, y deje
la tierra, alivio a mi salud perdida;
yo elevaré un acento
de hondo agradecimiento
en el adiós de tierna despedida.   60

  No olvidaré las fuentes bulliciosas
ni las perennes rosas,
que esmalta sin cesar tibio rocío;
ni la luz trasparente
de un sol siempre luciente   65
sobre el cristal de su encantado río.

  Yo en las ruinas que cantó Rioja
he besado la hoja

de una amarilla flor, que allí temblando
crecía en una roca;   70
yo he llevado a mi boca
la corona real de San Fernando.

     Yo del audaz Colón sobre la losa
he orado respetuosa
en la gran catedral, bajel divino,   75
digno del bueno piloto
que un nuevo mundo ignoto
buscaba por el piélago marino.

     No; yo no olvido cuanto grande encierra
esta gloriosa tierra;   80
y cuando quiera el Dios de la armonía
cesar en su abandono,
elevaré mi tono
para cantar la bella Andalucía.

     Diré cómo he venido, triste ave,   85
a este clima suave
donde he encontrado generoso abrigo;
y que, siempre querida,
del árbol que me anida
la benéfica sombra irá conmigo.   90

     Diré que la amistad me dio sus brazos,
que los más puros lazos
me estrechan con dulcísimos favores
en esta tierra bella:
diré que he hallado en ella   95
toda alusión... excepto los amores.

     No seré como el mísero gusano
que en el ramo lozano
después que logra protector asilo,
marchita su frescura,   100
royendo la flor pura
en cuyas hojas reposó tranquilo.

     Pero es la vez primera, ¡oh madre mía!
que el grave y santo día
en que el año nos muestra sus albores   105
vivo de ella apartada,

y me siento agobiada
de dudas, de presagios, de temores.

Por más que esfuerzo el ánimo caído,
por más que del sentido   110
quiero alejar presentimientos vanos,
la pena me quebranta,
se anuda mi garganta
al recordar mis padres, mis hermanos.

El año expira... en él ya no los veo   115
sino por el deseo;
pálido el nuevo sol irá mañana
con sus rayos perdidos,
cuando aún estén dormidos,
las rejas a alumbrar de mi ventana.   120

Mis tórtolas con queja lastimera,
sin mí por vez primera,
saludarán del astro la venida;
¡hartas veces cantamos
y juntas celebramos   125
la antorcha de esos años extinguida!

Y he visto que los años mi contento
de uno en otro momento
en mi espíritu han ido amortiguando,
y que de mi poesía   130
la llama que lucía,
poco a poco también se fue apagando.

¿Qué nos traerá ese sol aun escondido
a este mundo afligido?
¿Qué nuevo llanto verterán los ojos?   135
¿A qué ignorada pena
la suerte nos condena
en sus varios y fáciles antojos?

Tal vez de España, guerras, desventuras,
aguardan las criaturas,   140
o el espantoso azote del Oriente
vendrá, salvando mares,
las vidas a millares
a devorar a nuestra pobre gente...

¡Y el año expira... y suena la campana   145
que pronuncia el mañana!
Y ciegos, sin saber dónde corremos,
por más que le temamos,
al porvenir nos vamos,
¡aunque en el fijo mal nos estrellemos!   150
    ¡Mísera condición! Nadie nos guía
esta noche sombría;
perdemos ya de vista a un enemigo
en el año que ha muerto:
pero ¿sabéis de cierto   155
si en el presente hallamos un amigo?
    Vos no temáis, aunque enemigo sea,
porque en esta pelea
sois hombres, al fin, y con valor os vemos
a sufrir padeceres;   160
¡pobres de las mujeres
que ni valor para sufrir tenemos!
    Y aun cuando el año próvido y fecundo
venga sobre este mundo
a dar de bienes su rocío santo,   165
siempre, sin dichas otras,
será para nosotras
¡estéril en placer, fecundo en llanto!

Poesías, 1852.

Sextetos alirados.

v. 67: El poeta Francisco de Rioja (a quien dedicó un poema Coronado, en la sección de los «poetas». Vid. el poema «A Rioja») nació en Sevilla en 1583 y murió en Madrid en 1659, racionero de su catedral, in-
quisidor del Tribunal sevillano y cortesano versado en cuestiones
literarias; cercano al Conde Duque de Olivares, estudioso acaudalado en
el retiro sevillano y persona influyente en la corte: comisionado del cabildo sevillano, bibliotecario real, y consejero del Santo Oficio. Bajo el ma-
gisterio de Herrera, Rioja (el poeta alabado por los neoclásicos por su
«buen gusto») fundamenta su poesía en el arte como mensaje, y no como
pura expresión formal. Su poesía, imitadora de Herrera en lo amoroso, y

horaciana en los planteamientos de problemas morales, es claro ejemplo de la temática de la poesía barroca, poesía de alcance existencial. La naturaleza (en su mutabilidad tempo-espacial), el mar (falaz seductor que induce al peligro del naufragio de la vida), las ruinas (simbolización del tiempo ido, de su poder, y de la *vanitas vanitatum* del hombre y de sus huellas) y las flores (en su doble posibilidad, plástica y simbólica) constituyen el repertorio temático fundamental del poeta sevillano: la coincidencia con los motivos dominantes en la poesía caroliniana es evidente. «Rioja, en las cercanías cronológicas del tan abominable –para los neoclásicos– culteranismo, representaba el ideal del "buen gusto", del equilibrio que hace pocas concesiones a un barroquismo que ellos entendían como palabra hinchada». Así calibra el significado de Rioja en la historia de la poesía española su reciente editora y estudiosa Begoña López Bueno (*Poesía* de Rioja, Madrid, Cátedra, 1984).

Carolina alude concretamente al soneto de Rioja «Estas ya de la edad canas ruinas», uno de los mejores registros del canto a los restos arqueológicos de la sevillana Itálica, desde otro soneto de Herrera, «Esta rota y cansada pesadumbre» y que llega a su culminación en el recordadísimo poema de Rodrigo Caro «Estos Fabio, ¡ay dolor!, que ves ahora» (vid. la recopilación de textos de STANKO B. VRANICH, *Los cantores de las ruinas en el Siglo de Oro,* Ferrol, Esquío, 1981). El endecasílabo final del soneto riojano –«cubre hierba, y silencio y horror vano»– es, en opinión de la profesora López Bueno, «la más expresiva síntesis de la inanidad de todo lo humano que puede encerrarse en unas pocas sílabas».

v. 75: Al relacionar la poetisa la catedral sevillana –referente de otro poema de Coronado– con la figura del descubridor y navegante Colón, no ha de extrañar que dicho templo aparezca bajo la imagen de un gran barco de piedra («bajel divino»), sumando un ejemplo más a la reiteración de imágenes marinas en la poesía de Carolina.

v. 141. *el espantoso azote del oriente:* El cólera amarillo o asiático, llamada así por ser una enfermedad infecciosa endémica en la India, que se extendió por el mundo en siete grandes pandemias escalonadas a partir de 1827 (cf. el poema «Porque quiero vivir siempre contigo»,vv. 145 y ss.).

v. 163. *próvido:* 'propicio', 'benévolo', y también 'cuidadoso y diligente para proveer'. Se opondría al adjetivo «estéril» del último verso.

LAS TORMENTAS DE 1848

¿También aquí, Señor, en las entrañas
del solitario monte a los oídos
vienen a resonar voces extrañas,
gritos de guerra y ecos de gemidos?
Negra sombra desciende a las cabañas,   5
lanza el perro medroso hondos aullidos,
y claridad fantástica ilumina
el trémulo ramaje de la encina.

Y suena por los valles la campana
de la vecina ermita; el ronco acento   10
del fiel pastor, que los jarales gana
de la espantada cabra en seguimiento;
y otro gemir, que imita voz humana,
y es canto de mortal presentimiento
que exhala un ave, inmóvil tenazmente   15
entre la yerba, al pie de la corriente.

Y oigo el aire silbar, y de la tierra
por la pesada gota removida
la exhalación percibo, y de la sierra
el gas de la cantera humedecida;   20
y oigo del lobo, que en el monte yerra
tras de la res cansada y perseguida,
el sordo aullar, que en confusión lejana
se pierde con el trueno y la campana.

Veo la lluvia correr, abrir los lagos,   25
despeñada rodar por las pendientes,
y henchir de los arroyos las crecientes,
y entrar en la cabaña haciendo estragos.
Y oigo el viento arreciar, y oigo las gentes
campesinas gritar en ecos vagos,   30

y a un pájaro en las ramas intranquilo
buscar en las más altas nuevo asilo.

    Veo caer los árboles floridos
sobre el agua, la mies y los corderos;
por el valle los fresnos más erguidos   35
hundirse en la arriada los postreros,
y flotar de las tórtolas los nidos,
y el hato del pastor, y los aperos
del labrador revueltos zozobrando,
y a los bueyes pasar sobrenadando.   40

    ¿Adónde estás, clarísima ribera,
en que la luz del sol no se escondía,
sino un instante en la azulada esfera
cuando la blanca nube aparecía?
¡Ah, que ya te perdí, luz pasajera!,   45
ya nunca te veré...; nube sombría
se esparce en este pálido horizonte,
y truena por los ámbitos del monte.

    ¿Pero será también, lirio florido,
cielo de claro sol que te has nublado?   50
¿Será que de las balas el ruido
por tu serena atmósfera ha tronado?
¿Será que en vez de lluvia, sangre ha sido
la que regó tu valle sosegado?
¡Será verdad, Señor, que en ciega saña   55
cayeron, como el árbol, los de España!

    Y ¿es verdad que cayeron los del Sena
y los hijos del Po y los de Duna,
cual remolinos de caliente arena
bajo la lluvia?... ¡Almas sin fortuna!   60
Y ¿el sol esclareció con faz serena
de sangre aquella vívida laguna,
de muerte aquella palpitante alfombra,
o estaba el cielo así velado en sombra?

    ¿Los viste tú? ¿Oíste los gemidos   65
de las llorosas madres abrazadas
a los jóvenes cuerpos, divididos
por el golpe mortal de las espadas?

¿No asordó como el trueno los oídos,
no cegó como el rayo las miradas...   70
al estallar un cetro en cien pedazos,
brillando entre humeantes cañonazos?...

      Y ¿es verdad que las tímidas doncellas
ciñen el casco, vibran los aceros,
y ven caer bajo sus manos bellas   75
impávidas los muertos caballeros?
Y ¿es verdad que irritando las querellas
y las venganzas de los odios fieros,
ostentan en su sien con vanagloria
el fúnebre laurel de la victoria?   80

      Y ¿es verdad que en la plácida comarca
do el glorioso Virgilio está durmiendo,
se levantan un pueblo y un monarca
a turbar su reposo con su estruendo?
¿Que del amante y casto y fiel Petrarca   85
las sagradas cenizas removiendo,
huellan sus palmas con los duros callos
sobre su misma tumba los caballos!

      ¡Mas qué nuevo fragor!... El norte truena.
¡Triste Alemania, pueblos desgraciados!...   90
Ya están los ojos de mirar cansados,
ya no puedo, Señor, con tanta pena.
Yo me torno a la ermita, donde suena
la campana, y que truenen los nublados;
yo buscaré el reposo de mi alma: 95
no quiero tempestad, quiero la calma.

      Yo, Señor, el cobarde pensamiento,
al contemplar del mundo los horrores,
en mi cabeza fatigada siento,
y quiero refugiarme en mis amores.   100
Quiero en mi corazón buscar aliento,
de la tormenta huyendo los furores...,
mas ¡ah Señor! ¡¡también ronca y violenta
dentro del corazón hallo tormenta!!

      ¿Cómo olvidé, mirando por el monte   105
las frentes de los árboles hundidas,

que el nublado que envuelve mi horizonte
hundió mis esperanzas más queridas?
¿Cómo dejo que el alma se remonte
allá por las ciudades combatidas;   110
si yo en mi corazón, fiero enemigo,
tengo la tempestad, que va conmigo?

    ¿Llora el pastor su choza destrozada?
¿Gime el rey su palacio arrebatado?
También mi corazón una morada   115
tuvo, y la tempestad la ha derribado;
también una mansión bella y dorada
y el sañudo huracán se la ha llevado...
Con él fueron mis chozas, mis ciudades:
¿quién me consuela a mí en mis tempestades?   120

    Señor, de mi tormenta oscura, ardiente,
nadie ve el rayo ni percibe el trueno;
pero mi oído rebramar la siente,
pero la siente batallar mi seno.
Pero consume dolorosamente   125
mi corazón, cuando a mis solas peno.
¿Dónde la paz si el cielo, si la tierra
si el corazón la tempestad encierra?

    ¿Será en la luna que hacia el monte asoma
entre la nube que al Oriente avanza?   130
¿Va a dar consuelo a la abrasada Roma,
viene a dar a nosotros esperanza?
¿Es, Señor, de los cielos la paloma
que en esta tempestad tu mano lanza,
y vuela, entre las nubes fugitiva,   135
con el ramo pacífico de oliva?

    Yo no quiero su luz; recuerdo amargo
de mi perdido bien, su luz me ofende,
y hace en la noche el padecer más largo
cuando en vagos delirios me suspende.   140
¡Ay! que es cruel del alma en el letargo
si una memoria hermosa nos sorprende...
No más luz que tu luz, Señor, deseo:
ya a ti en la oscuridad siempre te veo.

Pero que alumbre por el monte oscuro   145
para mostrar la senda a los pastores;
que a merced de la luna alcen seguro
resguardo los campestres moradores;
que desparezcan, a su rayo puro,
las sombras, la tristeza, los temores,   150
y que, otra vez, los campos sosegados
brillen por su fulgor iluminados.

Pero que extienda sus celestes alas
sobre el pueblo que gime moribundo;
que esparza el resplandor que le regalas   155
aplacando la cólera del mundo;
sobre el estrago horrible de las balas,
que hace de Europa el genio foribundo,
¡que ilumine, Señor, y que ella sea
paz en los odios, tregua en la pelea!   160

Ermita de Bótoa, 1848

Poesías, 1852.

Octavas reales.

vv. 55-56: En estos versos están presentes los ecos de los levantamientos republicanos y carlistas del año 1848.

vv. 57-58: Parejamente a las alusiones que se hacen a la coetánea situación española, en estos versos Carolina hace mención de los hechos revolucionarios del 48.

vv. 81-90: Similar alusión a otros hechos que afectaron a la situación italiana y alemana en aquellas calendas.

vv. 133-136: Puesto que se está jugando con el motivo de la furiosa tormenta, Carolina acaba cayendo en la alusión tópica de la paloma que Noé deja escapar del arca, tras el diluvio bíblico (*Génesis* 8, 8-12).

LA AURORA BOREAL

¿Qué es esa claridad que de repente
de la ermita ilumina el campanario,
y del Gévora oscuro la corriente
brillar hace en el campo solitario;
y por qué palidecen de la gente   5
los rostros al fulgor extraordinario
mientras sus sobresaltos y temores
revelan los ancianos labradores?

«¡Ay de nosotros, ay de nuestra tierra!»,
claman los labradores espantosos.   10
«¿Veis los senos del cielo ensangrentados?».
«Es anuncio de crímenes... de guerra...»
Mas confunden su voz desde la sierra
los lobos en su aullar, y los ganados
cuyos medrosos, débiles balidos   15
conjuran nuestros perros con aullidos.

Aparecerse veo las encinas,
agitando sus brazos al relente,
como fantasmas a la luz ardiente
que refleja en sus copas blanquecinas;   20
y dos tórtolas veo peregrinas,
huyendo de su cima velozmente,
que deslumbradas por la fuerte llama,
temieron el incendio de su rama.

¿Adónde van envueltos en los vientos,   25
cual nocturnos espíritus errantes,
esos que con amarse están contentos
desde la cuna sin cesar amantes?
¿Quién les turba la paz ni los acentos
con que entrambos se arrullan palpitantes, 30

818

para volar, huyendo de la aurora
a la orilla del Gévora sonora?

     ¿Del fresno entre la húmeda enramada
van a buscar contra el incendio asilo?
Y ¿adónde encontraré yo una morada   35
para que pose el ánimo intranquilo?
¿Adónde irá mi alma acobardada
de esta medrosa noche en el sigilo,
contra el fantasma que sufrir no puedo
a guarecerse del horrible miedo?   40

     Emilio, ven, contempla sin enojos
los rayos de la luz, que así me inquieta,
y mira si es la luna ese planeta
que yo distingo entre vapores rojos;
porque hace un año que fatal cometa   45
vieron cruzar mis espantados ojos,
y trajo al mundo universal estrago,
y tengo miedo de su nuevo amago.

     Yo tengo miedo, sí, yo confundida
y en mi propia ignorancia avergonzada;   50
la causa del fenómeno escondida
busco, y en mi saber no encuentro nada.
Pero amante del Gévora, la vida
pasé a orillas del Gévora apartada,
y a temer aprendí de los pastores   55
del cielo los extraños resplandores.

     ¿Oíste tú contar que desgarrados
como fieras allá los hombres mueren,
y no serán los golpes que los hieren
por los genios maléficos lanzados?   60
Y cuando están así desesperados,
¿genios no habrá que así los desesperen
sobrehumanos, celestes, infernales
de quienes esas llamas son señales?

     No sé lo que será... pero recemos   65
por todos y por él... ¡genio querido,
ser adorado que jamás olvido
ni en los propios pesares más extremos!

¡Ah! que de ese fantasma que tememos
él hubiera mi mente defendido,   70
si penetrara aquí por un momento
la luz de su brillante pensamiento.

Hijo del mar, su pensamiento grave
conoce de los astros el camino,
porque el allá en el piélago marino   75
las noches estudió desde su nave;
y él me dijera, pues que tanto sabe,
por qué del cielo el resplandor divino
tiende esta noche el rubicundo manto
que pone el corazón tan grande espanto.   80

Yo, si mi mano de su mano asiera,
aun a la luz que temerosa brilla,
en esta misma noche me atreviera
del Gévora a llegar hasta la orilla;
y tal vez más allá de la ribera   85
la causa hallara fácil y sencilla
de ese fuego que abrasa el horizonte,
en el incendio del cercano monte...

Mas vuelve, Emilio, y mira sin recelo
si la encendida nube ya se aleja;   90
calma por Dios el fatigoso anhelo
del corazón que ni alentar me deja...
¿Dices que de la luz el ancho velo
por el espacio todo se refleja,
y que ya no se ve sombra ninguna...   95
ni los luceros, ni se ve la luna?...

¡Qué nos va a suceder! ¡qué nuevas penas
los decretos nos guardan del destino,
si ya de pesadumbres imagino
que están las almas de las gentes llenas!   100
Y ¿por qué no han de ser puras y buenas
esas luces, que teme el campesino,
y por qué no ha de ser de la montaña
el incendio, tal vez, de una cabaña?...

Tal vez de la cobarde fantasía,   105
tal vez del conturbado pensamiento

esas visiones son que el alma mía
vio fijas en el rojo firmamento;
tal vez en esta noche oscura y fría
nadie siente el espanto que yo siento   110
y ven los hombres, sin curarse de ellas,
las ráfagas que absorben las estrellas.

      Vuelve otra vez, y mira si se apaga
o si se enciende más... si se enrojece...
y si de algún fantasma que aparece   115
ves ondear la cabellera vaga.
¿Qué es lo que dices? ¿que el incendio crece
y que abrasar el universo amaga?
Tal vez ¡oh niño! te confunde el miedo...
deja que mire... si mirarlo puedo...   120

      ¡Ay! es verdad, los rayos que se extienden
amenazando ahogar el vasto mundo,
los espíritus malos los encienden,
y al contemplarlos ya no me confundo;
ya con más claridad los aires hienden,   125
y aparece el fantasma furibundo,
y es hasta Roma donde el fuego alcanza,
y es sobre Roma donde el fuego lanza.

      ¡En Roma, en Roma! El fuego está en su cumbre,
mira cómo la luz allí se aumenta;   130
allí chispea la espantosa lumbre;
allí el rojo fantasma se ensangrienta;
allí la alborotada muchedumbre
hace a la cristiandad terrible afrenta...
Allí abismado en su dolor sombrío   135
¡huye a los mares el sagrado Pío!

      Mira por qué en los cielos se encendía
con tales rayos la siniestra llama;
mira por qué es la hoguera que derrama
tan fantástica luz al medio día;   140
mira por qué mi corazón temía,
risueño Emilio, al cielo que se inflama;
porque esa luz en noche tan oscura
era señal de nueva desventura.

Mira con qué furor sus alas bate,   145
para alejarse el de la adversa suerte:
año del infortunio, del combate,
del contagio, del crimen, de la muerte.
Mira por qué a su «adiós» mi pecho late
sin que un instante a serenarle acierte,   150
porque el postrero adiós de su agonía
envuelto en el incendio nos lo envía.

    ¿Quién derramó la muerte en las ciudades?
¿Cuáles rayos los pueblos consumieron?
Los pontífices santos ¿por qué huyeron   155
y fue la humanidad calamidades?
No fueron de los hombres las maldades,
año de destrucción, tus genios fueron;
tu espíritu, no más, fue el enemigo,
que al mundo vino a dar tanto castigo.   160

    Tú, como el huracán de los desiertos
que arrastra a los audaces peregrinos,
has pasado dejando los caminos
con el polvo de víctimas cubiertos;
tú, ya cuando a los muros palestinos   165
arribaba, tal vez, con pasos ciertos,
has destruido, con tu nube insana,
de una generación la caravana.

    Y ¿cómo quieres que tu adiós acoja
la gente sin pavor, cuando en su daño   170
hiendes la horrible cabellera roja
maligno genio del funesto año?
Cuando en tu triste despedida arroja
el cielo fuego, y con enojo extraño
viste la noche de color sangriento,   175
¡cómo decirte «adiós» sin desaliento!

    Huye, te dice el pueblo desgraciado,
de quien viniste a turbar la vida,
y ¡ojalá que en tus urnas sepultado
fuera el llanto que trajo tu venida!   180
Los que tanto en tus horas han llorado
te vienen a cantar la despedida:

mas huye, por piedad, más velozmente
mientras te canta el corazón doliente.

Huye, y que deje de mostrar el cielo   185
ese color de púrpura que espanta,
y que en este dolor que nos quebranta
aurora más feliz alumbre el suelo.
¡Huye, y por tanto mal, por tanto duelo,
por tanto lloro, por desgracia tanta,   190
como dieron al mundo tus peleas,
siempre en los siglos maldecido seas!

Ermita de Bótoa, 1848

Poesías, 1852.

Octavas reales.

v. 3. *Gévora:* Afluente del Guadiana, próximo a Badajoz, y con el
mismo nombre se designa un pueblecito cercano a la capital extremeña,
lugar en el que se fechan muchos poemas de Carolina.

vv. 45-46: Carolina hace alusión a una circunstancia ya referida en el
poema «El año de la guerra y del nublado».

v. 136: Se alude a Pío IX (Giovanni María Mastai Ferretti) pontífice
entre 1846 y 1878. Mantuvo una postura reticente ante la espinosa cuestión romana y la unidad de Italia, hasta el punto de que el 24 de noviembre de 1848, tras una serie de sucesos, Pío IX huía a Gaeta, mientras se
proclamaba la República romana. El pontífice regresó a Roma en abril de
1850.

Sobre la «aurora boreal» que da título al poema, Gassendi descubrió
en 1621, por vez primera, una aurora boreal. Es un fenómeno meteoroló-
gico que se deriva de la descarga eléctrica a gran escala. Su luminosidad en
ocasiones puede superar a la de la luna llena. Se puede llegar a la aparición de tormentas magnetosféricas parciales, o tormentas aurorales.

SOBRE LA CONSTRUCCIÓN DE NUEVAS PLAZAS DE TOROS EN ESPAÑA

    ¡Bravo!... generación: rauda caminas
a modelar tus hombres con las fieras.
¡Bien tus nobles misiones adivinas,
te escapas de las cátedras latinas
y en las plazas de toros te atrincheras!   5
    Nuevos campos de lid a los toreros
levanta ¡oh patria! Agota los tesoros.
¿Pueblo de sabios son los extranjeros?
Pues aquí somos pueblo de vaqueros...
Necios: ¿qué vale más, leyes o toros?   10
    ¿La libertad qué importa, mientras brama
el acosado toro en la llanura
y la arena socava y desparrama
y sufre el aguijón... sufre la llama,
de la infeliz España, imagen pura?   15
    Y cuando ronco ya lanza profundos
del traspasado pecho los bramidos
y hombres caen y alazanes moribundos,
¡cómo es ver a los mozos rubicundos
romper en gozosísimos silbidos!   20
    Y a las damas, las *dulces,* las *mimadas,*
corazones de leche delicados,
cebarse en contemplar ensangrentadas
las carnes del buen toro acribilladas,
los pechos del caballo desgarrados.   25
    Mas escuchad; a defender la lucha
de hombres y toros se levanta osado
el petulante hidalgo que me escucha:
«Yo vengo —exclama— aquí con gloria mucha
porque esto es *Español*». ¡Bien ha gritado!   30

¡Oh *Nacional* ardor! Cien aureolas
de rubias astas en la docta frente
coloquen del mancebo, que halla solas
en los *chulos* las *glorias Españolas,*
en los *toros* su fuerza *prepotente.*   35

Para aquellas, ¡oh pueblo!, *almas de toro*
el valor y el saber son extranjeros;
no aprenden en el Cid que bate al moro,
no abren de nuestros libros el tesoro
y de *España* osan ser con ser *toreros.*   40

Pues también en las bellas de la España
tanto el *patrio cariño* se acrisola
que ven con entusiasmo a la alimaña;
con ellas la bondad es planta *extraña,*
tan sólo la crueldad es *Española.*   45

¡Quién me diera tu numen, Jovellanos,
para tronar y despedir centellas
contra aquellos padrones castellanos
que se elevan más altos, más ufanos
en vez de perecer bajo tus huellas!   50

¡Varón ilustre, si tu mente pura
de los rayos del sol aquí desciende,
mira al pueblo español en esa altura,
cómo rápido avanza en la cultura,
cómo en la escuela de la ciencia aprende!   55

Pan y *toros* tenemos –prorrumpiste–
pero tu siglo fue siglo de oro,
el nuestro, Jovellanos, es más triste,
tú, al menos, con el *toro* pan tuviste,
¡a nosotros nos dan sin *pan* el *toro!*   60

Poesías, 1852.

Quintetos.

vv. 4-5: Debería esta todavía presente en la memoria de Carolina la arbitraria medida gubernativa de Fernando VII, de 1830, por la que se cerraron Universidades y se inauguró la Escuela de Tauromaquia.

vv. 46-50: Este texto se podría fechar poco después de 1843, año en el que, según Cossío, se documenta la inauguración de la plaza de toros de Almendralejo, hecho que tuvo lugar el 29 de septiembre de ese año, por el famoso diestro Juan León, «Leoncillo». Coronado se nos revela aquí como una prematura defensora de un casticismo antitaurino que en los comienzos de este siglo (Eugenio Noel, Federico Oliver) tuvo especial virulencia. No obstante Carolina busca apoyo en los informes de Jovellanos sobre los espectáculos públicos, de 1790, documento en el que el ensayista y reformista asturiano opinaba sobre la «lucha de toros» que «no ha sido jamás una diversión, ni cotidiana, ni muy frecuentada, ni de todos los pueblos de España, ni generalmente buscada y aplaudida. En muchas provincias no se conoció jamás; en otras se circunscribió a las capitales, y dondequiera que fueron celebrados lo fue solamente a largo período y concurriendo a verla el pueblo de las capitales y tal cual aldea circunvecina. Se puede, por tanto, calcular que de todo el pueblo de España apenas la centésima parte habrá visto alguna vez este espectáculo. ¿Cómo, pues, se ha pretendido darle el título de diversión nacional?»: Vid. el capítulo «Los toros en relación con el casticismo» del libro de Angeles Prado *La literatura del Casticismo*. Madrid. Moneda y Crédito, 1973.

vv. 54-55: No habrá que indicar el valor irónico que tienen estos versos, dirigidos al pueblo que va camino de su embrutecimiento, como piensa la poetisa.

v. 56: Como apunta ya N. Vallis (1991, 704), se atribuyó a la autoría del asturiano el folleto político *Pan y Toros* (editado en 1820), y así lo considera, obviamente, Carolina. Dicho folleto (que no hay que confundir con el libreto de una zarzuela posterior, musicada por Asenjo Barbieri en 1864) se debió, realmente, a la pluma de León de Arroyal (1755-1813), valenciano que convivió con Forner y Meléndez en los medios universitarios salmantinos, y que vivió dese 1875 y hasta su muerte en el pueblo manchego de Vara de Rey, como contador de hacienda. En 1784 publicó dos volúmenes de *Odas y Epigramas,* aunque la obra que mayor fama le otorgó fue las *Cartas político-económicas al conde de Lerena,* que aparecieron anónimas, lo que provocó que se atribuyeran –como el citado folleto– a otros autores coetáneos como Campomanes y Cabarrús. El profesor Antonio Elorza realizó, en 1971, una reedición del folleto *Pan y toros.* Vid. también el trabajo de F. López, «*Pan y toros*». Histoire d'un pamphlet. Essai d'atribution (*Bulletin Hispanique,* LXXI, 1969, pp. 255-279). Con todo, Carolina se refiere, más que al discutido folleto, a la frase «pan y toros», frase muy utilizada por los políticos a lo largo del siglo XIX, que procede del *panem et circenses* de Juvenal, y con la que se quería proponer la fórmula que diese satisfacción a todos los problemas del pueblo poniendo a su alcance diversión y un mínimo de alimentación, y alejándolo así de cualquier intervención en política.

LA EMPRESA DEL FERROCARRIL
DE EXTREMADURA

Bien llegados a España, caballeros.
Esta joven nación, su tierra pura
os brinda a los amigos extranjeros
que lecciones la ofrecen de cultura.
Por el terso carril marchen ligeros   5
los hijos de la rica Extremadura,
vuestras artes, y ciencias y portentos
a igualar y vencer con sus talentos.

    ¡Oh mi pueblo, sencillo patriarca
tan agreste pacífico y tan rudo,   10
de ferrados-carriles tu comarca
van a ornar, y ya en vez del torpe y mudo
buey que sus pasos por minutos marca
¡rodará gran vapor!... ¿Quién tanto pudo?
¿Qué impulso, qué vigor, qué movimiento   15
pone a tan bella fábrica el cimiento?

    Hay una tierra, en medio el Océano
donde O'Connell nació y a Byron cuenta.
¿Qué reino hallar más fuerte y soberano
que la patria feliz que a ambos alienta?   20
Pues ya del genio y del poder britano
tanto el raudal inmenso se acrecienta
que sus diques rompiendo a inundar pasa
el virgen suelo que de sed se abrasa.

    Ya corren hasta aquí sus manantiales;   25
ya el campo bebe su copioso riego;
ya florecen brillando a sus cristales
el extremeño prado y el manchego.
¡Ay! los que tal pobreza y tantos males

en la guerrera lucha a sangre y fuego,   30
soportaron pacientes, ¿cómo ahora,
dicha comprenderán tan seductora?

    Agriado el corazón por los azares,
perdida en desengaños la esperanza,
nada aguardamos ya sino pesares,   35
sólo en el mal tenemos confianza;
por eso hacia la gente de los mares
torva la vista, y suspicaz se lanza
y rechazando el bien porque suspira
responde el español: «Fraude, mentira».   40

    Empero, no a los hijos de Bretaña
que nos tendieron las amigas manos
cuando el Coloso amenazó a la España
deben temer los nobles castellanos;
antes bien recordar la fiel campaña   45
que hicieron los dos reinos como hermanos
para que aliento infunda a la memoria
de Wellington su lauro y nuestra gloria.

    ¡Por qué ese recelar eterno y triste!
¡Por qué en el porvenir tal desconsuelo!   50
¡Por qué así nuestro espíritu reviste
con su negro color el blanco cielo!
Tal vez el hado en el rencor desiste
con que siguió nuestro cefrado suelo,
y su primer sonrisa alegremente   55
nos muestra en el *camino reluciente*.

    ¡Cuánta prosperidad, cuánta grandeza!
¡Cuán fecundos los montes hoy salvajes
pavimentos darán con su corteza,
moradas ornarán con sus ramajes!;   60
cuántos pueblos, alzando la cabeza
por contestar de Europa a los ultrajes
«venid aquí –dirán– pueblos hambrientos,
¡que nosotros estamos opulentos!».

Badajoz, 1846

Poesías, 1852.

Octavas reales.

vv. 1-4: Carolina se hace eco en este texto de lo que era todavía un acuerdo reciente, del año anterior a la fecha del poema, por el que se concedía la explotación de una línea férrea Madrid-Badajoz a una empresa inglesa. La novedad era todavía un proyecto tan sólo cuando se escribe este texto, puesto que el primer tren que llegó a circular en España fue el que unía Barcelona y Mataró, en 1848.

v. 18: Daniel O'Connell (1775-1847) político irlandés, en el que Carolina, tal vez, encontraba el símbolo del nacionalismo y catolicismo irlandeses.

v. 43: Se alude a la interesada ayuda inglesa en la lucha española contra la invasión napoleónica. Por ello en el verso 48 se alude al militar más destacado en esa ayuda británica, el duque de Wellington, quien precisamente arrebató a los franceses la ciudad de Badajoz en 1812.

v. 54. *cefrado:* 'cansado', 'sufrido', 'fatigado'.

v. 56. *camino reluciente:* una más de las diferentes maneras con las que en el texto se nombra el ferrocarril («terso carril» en el v. 5; «ferrados-carriles» en el v. 11).

Aunque hacia el final de sus días (e incluso un poco antes, desde los años setenta y ochenta, los años del *positivismo filosófico*) Carolina mostró serias reticencias frente a las máquinas, frente a la revolución industrial (¡tan tímida en España!) de la que alcanzó a ser testigo, en los años primeros de su carrera –y este poema está fechado en 1846– recibió de manera bien distinta –y muy positiva– lo que ya iban siendo primeras conquistas de la técnica y del avance humano y económico, sobre todo si tales conquistas, y a pesar de su procedencia extranjera, suponían un claro beneficio a su tierra extremeña, siempre tan postergada y sumida en el pozo profundo del atraso, como ya denunciaba en esos años y en estos versos la escritora de Almendralejo. A ésta le preocupa, sobre todo disipar el recelo de sus paisanos –escarmentados por continuas decepciones– y evitar el posible rechazo a lo que debía entenderse como una buena nueva de progreso, y no sospecha de colonialismo. Al hilo de sus argumentos, Carolina no puede evitar el elogio de la nación inglesa, justificándolo con la alusión a un pasado histórico todavía vigente en la memoria de muchos: la invasión napoleónica y la decisiva ayuda militar recibida de los ingleses. Todavía no habían llegado los hechos del cable de Carcavelhos, a partir de los cuales la opinión de Carolina sobre el pueblo inglés cambió radicalmente.

Vicente Barrantes en su *Catálogo razonado y crítico de los libros, memorias y papeles impresos y manuscritos que tratan de las provincias de Extremadura* (1865) introdujo un *Apéndice* titulado «Bibliografía de los ferrocarriles extremeños». Entre las papeletas que selecciona hay una que debe referirse aquí, por ser de la misma fecha que el poema de Carolina: *Camino de hierro en el centro de España, de Madrid a Badajoz por Toledo, Tala-*

vera, Trujillo y Mérida. Prospecto público, del que Barrantes copia párrafos como el que transcribo: «La línea de Madrid a Badajoz es el tronco principal de donde han de nacer los ramales que pongan a la capital en comunicación con las costas meridionales y occidentales de la Península, por unirse, en primer lugar, con el camino de hierro proyectado desde Mérida a Sevilla y Cádiz, y en segundo, con la continuación de la línea desde Badajoz a Lisboa». Sirva esta referencia para documentar el contexto histórico-social en el que surge el poema de Carolina que ahora nos ocupa.

UNA FIESTA DEDICADA
A LA REINA GOBERNADORA

Ya el enemigo de la patria mía,
el genio de la guerra destructora,
dobla rabioso la falange impía
ante la paz gloriosa y vencedora.

    Cesó el llanto y la sangre y la agonía   5
que derramó la espada vengadora
y tras del triste y pavoroso día
luce risueña suspirada aurora.

    Ya de Cristiana el genio prepotente
venció de Carlos la arrogancia altiva,   10
que doblegando la orgullosa frente
el ramo ofrece de apacible oliva.
Cantemos, oh Cristina, la victoria,
que a España da la paz, y a vos la Gloria.

Badajoz, 1839

Poesías, 1852.

Soneto rematado en pareado.

v. 10: Carlos María Isidro (carlos VII). El final de la Primera Guerra Carlista ocurrió, en efecto, en 1839, con el Convenio de Vergara entre Maroto y Espartero (cf. el poema que Coronado dedica al famoso adalid de la causa liberal, con la que la extremeña estaba totalmente identificada). Alberto Castilla (1987, 27) se hace eco –en su biografía– de una expresiva anécdota de la jovencita pacense, al respecto, que la coloca a la altura de insignes heroínas como Mariana Pineda y que cuenta en su monografía José Cascales: «La primera expresión de sus sentimientos liberales se produjo al bordar la bandera para un batallón de voluntarios cristianos, formado en Badajoz, que salía a combatir a los ejércitos carlistas, y por cuya acción la capital de la baja Extremadura agradeció, en oficio, *la mano valiente y delicada que bordó el emblema por cuya defensa nuestros voluntarios derramaron su sangre»*. Completa la referencia Cascales (1911, 45): «A este oficio acompañaba una sortija de brillantes que llevaba en el reverso el nombre de la ilustre patriota».

De ser cierta la fecha de figura al pie de este texto, estaríamos ante uno de los poemas más tempranos de Carolina Coronado, que –probablemente por las circunstancias que lo acompañan y lo justifican– no se recogió en su primera entrega de poemas.

A LA REINA HERIDA PERDONANDO AL REO

(Octavas improvisadas)

¡Madre, levanta la cabeza hermosa
y vuelve hacia nosotros tus miradas,
porque puedan tornar más consoladas
las almas, de su pena dolorosa!
Las gotas de tu sangre generosa   5
ya están con nuestras lágrimas borradas,
y si bálsamo fueran nuestras vidas
ya estuvieran cerradas tus heridas.

¡Madre joven del pueblo que te adora,
ven a calmar nuestra ansiedad ardiente,   10
y no temas jamás que nadie intente
a tu vida asestar arma traidora!
Que uno solo en España hubo, Señora,
que el corazón que regicida aliente,
y de haberle en tus reinos abortado,   15
el infierno quedó esterilizado.

Pero mayor que su maldad horrenda
es tu bondad, ¡oh madre! todavía;
cuando tu pura sangre se vertía
tú a la piedad la dabas en ofrenda.   20
Temas rayos del cielo el que te ofenda;
porque tú en la española monarquía,
con la virtud que al cielo te levanta,
eres aún más que Reina; eres ya santa.

La Ilustración, 6 (7 de febrero de 1852), p. 1.

Octavas reales.

Poema de circunstancias, escrito al hilo del acontecimiento al que hace referencia, el atentado que sufrió Isabel II el 2 de febrero de ese año, y aparecido justamente el mismo día en que era ejecutado el regicida Martín Merino, liberal extremista, que había vivido en el exilio hasta 1841. El día de autos, cuando la reina de disponía a trasladarse a la basílica de Atocha para hacer su primera aparición en público tras el nacimiento de su hija primogénita, Merino, fingiendo que iba a entregar a Isabel un memorial, le asestó una puñalada que el corsé de la reina evitó que fuese grave.

Debe relacionarse este poema con el titulado «A S.M. la reina el día de su salida. La reina que dos veces ha nacido».

EL ÁGUILA REDENTORA

Rebosando de sangre la garganta,
sacudiendo a Richmond cual lodo inmundo,
águila vencedora se levanta
América, y su vuelo asombra al mundo:
mas no mi lengua su victoria canta   5
por su arrojo en las lides iracundo;
yo canto a Dios que la mandó a la tierra
para triunfar en la cristiana guerra.

Al Dios de los ejércitos humano
que rompe del esclavo la cadena   10
protegiendo del África en la arena
al hijo negro, a nuestro negro hermano;
no de los hombres el orgullo insano,
ni por vergüenza que el amor condena,
mi voz humilde que el dolor quebranta   15
de cristiano debe el himno canta.

No a las estrellas del terreno escudo,
de las divinas pálidos reflejos
sino aquellas que están del mundo lejos
alzo los ojos y a su luz acudo;   20
no al pueblo triunfador, al mártir mudo
pide mi musa atónita consejos;
a ti Linconl, pastor de las estrellas,
que ya nos miras tras los rayos de ellas.

Tu cabeza de fuego coronada   25
y con tu pura sangre enrojecida,
al lado de la luna entristecida
he visto entre las nubes levantada;
en tanto que de América enlutada,
y de Europa a tu muerte conmovida,   30

por mar y tierra en los profundos huecos
el llanto resonaba en largos ecos.

    En ti nació la nueva dinastía
que reinará del mundo en las edades,
aquella majestad de majestades   35
que el cielo sólo a la virtud confía.
El cetro sin la humana tiranía,
la corona sin locas vanidades,
con tu sangre purísima regada
quedó en el nuevo mundo consagrada.   40

    Humilde leñador, van los monarcas
a colocar en tu sepulcro flores,
y bajan su pendón de cien colores
las ricas naves y las pobres barcas;
por ti del mundo entero en las comarcas   45
alzan su voz excelsos oradores,
y levanta su prez al infinito
de la iglesia cristiana el vario rito.

    Desde el confín de la olvidada España,
allí donde Cortés tuvo su cuna,   50
allí donde cayó por nuestra hazaña
el estandarte de la media luna;
desde la orilla que desierta baña
el mundo Tajo, alma sin fortuna,
reflejo de las almas del oriente   55
a ti dirige invocación ferviente.

    Dime tú cómo fue; mi mente inspira.
¿Cómo la negra mancha, que infamante
empañó vuestro escudo rutilante,
borrasteis ante el mundo que os admira?   60
¿Cómo apagasteis la horrorosa pira,
segunda inquisición, que al fin de Atlante,
Bartolomé con imprudente fuego
allá encendió, para llorarlo luego?

    ¿Cómo de las estrellas abrasadas   65
del África los hijos desdichados
fueron desde otros siglos arrancados,
y las vírgenes tierras infamadas?

Y, ¿cómo han sido luego liberadas
por los héroes de América esforzados;   70
y cuáles eran de tan grandes hombres
los tercios, las divisas y los hombres?...
        Mas no, no quiero con la ominosa tea,
el incendio añadir de los rencores.
Dame que cante el fin de la pelea,   75
y el origen callar de sus horrores;
que olvidada del Sur la historia sea;
no le insulten más ya nuestros clamores;
clamores, ¡ay!, que con horror profundo
tres siglos hace que levanta el mundo.   80
        Virginia, no; mi musa no te canta;
no quiero recordarte aquellos días
en que, el dogal echado a la garganta,
con el negro infeliz te enriquecías;
purificada con la guerra santa,   85
tú ya aceptaste las ofrendas pías
que en holocausto de la edad pasada
consagró la república abrasada!

_____

La Iberia (12-XI-1868). Ruiz Fábregas sugiere para el poema la fecha de
mayo de 1865. En apoyo de esa hipótesis viene la referencia que se hace
en el texto al asesinato de Lincoln (vv. 25-32) que sucedió en ese mismo
año, en el teatro de Washington, por el fanático actor John Wilkes
Booth.

Octavas reales.

Dentro de la postura decididamente abolicionista que mantuvo Carolina, este poema es un homenaje a la nación americana, y desde ella a su
presidente Abrahan Lincoln, como gran promotor del final de la esclavitud negra en los Estados del Sur. Debe relacionarse, por consiguiente, este
poema con el titulado: «Oda a Lincoln».

El contexto histórico al que hace continua referencia el texto es a la
guerra de Secesión o guerra civil norteamericana (1861-1865), surgida a
raíz de la elección como presidente del antiesclavista Lincoln. Once estados del Sur, encabezados por el de Carolina, intentó una separación de la

Unión y formó en Richmond (v. 2) una Confederación Autónoma bajo la presidencia de Jeferson Davis.

vv. 17-18: alusión a las estrellas que figuran en la bandera estadounidense.

vv. 33-40: Respecto a estos versos Castilla (1987, 166) apunta que esta composición «publicada al mes siguiente de la represión de San Daniel, el elogio de Carolina a Lincoln revelaba entre líneas, claras referencias al despotismo desplegado esos días por Isabel II».

V. 55: Carolina es reflejo de las almas del oriente, pues al oriente queda la vieja Europa, si tomamos como punto de observación el país americano.

v. 58: esa mancha no es otra que la esclavitud con la que acabó la guerra con el Sur.

v. 62-63: Carolina alude a las denuncias de Bartolomé de las Casas sobre los abusos inferidos contra los indios colonizados por los españoles; una situación parecida –piensa Carolina– ha sido atajada por el presidente Lincoln. El Atlante del v. 62 es el océano Atlántico.

v. 81 y ss: Carolina selecciona, de entre los estados sudistas, el de Virginia, pues fue uno de los más destacados durante la Guerra de Secesión, y el que promovió la Confederación de Estados independientes, que eligió como capital precisamente la de ese Estado, Richmond. Por otra parte en las plantaciones de algodón de este Estado se ejerció, hasta los máximos niveles de explotación, la esclavitud del negro.

A LA ABOLICIÓN DE LA ESCLAVITUD EN CUBA

Si libres hizo ya de su mancilla
el águila inmortal los africanos,
¿por qué han de ser esclavos los hermanos,
que vecinos tenéis en esa Antilla?

Qué derecho tendrás, noble Castilla,   5
para dejar cadenas en sus manos,
cuando rompes los cetros soberanos
al son de libertad que te acaudilla?

No, no es así: al mundo no se engaña.
Sonó la libertad, ¡bendita sea!   10
Pero después de la triunfal pelea,

no puede haber esclavos en España.
¡O borras el baldón que horror inspira,
o esa tu libertad, pueblo, es mentira!

Madrid, 14 de octubre de 1868

Tomo este poema del libro de Sandoval (1946, 145). De él facilita interesantes noticias Alberto Castilla (1987, 175) que recojo seguidamente. Se trata de una carta del embajador norteamericano John P. Hale al Secretario de Estado (20 de noviembre de 1868, en el que notificaba –y censuraba– la presencia y participación de Carolina Coronado en actos públicos en solidaridad con la revolución septembrina. Y refiriéndose concretamente al acto en el que Carolina lleyó este soneto, dice: «Mrs. Perry es una señora de mediana edad, rondando los cincuenta años, y en la presente ocasión apareció en escena ante un inmenso auditorio, con su largo cabello desparramado sobre sus espaldas, y con efecto escénico declamó un poema en favor de la abolición de la esclavitud en Cuba. A continuación, los asistentes votaron la creación de una sociedad en favor de la abolición de la esclavitud en la isla, con la señora Perry como presidente. El poema de la Sra. Perry fue publicado y los ejemplares circularon en gran número por todo el reino» («Our Legation in Spain», *The New York Times,* 10 de abril de 1869). El soneto participa de las profundas ideas abolicionistas de Carolina, ya expresadas en un poema –«El Águila Redentora»– al que se remite desde el verso segundo de este soneto que, por cierto, se sitúa en el contexto de la literatura abolicionista de la época, sobre todo a partir de la difusión de la novela de Harriet Beecher Stowe, *La cabaña del Tío Tom,* traducida en 1852 por Aiguals de Izco. El ejemplo mejor será el de la novela de Gómez de Avellaneda *Sab,* en la temprana fecha de 1841. Más o menos coetáneo del poema de Carolina es la composición de la poetisa granadina «Canción del esclavo».

(*Auras de la Alhambra,* 1857), que ahora ha incluido S. Kirpatrick en su *Antología Poética de escritores del siglo XIX,* Madrid, Castalia, 1992, pp. 168-172.

EL FANTASMA ROJO: A EMILIO CASTELAR

¿Lo oíste, Castelar? Dicen los sabios
que esas luces del cielo tan extrañas
que se aparecen cual sangrientos lagos,
son de un mundo que ha muerto las entrañas.

¿Lo sabe Campoamor? El que decía,   5
antes que ese fantasma apareciera,
que del astro ignorado que moría
los átomos rodaban por la esfera.

¿Lo sabe el pueblo ya? Tú, que adivinas
lo que escondido pasa en su conciencia,   10
como del hondo cielo entre neblinas,
penetra del astrónomo la ciencia;

tú, que vives por él, por él te afanas,
por él combates y por él te humillas,
¿sabes que aquellas luces sobrehumanas   15
lo que piensan las gentes más sencillas?

¿Es el hambre?, ¿la guerra?, ¿el terremoto?
¿Fuego? ¿Diluvio? ¿El fin de nuestra tierra?
¿Cuál es, ¡oh sabio!, el porvenir ignoto
que ese esplendente logogrifo encierra?   20

¿Es el germen tal vez de los amores
de la tierra feraz y el sol fecundo,
que envuelto en esos vagos resplandores
engendro habrá de ser de un nuevo mundo?

¿O será ese fantasma llama ardiente,   25
que ha de caer sobre la raza impía
para enseñar a la malvada gente
lo que a Sodoma le enseñó aquel día?

¿O tal vez es vapor de sangre humana
que en Europa y América vertida   30

otro diluvio nos traerá mañana
para lavar la tierra maldecida?

    Tú lo debes saber; tú y los que niegan
lo que el pueblo creyó, y hoy ya combate.
Tú y los que en mar sin límites navegan   35
de hirvientes olas entre el rudo embate.

    Tú, y los que sondan la extensión del cielo
descubriendo en el sol hierro y ceniza;
tú y los que buscan con ansioso anhelo
la ciencia que los dogmas pulveriza,   40

    ¿no habéis pasado insólita velada
sobre los libros de escritura roja,
desde aquella de Adán tan comentada
toda la historia eterna, hoja por hoja?

    ¿No bajasteis a egipcio mausoleo   45
arrancando a las momias el sudario?
¿No pisasteis de Roma en el trofeo?
¿No cavasteis de Troya en el osario?

    ¿No tenéis por el aire en hebras miles
y en las marinas ondas enroscados   50
prodigiosos mecánicos reptiles
que escriben vuestros signos acordados?

    ¿No tocáis con eléctrico resorte
en el antro infernal de los abismos,
y desde el sur hasta el confín del norte   55
llamáis y os respondéis vosotros mismos?

    ¿No tenéis un cristal que lleva a Marte
la luz de vuestra mágica pupila,
y espejos de metal, por cuyo arte
de la luna estampáis la faz tranquila?   60

    Pues hablad, responded, alzad los ojos;
decid qué quiere esa visión extraña;
si es risa celestial o son enojos,
cuál su destino es, quién la acompaña.

    No vengáis a turbar nuestras creencias   65
si no sabéis lo que nos dice el cielo;
si a entenderlo no alcanzan vuestras ciencias,
dejadnos en la fe, nuestro consuelo.

¿Quién sabe si en la inmensa contextura
de planetas y soles ignorados,   70
de creaciones y seres increados,
la ciencia no es la ciencia, es la locura?...

Tal vez penetre más en los arcanos
del infinito el alma inmaculada,
que el razonar de cálculos humanos,   75
para encontrar en la razón la nada.

O luz o fe; o dioses o mortales;
o penetrar en la morada eterna
y explicar sus misterios celestiales,
o dejad gobernar a quien gobierna.   80

¡Flammarión! Donde su ciencia acaba
empiece vuestra fe; si es un castigo,
lumbre, hielo, ceniza, piedra o lava,
al fantasma temed y orad conmigo!

Lo tomo de Ruiz Fábregas (1978, pp. 408-410). Fechado en Paço d'Arcos, a 1 de enero de 1885. Impreso, como folleto, en Madrid, Nueva Imprenta y Librería de San José 1884. Lo reproduce Díaz y Pérez en la pág. 163 de su *Diccionario de autores, artistas y extremeños ilustres*.

Soneto.

Por la referencia final al muy conocido astrónomo en la época, Flammarion, Carolina debe aludir (y tomar con pretexto de su queja) algún meteorito o fenómeno similar acaecido a finales del año anterior, 1884. Pues el poema es un ejemplo más, y no de los peores, de la dialéctica que se origina en la escritura y en el pensamiento de la escritura entre positivismo (que es casi sinónimo de descreencia o de irreligiosidad) y fe, oposición en la que Carolina siempre apuesta por la segunda, y ante la que la primera o resulta inviable o muestra su absoluta falta de fundamento. Carolina aboga por una síntesis equilibrada de ambas, pero nunca podrá admitir el triunfo de la segunda en detrimento de la primera, aunque lamenta que los nuevos tiempos parecen sintonizar por un generalizado olvido de las verdades eternas en las que la mente humana ha de tener sus mejores credenciales.

Por otra parte el poema está dirigido a uno de los intelectuales y políticos españoles más preclaros del momento, don Emilio Castelar, buen amigo de la escritora, de quien escribió elogiosas y ponderadas páginas, además de prologar la edición mexicana de sus poemas de 1884.

Camille Flammarión (1842-1925) –citado en el verso 81– fue un popular astrónomo del último tercio del siglo XIX, autor de diversas obras, entre las que destacaron *La pluralidad de los mundos habitados* (1862) y *Astronomía Popular* (1879). Su popularidad aumentó a raíz de 1883, cuando funda en Juvisy un observatorio desde el que realizó numerosas investigaciones y experiencias en astronomía, meteorología y climatología.

AL AÑO QUE PARTE

Vas a partir; ya llevas en tus hombros
el lúgubre atalaje,
dejándonos a España los escombros
del dolor y el ultraje.

Viniste como vienen los traidores   5
con rostros enmascarado,
difundiendo en el pueblo los terrores
de tu rojo nublado.

¡Bien temimos tu faz cuanto te vimos
asomar en oriente;   10
y bien te conjuramos y gemimos
la desolada gente!

Tú trajiste contigo el terremoto,
la peste y la miseria,
y has dejado entre rocas, sin piloto   15
y sin timón, la Iberia.

Ladrón de islas, finges cortesía
cuando el valor te falta;
ninguno como tú la hipocresía
ha llevado tan alta.   20

Ninguno como tú fue con las naciones
tan pérfido y artero,
mercader egoísta de carbones
metido en el vil cero.

Ninguno en germinar fue tan fecundo   25
suicidas y malvados;
ninguno como tú dejó en el mundo
pueblos tan desgraciados.

Vas a partir... ya se ocultó en el cielo
tu sol, ya no eres día...   30

Llegó tu noche, comenzó tu duelo...
Ya estás en la agonía...
      ¿Quién sabe en sus entrañas lo que encierra
el año venidero,
si de la patria gérmenes de guerra   35
o de yugo extranjero?...
      Mas logramos un bien con tu partida,
un alivio en tu muerte;
que no has de volver más en nuestra vida,
que dejamos de verte.   40

Lo tomo de Ruiz Fábregas, 1978 –pp. 411-412–. Fechado en Lisboa, diciembre de 1885.

Cuartetos alirados.

Este poema, ya tardío, reproduce con toda exactitud un esquema temático que Carolina practicó, en más de un ejemplo, en su compilación de 1852, especialmente en el caso de los poemas titulados «Despedida al año 1842» y «El último día del año y el primero». Por otra parte la referencia del v. 8 relaciona este poema con el titulado «El fantasma rojo», fechado a comienzos de ese mismo año 1885. Y que prolongará, todavía, en algún poema posterior como «La última luna del siglo».

¿Hay una alusión en el verso 15 a la muerte, ese año 85, del monarca Alfonso XII?

A PUBLIO

Cuando mi indocto afán me lleva y fija
a estudiar en el mapa nuestra historia,
no sé si me entusiasme o si me aflija.

Toda grandeza es siempre transitoria
que se funda en conquistas y en imperios   5
de los cuales no queda sino escoria.

Paso y repaso entrambos hemisferios,
y hallo que la epopeya son ruinas,
y los hechos que ensalza son misterios.

Así fueron las griegas y latinas   10
y las otras remotas cuyos nombres
aprendisteis en lenguas peregrinas.

Sólo es fijo y real para los hombres,
la tierra primitiva en que nacieron
y las leyes que dictan sus *prohombres.*   15

Cuando tranquilos en su hogar vivieron
cultivando sus tierra heredadas,
fueron felices porque honrados fueron.

¿Qué lograron en tierras conquistadas
con sangre de los pueblos inocente,   20
sino arrastre de vidas desgraciadas?

Del antiguo y del nuevo continente,
¿qué vemos sino horrores y maldades
triunfo de la codicia omnipotente?

El cambio que trajeron las edades   25
es que, en vez de las lanzas, los cañones
aniquilan más pronto las ciudades.

¿Qué pueden ya los bravos corazones
contra el *demonio herrado* que el infierno
arroja por auxilio a las naciones?   30

No es trompeta de *Fama,* es hoy un cuerno
el que resuena en los sangrientos mares,
tocado por un monstruo del Averno.

Ni la victoria tiene otros altares
que las cavernas de las minas de oro   35
culto de emperadores y de zares.

¡Dejadlos que ellos muerdan el tesoro,
hasta que rompan los agudos dientes
incrustados en oro, por decoro!

¡Dejad a los piratas insolentes   40
hartarse de metal hasta que agoten
del África riquísima las fuentes!

Que no han de faltar látigos que azoten
sus codicias, al fin de la jornada,
ni justicias que, al fin, los acogoten.   45

Si tenéis vuestra tierra preparada
para sembrar de vuestro pan el trigo,
no dejéis vuestra hacienda abandonada.

En vuestra casa preparad abrigo
con la piel que os ofrezcan los rebaños   50
que el perro guarda, vuestro fiel amigo.

Que no os seduzcan pérfidos *amaños,*
pues sabéis cómo son los que trajeron
a la región querida tantos daños.

Ellos nuestras cabañas destruyeron,   55
nuestros campos de mieses incendiaron,
nuestros bosques augustos destruyeron.

Mas el triste erial que nos dejaron,
cediendo de su lucha en la porfía,
nuestros padres también lo cultivaron,   60
¡que en él no ha de *brotar* la tiranía!

Revista de Extremadura, nº 10 (abril de 1890), pp. 153-154.

Tercetos encadenados.

v. 29: el 'demonio herrado' no es otra cosa que el cañón aludido unos versos antes. «Demonio» porque es fruto del «infierno» y «herrado» = 'de hierro'.

El poema se dirige al polígrafo cacereño Publio Hurtado, a la sazón director de la publicación en la que se insertó este poema y a quien se le invita a vivir en su pacífica «aurea mediócritas», lejos de aquella perturbación total de valores, perturbación que se manifiesta en las guerras que ocultan –como secretos motivos– la ambición y la codicia de quienes han olvidado la arcádica e imposible «Edad de Oro» en el retiro aldeano del propio nacimiento. En este sentido el poema es similar con el que, en la misma revista, Carolina dirigió al Duque de T'Serclaes.

Publico Hurtado (1850-1929) fue secretario de la Sala de la Audiencia de Cáceres, y primer vicecónsul de Portugal en la provincia cacereña. Ejerció de cronista real en la visita realizada a Cáceres, en 1881, por los monarcas españoles y portugueses, con motivo de la inauguración de la vía férrea entre Madrid y Lisboa. Fue cofundador, en 1891, de la «Revista de Extremadura». Entre sus libros destacan *Indianos Cacereños* (1892), la novela *Alonso Golfín,* el ensayo *Supersticiones Extremeñas* (1902) (reeditado en 1989), y el muy documentado estudio sobre *Castillos, torres y casas fuertes de la provincia de Cáceres.*

CARTA A MARTA

Al fin los vicios del caduco imperio,
la ambición de los césares insana
ha logrado invadir nuestro hemisferio.

Comprendo tu dolor querida hermana;   5
tú, que desciendes del ilustre anciano
honra de la familia ciudadana.

Comprendo que tu espíritu cristiano
se espante del error y la injusticia   10
que hoy arrastran al pueblo americano.

No es por humanidad, es por codicia
por lo que rompen las sagradas leyes
fundadas en favor de la justicia.

Si el yugo sacudió de injustos reyes,   15
fue para dar ejemplo al viejo mundo
con las virtudes de sus nuevas greyes.

Para que hallase manantial fecundo,
en su labor, la sociedad tranquila,
de paz con un gobierno sin segundo.   20

Mas convertís a Washington en Sila,
y al pacífico pueblo ciudadano
en sanguinario ejército de Atila.

¡Ay! ¡Quién dijera a tu leal hermano
que su bandera injuriría el fuero   25
del generoso pueblo castellano!...

Pero no venció a España el caballero;
el barco por el arte acorazado
es hoy el adalid, es el guerrero.

Evocaciones del infierno airado   30
salen al mar y, reventando en llama,
sepultan al ejército abrasado.

Y Lucifer el vencedor se aclamar,
porque él es quien alcanza la victoria
y de gran paladín logra la fama.   35

En negra piedra escribirá la historia
la fundación de vuestro nuevo imperio,
y el fin de su grandeza transitoria.

A España tienen hoy en cautiverio,
mas lo que harán del nuestro poderío   40
es para la república un misterio.

Arrastrada por loco desvarío
quiere emular de Europa los blasones
y remeda su antiguo señorío.

Quieren tener marqueses y barones   45
y duques y sus príncipes reales,
cual en Europa intrusos Napoleones.

Y a Inglaterra decir: «Somos iguales,
llevamos ya corona en la cabeza
aunque súbditos fuimos desleales.   50

La república ha sido una flaqueza,
entramos en la edad adolescente
y queremos tener mayor alteza».

Y por eso, ¡oh dolor!, sangre inocente
ha enrojecido el mar de las Antillas,   55
y el remoto archipiélago de oriente...
Y aún amenazan arrasar las villas.

Cubierta con los fúnebres crespones,
si vienen, los veré del océano
a la orilla, sin miedo a sus cañones.   60
Mas con horror a su furor insano.

La Época, 30-VIII-1898, fechado en Mitra, 11 de agosto de 1898.

Tercetos encadenados.

Es este uno de los poemas que presentan la preocupación, y la pro-
testa, noventayochista de Carolina. Fijémonos en la fecha tan carismática
que lleva este poema. Como sabemos la misteriosa voladura del acorazado

Maine en el puerto de La Habana (suceso que parece aludirse en los vv. 30 y ss.) fue el pretexto que necesitaba el gobierno norteamericano para declarar la guerra a España. En esta epístola versificada dirigida a Marta Perry, cuñada de Carolina, «resurgía la patriótica indignación, producto de una inspiración sensible a las vicisitudes y avatares de su patria» (Castilla, 1987, 213).

v. 6: El «ilustre anciano» que se nombra no debe ser otro que Lincoln, tan alabado por Carolina en otros poemas.

v. 21: Lucio Cornelio Sila fue un militar y político romano que desde una condición modesta llegó a ser cónsul, desempeñando un importante papel en la época de la «guerra social». Llegó a tomar Atenas, se estableció en Efeso y reorganizó toda la provincia de Asia. Acabó, en sus luchas contra Mario por el control del poder, ocupando Roma, haciéndose nombrar dictador. Rodeado de los máximos poderes, se hizo nombrar dictador. Llevó a cabo una profunda modificación de las Instituciones romanas tanto civiles como religiosas. Su excesivo autoritarismo le granjeó la oposición de la nobleza, encabezada por Pompeyo. Acabó abdicando, retirándose hasta su muerte a Cumas (Campania).

v. 24: Obviamente Carolina se refiere a su marido Horacio Perry.

vv. 27-29: El Congreso norteamericano expidió un ultimatum autorizando el empleo de la fuerza naval para obligar a España a que se retirara de Estados Unidos, provocando que el gobierno español diese la orden a la flota española de reprimir el ataque estadounidense, aunque sabía de antemano su probable derrota, como así fue, y lo lamenta Carolina.

vv. 30 y ss. Versos que parecen aludir al sabotaje de la explosión del Maine el 15 de febrero de 1898.

vv. 55 y 56: alusiones respectivas a Cuba y Filipinas.

LA DEL SIGLO XX

Oíd, oíd, que aun tengo dentro el alma
acentos vivos de piadoso anhelo,
porque es un don que me concede el cielo,
del infortunio en la suprema calma.

Yo ya canté para los no nacidos   5
que hoy sufren de la edad el desencanto;
y aun vengo al templo con el mismo canto,
a levantar los ánimos caídos.

Tenéis amenazadas vuestras vidas
del siglo por la *peste* asoladora,   10
y teméis que también llegue la hora
de convertiros todos en *suicidas*.

Porque no va a morir a la campaña
coronado de lauro el varón fuerte
que, del suicidio al preferir la muerte,   15
nos lega su baldón como una hazaña.

Ni en su lecho a morir va la matrona
orando y a sus hijos bendiciendo,
que a su garganta el cáñamo ciñendo,
al oprobio sus hijos abandona.   20

Ni el de la noble toga revestido,
que, en vez de proteger la ley sagrada,
rompe su corazón de una estocada
y deja al Foro en su deshonra herido.

Y la doncella que llevó la palma   25
a través de los años inocente,
el arma aplica a la gallarda frente,
con humo y sangre despidiendo el alma.

Y los niños y jóvenes y ancianos,
del *siglo veinte* criminal cortejo,   30

853

la muerte retratando va en su espejo:
espantosa visión de los humanos.

Y por eso corréis despavoridos,
huyendo del fantasma que os persigue,
al bacanal donde el placer mitigue   35
el lúgubre terror de los sentidos.

Pero en esos espléndidos salones,
guarda el *suicidio* su mayor tesoro;
allí tienen los príncipes del oro
de opulentos *suicidas* los blasones...   40

¡Oh destrucción que al tiempo se adelanta
por el humano ser contra sí mismo!
¡Loca generación que abre el abismo
de su prole infeliz bajo la planta!

Tremendo estigma en vuestro siglo pesa;   45
páginas negras en su frente imprime.
Si cunde el mal que la existencia oprime,
la humanidad en su corriente cesa..

El Album Ibero Americano, 1901 (14 de marzo), p. 117. *Revista de Extremadura*, 43 (enero, 1903).

Cuartetos.

v. 50: Carolina, en este rechazo del materialismo creciente y alienante que embarga el recién estrenado siglo XX, apuesta por una tesis decididamente roussoniana: la sociedad aniquila la inocencia primitiva del hombre, y es por tanto necesario volver a la edad de oro del «buen salvaje». Es lo que se defiende en los cuatro cuartetos que siguen.

v. 69: Esa esperanza de regeneración espiritual de los humanos ha de pasar necesariamente por el afianzamiento de las creencias religiosas. El *apoyo de unos brazos* no es sino el apoyo espiritual del Crucificado y de su supremo sacrificio, que venga a conjurar el riesgo fatal del suicidio, de la autoaniquilación de una sociedad enfangada en una «peste» de galopante materialismo.

BARCO FÚNEBRE

¡Silencio!... y doblegad la altiva frente
los que roncos estáis del clamoreo.
Ellos salen del mar.. allí los veo...
los marinos que tornan del Oriente.

Peroráis sobre insólita campaña   5
y olvidáis los que en ella perecieron.
¿Sabéis lo que pasó? ¿No os lo dijeron?...
Ellos salvaron el honor de España.

Salid a recibir sus esqueletos
resurgidos del fondo de los mares,   10
que de la triste patria en los azares
ellos saben los íntimos secretos.

Ellos dejaron indelebre traza
del genio del valor desesperado;
ellos en el Oriente han consagrado   15
la majestad de la española raza.

Mejor que vuestra espléndida oratoria
elocuentes serán sus cráneos mudos,
lavados por las olas sus escudos,
las páginas más claras de la historia.   20

¡Ah! si pudiera el español soldado
a quien el mundo antiguo vino estrecho,
lidiar con el contrario pecho a pecho,
él hubiera en la lid siempre triunfado.

Mas en la lid los héroes suprimidos,   25
¿qué pueden los valientes corazones?...
La lid es entre bárbaros cañones,
que son los vencedores o vencidos.

La caldera en los mares encendida
templa al monstruo de hierro sus broqueles,   30

y de victoria ciñe los laureles
su frente por el humo ennegrecida.

Y ese es el monstruo que en el mundo impera
haciendo su arsenal del Océano,
y dando por destino al ser humano   35
atizar el carbón de su caldera.

Mártires del honor, santos marinos
que en el fondo del mar buscásteis palmas,
si a los cielos subieron vuestras almas,
¡qué importan de la tierra los destinos!...   40

Mitra, 15 de marzo de 1904

Revista de Extremadura, 57, marzo de 1904, pp. 139-140. En el mismo mes, 21 de marzo, del mismo año, el poema había aparecido en el diario «La Epoca», con esta nota: «La ilustre poetisa Carolina Coronado, que en su retiro de Cintra no olvida nunca a su Patria, nos envía los siguientes inspirados versos, sentido homenaje de la poetisa a los héroes de Baler».

La defensa de Baler fue una acción militar realizada por un puñado de soldados españoles al mando del capitán Enrique de las Morenas, que tuvo lugar en la aldea de la isla filipina de Luzón, y en donde resistieron un asedio de más de once meses, hasta la capitulación, sin rendir armas.

vv. 29-32: imagen del barco (en concreto el vapor «isla de Panay») que vuelve con los féretros de los soldados españoles, con las velas abroqueladas y la caldera encendida y humeando, en forma de homenaje luctuoso («ennegrecida, por el humo») a los sacrificados en Baler.

A PAZ

¡San Sebastián!... La noche ennegrecía
el puerto, y del telégrafo la clave
órdenes desde el Norte transmitía:
    «Ofrézcase a la reina nuestra nave».
Era un buque de guerra que esperaba   5
dar su servicio silencioso y grave.
    En un palacio triste que se alzaba
del océano cántabro a la orilla,
una preciosa niña sollozaba.
    No quiere sus *llorones* en Castilla   10
solos dejar para marchar a Francia,
sin despedirse de la patria villa

....

    ¡*Plus Ultra,* sí! La espléndida arrogancia
de Isabel Inmortal hoy, aún, resuena
por tu voz, que llorosa era en la infancia.   15
    No; cuando el orbe muestra gloria llena,
no pueden destruirla los cañones,
porque es la historia indestructible almena.
    Arrancarán audaces las legiones
los laureles del *Nuevo Continente*   20
para adornar la testa a sus bridones.
    ¡Y... *Plus Ultra,* de Oriente hasta Occidente,
por fe de las antiguas majestades,
ofrenda a nuestro Dios omnipotente
pasarán repitiendo las edades!   25

Mitra, febrero de 1899

La Época, 9-VIII-1899.

El Liberal Extremeño (año V, nº 804, 11 de marzo de 1899)

Tercetos encadenados.

El presente poema iba precedido de la siguiente nota de la redacción de la revista extremeña en la que apareció: «La inspirada poetisa, paisana nuestra, ha dedicado a su Alteza la Infanta doña Paz la siguiente composición».

El poema une la lealtad monárquica de Carolina (como lo había hecho tantas veces con la figura de Isabel II) junto a su fe en la inmarcesible gloria de España en plena crisis del 98, reciente aún la derrota ante Norteamérica y la liquidación del Imperio. Carolina evoca –en los momentos más críticos de la regencia de María Cristina de Habsburgo-Lorena– la figura gloriosa y triunfante de Isabel I, en cuyo reinado se acuñó el lema político *«non plus ultra»,* tras el descubrimiento de ese «Nuevo Mundo» que ahora arrebatan a España sus enemigos, sin que con este botín logren borrar la inmensa gloria de la Historia española.

VUESTRO SIGLO

Sí, soy yo, que vivo todavía,
que sufrió de otro siglo los azares,
que siempre clamo por la Patria mía
y siempre lloro los perdidos lares.

Soy yo, que audaz a vuestro siglo avanzo,   5
ansiosa de admirar nuestros portentos,
pues de mi vida con el hilo alcanzo
para medir también vuestros talentos.

De vuestro siglo contemplé la aurora:
si la gloria corona vuestro día,   10
ya nacerá en el siglo otra cantora
que ensalce vuestra gloria en su poesía...

Este poema, que debió ser uno de los últimos escritos por la poetisa, apareció póstumo, y como homenaje a su autora, en el mes de enero de 1911 en el diario madrileño «La Época» y en el «Nuevo Diario de Badajoz» (número correspondiente al 20 de enero de 1911).

Serventesios.

Este breve texto insiste sobre parecidos motivos que Carolina ha expresado, por ejemplo, en el poema anterior «A un poeta del porvenir», composición con la que se debe relacionar la presente.

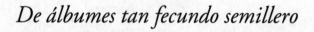

De álbumes tan fecundo semillero

EN OTRO ÁLBUM. TRADUCIDO DE PASTORINI

> Si con tranquila faz, Génova mía,
> tu bello cuerpo destrozado miro,
> no es por ingratitud, es que un suspiro
> me parece en tus hijos cobardía.
>
> Trofeos de constancia y valentía   5
> en tus ruinas orgullosa admiro,
> pues donde quiera que la vista giro,
> encuentro en tu peligro tu osadía.
>
> Más que el triunfo valió tu sufrimiento;
> y te vengaste bien del que te infama,   10
> quedando destruida hasta el cimiento.
>
> Así *la libertad* gozosa exclama
> tus reliquias besando en las arenas:
> ruinas.. sí; pero jamás cadenas.

Hijos de Eva, I (18-Febrero-1849), p. 92.

Poesías, 1852.

Soneto.

Otro ejemplo de una traducción de un original italiano de Giambattista Pastorini titulado originalmente «Per il bombardamento di Genova». Un verdadero soneto histórico que principia «Genova mía, se con asciutto ciglio», muy elogiado por Croce, y que recreaba la defensa de la ciudad genovesa del ataque francés. Se suele considerar este soneto como una apreciada muestra de la poesía heroica italiana del Seicento. Se publicó en la recopilación de las *Poesie* de Pastorini, aparecida en Palermo, 1756.

Con el fin de que el lector pueda comparar el original italiano con la traducción de la extremeña, copio seguidamente los dos tercetos originales del soneto:

Piú val d'ogni vittoria un bel soffrire;
e contro ai fieri alta vendetta fai
col vederti distrutta e nol sentire.

Anzi, girar la Libertà mirai,
e baciar lieta ogni ruina, e dire:
ruine sí, ma servitú non mai.

[LA SANGRÍA]

Un doctor muy afamado
mandó hacer una sangría
y después que hubo pasado
¿se ha sangrado usted, decía?
—Sí, señor, ya me he sangrado—.   5
Que se repita mayor,
repuso, y volvió después.
—¿Se repitió?—. Sí, señor.
Pues otra larga, hasta tres,
y calmará ese dolor   10
Cuando volvió al otro día
le pregunto al enfermero,
¿cómo está su señoría?
—Descansa—. Bien, eso quiero.
Que le den otra sangría.   15
—Se le dará sin temor,
mas no está en eso el misterio:
¿diga usted, el sangrador
querrá ir al cementerio
a sangrar a mi señor?   20

Los Hijos de Eva, I (25-Marzo-1849), p. 176.

Poesías, 1852.

Quintillas.

Carolina se une, con esta sátira, al manido tópico, desde el siglo XVII, de los médicos que, por ignorancia, matan antes que sanan.

EN UN ÁLBUM DONDE HALLÉ LA FIRMA
DE HARTZENBUSCH

Huéspeda en la risueña Andalucía,
hoy hallo con placer inesperado
tu nombre, buen maestro, aquí grabado
con el sello inmortal de tu poesía.

Y del pájaro igual no es la alegría   5
si solo, triste, inquieto, fatigado,
en las ardientes zonas abrasado
halla una palma en la mitad del día.

Como en mi libro, protector me sea
tu nombre aquí, y en ánimo tranquilo   10
aguardaré al curioso que me lea.

Pues que podemos escoger asilo
entre estas hojas y a ninguno agravio,
quiero elegir la vecindad de un sabio.

El Genio (Algeciras), 10 (8-Abril-1849), p. 79. Añade junto al título «a
mi vecino en el álbum». En el v. 1 se lee: «Huéspeda de la hermosa
Andalucía».

Poesía, 1852.

Soneto.

v. 1: Por la referencia biográfica del primer endecasílabo, este soneto
(entre los escasos que escribió Carolina) se podría fechar entre la primavera de 1847, en que Carolina visita Andalucía por primera vez, o mejor,
dos años después, en que la poetisa regresó a Cádiz (sobre todo si tenemos
en cuenta la fecha de la primera aparición del texto, en 1849).

v. 9-10: Hartzenbusch fue el promotor de la primera compilación de
la poesía de Coronado (v. 9). Hay que suponer que Carolina se está refiriendo a la misma colaboración del autor de *Los Amantes de Teruel* en un

álbum a la que alude en otro brevísimo poema de la poetisa extremeña, que copio seguidamente:

> *«Quiero escribir, mi insuficiencia toco:*
> *principio y ceso; de lo malo poco».*

> *Y yo que no sé hacer dos versos buenos*
> *aún debo escribir menos.*

EN UN ÁLBUM POÉTICO PARA UNA NIÑA QUE SE AHOGÓ EN EL MAR

Tú pensaste que el mar era tu cuna

Tú pensaste que el mar era tu cuna
y te adormiste en él tranquilamente;
no ha sido para ti poca fortuna
despertar en la gloria de repente.
  ¡Hija del alma!: no hay vida ninguna   5
que no arrostre el furor de una corriente;
y si nos ha de ahogar ¡ay! la del llanto,
la del mar es mejor... ¡no amarga tanto!

Corona poética dedicada a Francisca Madoz. Madrid, 1850.

 Poesías, 1852.

 Octava real.

 Debe relacionarse este breve poema (una octava real) con otro texto de Coronado, «A la muerte de una niña» publicado en *Los hijos de Eva,* I, 1849, 236-237.

 Como apunta en su edición Nöel Valis (1991, 605) este poema se refiere al fallecimiento, a sus ocho años y en la villa de Zarauz, de la niña Francisca Madoz y Rojas, hija del escritor Pascual Madoz. Este poema se publicó previamente como el primero de una serie de textos reunidos en una *Corona Poética,* dedicada a la niña, en 1850, año de su muerte. Es, pues, este un ejemplo del poema que no se envía a un álbum literario convencional, sino que se recoge en otra fórmula próxima, como fueron las «coronas poéticas» o los «florilegios».

EN UN ÁLBUM, UNA DE CUYAS PÁGINAS REPRESENTABA EL NACIMIENTO DE JESÚS

Venid, pastoras, el milagro hermoso
del niño Dios a ver; posa en el heno,
tiene inclinado el rostro albo y sereno
sobre su descubierto hombro gracioso;
bajo de sus bracitos, tembloroso,   5
espumas miente, su desnudo seno
y hay, semejante al cerco de la luna,
un resplandor en torno de su cuna.

Junto al heno, al bellísimo nacido
con amoroso afán la Virgen cela,   10
y con sus brazos cándidos anhela
dar abrigo a su cuerpo entumecido;
así la blanca tórtola su nido
forma en las pajas y en sus bordes vela,
teniendo entrambas alas tiernamente   15
para guardarle del glacial relente.

Pálidas de su rostro las colores
tiene la helada de la noche fría.
Venid, al hijo amado de María,
venid, pastoras, a vestir con flores.   20
Los divinos, dulcísimos amores,
que el cielo con la tierra tuvo un día,
vienen a rescatar la humana gente
del riesgo de sus culpas eminente.

Buenas pastoras, encended retama   25
que del santo portal deshaga el hielo:
que al bendito Jesús daréis consuelo
con el calor de la amigable llama;
así al hijo de pecho que más ama

vuestro constante, maternal desvelo,
nunca le falte el seno en que adormido
posa en arrullo tierno embebecido.

Poesías, 1852.

Octavas reales.

No se puede negar la estrecha vinculación de este poema desde el punto de vista temático, con el que le precede en la ordenación del volumen de 1852, «La adoración de los pastores». Este texto, por otra parte, inaugura una sección de poemas «en varios álbumes» y encabeza un conjunto de textos que se conciben como «ilustración» verbal a un grabado o dibujo. Vid, al respecto, tres de los poemas que siguen a este, en los que es segura la pre-existencia de una lámina o grabado sobre un motivo religioso relacionado con la vida de Jesús, como el presente y el que le sigue de inmediato, «con igual asunto».

El álbum femenino surge y se extiende a partir de los años treinta del siglo pasado. El álbum que abunda en la sociedad romántica, y postromántica, se puede definir como un manuscrito de contenido vario (literario, gráfico y musical) que se dirige, y dedica, a una mujer (preferentemente, si bien a partir de la generalización de su uso desde 1850, puede haber álbumes dirigidos a hombres). Sobre el tipo especial de «cancioneros de varia poesía» que vienen a ser los álbumes románticos (en los que también colaboró Carolina) existe, hasta ahora, escasa bibliografía crítica: RAMÓN ESQUER TORRES: «Dos álbumes inéditos del romanticismo», *Revista de Literatura*, 55-56, 1965, 163-227; J. DE ENTRAMBASAGUAS, «Una olvidada antología poética» en *Homenaje a don Agustín Millares Carlo*, Madrid, II, 1975, 475-495; y más recientemente el espléndido trabajo de Leonardo Romero Tobar *Los álbumes de las románticas* en el volumen colectivo coordinado por MARINA MAYORAL, *Escritoras románticas españolas*, Madrid, Fundación Banco Exterior, 1990, pp. 73-93. Este poema de circunstancias ofrece, no obstante, unas interesantes sugerencias de interrelación entre el grabado que contendría el álbum en cuestión, al que se alude en el título, y los versos del poema que parecen inspirarse en la «copia» de algunos aspectos pictóricos, como un eco del clásico topoi «ut pinctura poiesis», que tanta eficacia empezó a tener en las proliferantes revistas ilustradas del Romanticismo y de los años posteriores, empezando por *El Artista* y *El Semanario Pintoresco Español*. Es una línea de trabajo abierta a todo tipo de contribuciones. Cf. el interesante y reciente trabajo de LEONARDO ROMERO TOBAR, «Relato y grabado en las revistas románticas: los inicios de una relación», *Voz y letra. Revista de Filología*, nº 1, 1991, pp. 157-170.

EN OTRO ÁLBUM CON IGUAL ASUNTO

(EL NACIMIENTO DE JESÚS)

Abrid los ojos, célica María,
más que la luna del enero, claros,
abrid los ojos y mirad cuán raros
son los dones que Dios tierno os envía:
el serafín más bello que tenía   5
entre sus dulces serafines caros
coronado de rayos celestiales
coloca en vuestros brazos virginales.

¡Mirad quién se os estrecha a la garganta,
mirad qué labio os busca con anhelo,   10
mirad, que por el santo rey del cielo,
qué gozosa estaréis con dicha tanta!
Al ser que a vuestro pecho se amamanta
velad señora, con ardiente celo:
¡que ya desesperado y moribundo   15
de Él sólo espera salvación el mundo!

Poesías, 1852.
Octavas reales.

871

EN UN ÁLBUM QUE TENÍA UNA LÁMINA
QUE REPRESENTABA A LOS ÁNGELES MIRANDO
LOS CLAVOS DEL SEÑOR

¡Ved los hombres cuál son, ved qué inhumanos!
Un Redentor el cielo les envía
y en la terrible cruz, dulce María,
clavan los hierros sus divinas manos;
mirad los hierros, y llorad, hermanos,   5
llorad por el dolor de su agonía
y con lágrimas laven nuestros ojos
los duros clavos en su sangre rojos.

Vino el profeta y su divino canto
los hombres del error no conocieron   10
y ese premio cruel los hombres dieron
al bueno, al justo, al virtuoso, al santo;
si podemos borrar con nuestro llanto
el crimen que los hombres cometieron,
con sus lágrimas laven nuestros ojos   15
los duros clavos en su sangre rojos.

Con estos clavos, infeliz memoria,
arrancados del cuerpo moribundo
ha escrito el pueblo ingrato y furibundo
del hijo del señor la eterna historia.   20
El vino al mundo a conquistar su gloria,
con duros clavos se la paga el mundo
y es menester que laven nuestros ojos
los duros clavos en su sangre rojos.

Esto queda a la tierra del Mesías   25
los clavos nada más de su tormento
que a los hombres darán remordimiento
en cuanto duren sus penosos días;

huyamos de moradas tan sombrías,
volemos de la gloria a nuestro asiento; 30
pero estos clavos en su sangre rojos
con sus lágrimas laven nuestros ojos.

Poesías, 1852.
El Jardín (Abril 1867), p. 259.
Octavas reales.

POR BAJO DE UNA LÁMINA QUE REPRESENTABA
A LA VIRGEN

Escucha, madre mía,
la de el velo de estrellas; bienhechora,
dulce y bella María.
Escucha la que implora,
dolorida y mortal; madre y Señora.   5

Si a mi débil acento
romper los aires y turbar es dado
allá del firmamento
el azul sosegado,
escucha, virgen pura, mi cuidado.   10

La sola voz que el pecho
pudiera ya exhalar, a ti revela
el corazón deshecho,
que tu piedad anhela
y hasta tu trono arrebatado vuela.   15

¡Oh tú, dulce señora
de la esfera eternal!... la tierra mira
y al infeliz que llora
y al triste que suspira
resignación y fe y amor inspira.   20

De tu sagrada mano
piadoso manantial brote a raudales
donde beba el humano
alivios celestiales,
donde se apague el fuego de los males.   25

Y lleva hacia tu seno
a los dolientes hijos que te amaron:
¡no más gima ya el bueno
en grillos que forjaron
los que rebeldes contra ti se alzaron!   30

Poesías, 1852.
Liras.

EN UN ÁLBUM, EN UNA DE CUYAS PÁGINAS SE REPRESENTABA A LA MAGDALENA EN ACTITUD DE CLAMAR AL CIELO

¡Piedad!... Virgen, arráncame y levanta
de entre estas rocas donde estoy hundida:
hiere sus filos mi desnuda planta,
no hay senda abierta y moriré en la huida.

Corrí sin tino tras lejana estrella　　　　　　　5
ansiosa de su luz brillante y pura
y osé trepar a esta eminente altura
para después precipitarme de ella.

Subí a la cumbre por camino blando
lleno de blancas perfumadas rosas　　　　　　　10
y ahora no encuentro de pavor temblando
más que pendientes altas y espantosas.

¡Piedad!... Virgen. Tu mano salvadora
las manos prenda que hacia ti levanto
y hasta los muros de tu pueblo santo　　　　　　15
conduce el alma que tu auxilio implora.

Poesías, 1852.
Serventesios y cuartetos alternados.

EN EL ÁLBUM DE LA CIEGA DE MANZANARES
DONDE HABÍAN EMPEZADO A ESCRIBIR
POR EL REVÉS

Bien se conoce que es
ciega del álbum la dueña,
cuando el que escribe se empeña
en ponérselo al revés.

Y aunque un álbum contrahecho   5
no es fácil de corregir,
yo quiero en él escribir
por ponérselo al derecho.

Porque en verdad no es razón
que lleve nada torcido   10
la que por dicha ha nacido
con tan recto corazón.

Poesías, 1852.

Cuartetas.

A cuento de este poema, Alberto Castilla (1987, 142-143) se extiende sobre los testimonios de coetáneos de la poetisa que dejaron constancia de su carácter generoso y caritativo: «Dos títulos ha llegado a adquirir: los escritores le damos el nombre de *hermana*: los desgraciados la llaman su *ángel*». Son palabras de Fernández de los Ríos. Y añade Castilla la circunstancia concreta que afecta a este poema: «Recibió en su casa, dándole cobijo y protección, a la "ciega del Manzanares", poeta y recitadora en las plazas y mesones de Madrid, que vivía de la caridad en las calles (...). La ciega, que improvisaba versos y anagramas con un contenido espiritual, y a la que un pobre jesuita le había enseñado, de niña, el latín, poseía un álbum de dedicatorias y recuerdos, que alguien había empezado a escribir por el revés, en el cual Carolina estampó unas palabras que descubren un sentimiento de compasión y de ternura que Dumas y Borrow, al parecer, no sintieron hacia la ciega y mendiga poetisa». Castilla alude a los testimonios de los viajes por nuestro país de aquellos dos viajeros (el inglés en su conocido libro *La Biblia en España*, en donde dice del referido personaje que era un ser «harapiento y espantable»).

EN UN ÁLBUM DE UNA PRINCESA ITALIANA

Veggo ardente nel cielo sffolgorare
de sua corona l'ornamento chiaro,
quel chi la luce dá superbo faro
e quel chi fá le piante germinare.

Veggo in la schezzia il pianto scintillare   5
de la matina, che á la terra è caro,
ascolto il fiume fra l'oleandro amaro
sulla pianura herbosa mormorare.

Odo l'uccelli e la sonara aureta
chi pello azurro spazzio tende il vuolo,   10
ma questa bello assai ridente stuolo.

L'ánima mia ancor non rende lietta:
sul bracio trista e languida mi piego
ch'il mio dilletto ¡aimè! mai più non veggo!

Poesías, 1852.

Soneto.

Intento una traducción de este soneto, en el que Carolina prueba sus posibilidades poéticas en la lengua del Lacio:

Veo en el cielo ardiente fulgurar
de su corona el ornamento claro,
aquel que da luz al soberbio faro
y aquel que hace a la planta germinar.

Veo en el rocío el llanto brillar
de la mañana, que a la tierra es caro;
escucho el río entre la adelfa amarga,
sobre el herboso llano murmurar.

Oigo las aves y el sonoro céfiro
que en el azul espacio tiende el vuelo,
pero este bello y muy riente tropel

no deja alegre mi alma todavía:
sobre el brazo me inclino triste y lánguida,
porque a mi elegido nunca lo veo.

EN OTRO ÁLBUM. TRADUCIDO DEL DANTE

¡Eh!... peregrino, que por esta vía
atraviesas con planta indiferente,
¿vienes tal vez de tan remota gente
que el duelo ignoras de la patria mía?

¿Cómo no lloras ¡ay! cuando sombría   5
cruzas por medio su ciudad doliente,
como quien nada sabe, nada siente
del grave luto que oscurece el día?

Si te detienes a escuchar el caso,
yo sé de cierto que llorando, amigo,   10
no pudieras de aquí mover el paso:

perdió Italia a Beatriz; y cuanto dijo
a otros hombres hablando de la bella,
tiene virtud de hacer llorar por ella.

Los hijos de Eva (Alicante), 1849

Poesías, 1852.

Soneto.

Carolina traduce, en esta versión, el soneto de Dante –de la *Vita Nuova,* cap. XL, soneto XXIV, cuyo texto se transcribe íntegramente a continuación, para que el lector interesado pueda cotejar el original italiano y la traducción castellana:

Deh peregrini, che pensosi andate
forse di cosa che non v'è presente,
venite voi da si lontana gente,
com'a la vista voi ne dimostrate?
che non piangete, quando voi passate
per lo suo mezzo la città dolente,

como quelle persone, che neente
par che'ntendesser la sua gravitate.
Se voi restate, pero volverla udire,
certo lo cor de 'sospiri mi dice,
che lagrimando n'uscireste pui.
Ell' ha perduta la sua Beatrice;
e le parole, ch'om di lei può dire,
hanno vertù di far piangere altrui.

EN EL ÁLBUM DE TOMASA BRETÓN
DE LOS HERREROS

¡Una corona y de laurel, Señora!
No fue contigo la fortuna avara
cuando te adorna la preciosa cara
con diadema tan rica y seductora.
¡Por Dios qué risa te darán ahora   5
la pluma, cinta, flor y piedra rara!
¿Mas quién ha de ostentar igual prendido
si no hay más que un *Bretón* y es tu marido?

Poesías, 1852.

Octava real.

v. 1: Carolina recordó, mnemotécnicamente, el esquema de este endecasílabo inicial en el primer verso del soneto con el que rechazó el homenaje que se le ofrecía en Badajoz en 1890: «Una corona no, dadme una rama».

v. 6: diversos adornos del vestido o del tocado femenino. La «piedra rara» alude a una joya indeterminada, pero de extraordinario valor.

v. 8: Coronado alude a un conocido dramaturgo de su momento, Manuel Bretón de los Herreros, a quien trató en varias recepciones, como se refiere en alguna de sus cartas a Hartzenbusch.

El álbum de Tomasa Bretón de los Herreros (1842-1874) se conserva en el Museo Romántico.

EN EL ÁLBUM DE UNA SEÑORA MUY SIMPÁTICA

Tiene a veces el alma un sentimiento
que sabe comprender, mas no explicar,
no es amor, no es pasión y es este afecto
más que interés y menos que amistad.

Es vaga inclinación que nos inspira   5
entre otros mil determinado ser;
es dulce, indefinible simpatía
que nace y muere sin razón, tal vez.

Es lo que siento yo por vos señora,
más que interés y menos que amistad: 10
falta para amistad vuestro cariño,
sobra para interés que os quiero ya.

Poesías, 1852.
Serventesios (el último, asonantado).

EN UN ÁLBUM PORTUGUÉS. LA AMAPOLA
DE LA RAYA

Siempre al tender mi vista por el llano,
del ámbito campestre que me encierra,
he visto el horizonte *lusitano*
lindando con los prados de mi tierra;
y he dibujado con mi propia mano   5
su hermoso valle y su cercana sierra
y he cogido las dobles amapolas
que ni son portuguesas ni españolas.

Una *corona roja* que mecía
la fresca brisa del humilde *Caya,*   10
de una amapola que *nació en la raya*
el nombre de ambos reinos confundía;
yo la tomé con súbita alegría
y deshojando su corola gaya
las hojas hice tremolar al viento   15
haciendo por su vida un juramento...

Juramento de dama que en las flores
deteniendo pueril su vaga idea
con la más olvidada se recrea
suspendida admirando sus colores;   20
juré que porque nacen las mejores
plantas sobre el arroyo que serpea
uniendo a Lusitania con Castilla
iba a llenar la raya de semilla.

¡Oh qué placer reproducir la planta   25
y verla florecer en primavera
a la orilla de plácida ribera
que con sus gotas puras la abrillanta!

¡Oh ya veréis entre sus brotes cuánta
amapola nos da la venidera   30
blanda estación, cuando ilumine el llano
nuestro *sol español y lusitano!*

Poesías, 1852.

Octavas reales.

v. 9: *corona roja.* La especial tipografía con que resalta Carolina este sintagma indica que se desea ir más allá de una simple metáfora de la flor que campea en el título del poema, basada en el color rojo de la flor. ¿Hay una implícita referencia a sendas monarquías *(coronas)* en ese deseo de unión ibérica que Coronado parece sugerir en este poema poco «circunstancial», a pesar del «álbum *portugués*» (no se olvide) para el que –se dice– se produjo el texto inicialmente. Un sentimiento lusista que Carolina ahondará en poemas de su última etapa, escritos ya en Lisboa. Ese sentimiento de fusión luso-castellana es manifiesto en la declaración de intenciones de la tercera octava. O en ese *sol nuestro,* de «doble nacionalidad» del v. 32.

v. 9. *del humilde Caya:* el arroyo Caya sirve de frontera natural entre Extremadura y Portugal, en el paso fronterizo de Elvas, junto a Badajoz. Esa frontera es la *Raya* del v. siguiente.

v. 14. *gaya:* 'alegre', 'vistoso' (por el colorido) (del lat. *gaudium*).

PARA EL ÁLBUM POÉTICO. A LA MEMORIA
DEL SR. D. NICOLÁS DE AZARA

Corona ciñe el triunfador guerrero.
¡Ay! ¡Más corona a las naciones cara
es esa que la gloria le prepara
con la punta sangrienta de su acero!
    Tú, modelo del noble caballero,   5
orgullo y honra de tu estirpe clara,
tú has hecho que tu nombre, ilustre Azara,
venere el español y el extranjero.
    Pero no porque el grito de la guerra
hiciste resonar con loca saña,   10
difundiendo el espanto en nuestra tierra,
    sino por dar a la infeliz España,
genio de diplomático eminente,
paz al furor de su irritada gente.

Poesías, 1852.

Soneto.

Se trata, por un lado, de otro de los escasos sonetos de Coronado, en el que se presenta una curiosa e infrecuente combinación de tres rimas en los tercetos, cerrando el soneto con un pareado: CDC-DEE. Por otra parte, es este poema otro ejemplo de un álbum poético dedicado a un hombre, rarísimos antes de 1850 (cf. el trabajo de Leonardo Romero Tobar referido en las anotaciones al poema «En un álbum de cuyas páginas representaba el nacimiento de Jesús»). El diplomático José Nicolás de Azara (Huesca, 1731-París, 1804) fue Secretario de Estado de Carlos III e intervino en la disolución de la Compañía de Jesús. Como embajador en París, destacó en sus actuaciones cerca de Napoleón Bonaparte, y, años después, firmó, como plenipotenciario español, la Paz de Amiens (marzo de 1802). A raíz de la crisis hispano-francesa por la neutralidad española en la guerra contra Gran Bretaña, Azara dimitió de su cargo de embajador dos meses antes de morir. Sus memorias –circunstancia que puede explicar la confección del álbum en el que dice colaborar Coronado con este texto– se publicaron en Madrid, en 1849 (Cf. C. CORONA, *José Nicolás de Azara,* Zaragoza, C.S.I.C., 1948).

EN UN ÁLBUM PERDIDO Y RECOBRADO

Al recobrar la que lloré perdida
prenda de la amistad, con tanta pena
del hallazgo dichoso me enajena
el contento más dulce de mi vida.
    Yo juré recobrarla, aunque escondida   5
del desierto se hallase entre la arena;
juré por tu bondad y tu hermosura
y la suerte cumplió mi ofrenda pura.

Poesías, 1852.

Octava real.

En este poema el álbum viene a ser el centro mismo del poema, su referente inmediato, su núcleo.

PONIENDO AL REVÉS UN ÁLBUM QUE PRINCIPIABA CON UNOS MALOS VERSOS

> Empezar por la página primera,
> capricho inútil de los hombres es;
> pues ha de ser del Álbum la postrera,
> si se toman los libros al revés.
> El primero que el Álbum haya abierto   5
> puede en verdad decir que lo empezó;
> pero nadie dirá, con dicho cierto,
> que pone fin en donde empiezo yo.

Poesías, 1852.

Serventesios.

Como se indica en el poema anterior, de nuevo es el propio álbum, en uno de sus detalles, el referente directo del poema caroliniano.

LA PÁGINA EN BLANCO

Una tan sola reservó el destino
página en blanco para mí guardada;
y en dejar a mi musa limitada
la intención de los hados adivino.

Dice el sabio Hartzenbusch, a quien invoco   5
siempre que de consejos necesito,
en cierto verso por su mano escrito,
principio y ceso –de lo malo poco.

Menos modesta que Hartzenbusch, acaso,
supliendo a su talento mi osadía,   10
seis páginas del álbum llenaría
si no atajaran a mi musa el paso.

Basta con esta; y aun a ser borrada
yo la condeno, por mi orgullo loco,
pues, si debe Hartzenbusch *escribir poco,*   15
yo no debo en conciencia escribir nada.

Poesías, 1852.

Cuarteros.

Tercera ocasión en la que el poema destinado a figurar en la página de un álbum trata del mismo álbum. Por otra parte, sirve este poema de circunstancias para que Coronado recuerde, una vez más, su admiración y respeto personales por la figura de Juan Eugenio de Haztzenbuchs. En realidad este texto es una ampliación –con la misma referencia intertextual procedente del autor de *Los Amantes...*– del brevísimo poema caroliniano al que se alude en el comentario de otro poema para álbum: «En un álbum donde hallé la firma de Hartzenbusch».

EN EL ÁLBUM DE UNA DAMA DESCREÍDA.
NADA CREO

I

Señora, os amo con igual ternura
que en el hora en que os dije mi deseo,
jamás, jamás hallé en mi devaneo
rival a vuestro genio y hermosura...
—Será verdad, garzón, mas no lo creo. 5

  —Alejéme de vos, mas viva y fija
tal memoria llevé en mi corazón
que pensamiento no hay que mi pasión
no anime, no sostenga, no dirija...
—Será verdad, mas no lo creo, garzón. 10

  —¿Qué digo? Más, más mi cariño ahora
de vos ausente enciende mi deseo:
dormido siempre en la ilusión os veo,
despierto os lloro sin cesar, señora...
—Será verdad, garzón, mas no lo creo. 15

  —Los alegres fantasmas que en el mundo
tanto halagan al joven corazón,
brillo, placeres, sueños de ambición
ceden, señora, ante mi amor profundo...
—Será verdad, mas no lo creo, garzón. 20

  ¿Qué es la ambición? Su más grande victoria
sacrificar a vuestros pies deseo.
¿Gloria sin vos?: ¡ni aún en los cielos veo,
arcángel, para mí sin vos la gloria!
—Será verdad, garzón, mas no lo creo. 25

  Lanzar he visto llamas del amianto
al duro cuerpo incombustible y frío,

y desde aquel maravilloso encanto
de los incendios, buen garzón, me río.
Bien derramar podéis ardiente llanto   30
para inquietar, ¿quién sabe?, el pecho mío,
sin que del vuestro al plácido sosiego
logre inflamar, como el amianto el fuego.

    Garzón, las hadas de infantiles sueños
ha largo tiempo que dejé en la nada;   35
ya de la clara luz mis ojos dueños
otra atmósfera ven más despejada;
cesad en los inútiles empeños,
porque el lloro y el habla enamorada,
y todo cuanto escucho y cuanto veo,   40
será verdad, garzón, mas no lo creo.

II

    –Del alma vuestra la perversa fe
pudo animar en vos tales recelos
y no merecéis, no, ¡viven los cielos!
ni mi amor, si es verdad que yo os amé,   45
ni el tiempo malgastado en mis desvelos.
    Rompa mi corazón en buena hora
de este cariño el último eslabón;
en vez de pena, siente el corazón
placer, al contemplar que vencedora   50
recobra en mí su imperio la razón.
    Ciego anduve, mas ya cual sois os veo:
¡sois hembra al fin! –Garzón, y vos estáis loco
si a arcángel me elevasteis hace poco!
–No os amo ya, pasó mi devaneo.   55
–*Pues todo pasa así, yo nada creo.*
    Mas escuchad: quien dijo «mi señora
os ama como a Dios, el pecho mío»

no es bien, garzón, que en su altivez ahora
el parabién se dé por mi desvío.   60
¿Pues, y la llama aquella abrasadora?...
De los incendios, buen garzón, me río:
que al soplo del rencor ceniza fría
tornar el alma, que cual Etna ardía.

    ¡Cuán presto del altar cayó la santa!   65
¡Cuán presto en vuestro templo se consume
el fuego que erigisteis a su planta
para esparcir en su loor perfume!;
el ara abandonáis con prisa tanta
al ídolo injuriando, que presume   70
la turba que el fanático es ateo...
¡Digo!... ¿tengo razón si nada creo?

<hr />

Poesías, 1852.

Quintetos.

vv. 26-27: Convendrá tener en cuenta el forzado hipérbaton que se
presenta en estos dos versos: «he visto lanzar llamas al duro cuerpo incombustible y frío del amianto». Carolina adopta en este largo –y un poco discursivo– poema el estilo barroco de tantos poemas amorosos del siglo XVII.

v. 64. *Etna:* Volcán siciliano, el más grande de Europa. Los antiguos
situaban en este macizo volcánico las forjas de Vulcano y de los Cíclopes.
Con este nombre, o con el de «Mongibelo», dicho volcán era frecuentemente utilizado como referente ponderativo del ardor de la pasión amorosa en la poesía barroca, que –según se apuntaba en el párrafo anterior–
es un modelo más o menos lejano en este imaginado dialogado entre
amantes desengañados.

RÉPLICA A UNA IMPUGNACIÓN AL «NADA CREO»

¡Jesús!, la tremenda guerra
que movéis a mis canciones
me maravilla y me aterra.
¿No salen en nuestra tierra
por las damas campeones,   5
y salen por los garzones?

Vaya en gracia, caballero,
de perseguidos donceles
paladín; sois el primero
que, por sostener infieles   10
a las damas, guante fiero
arroja en el suelo ibero.

Aunque enemigos los dos,
que andante vayáis alabo
de malas causas en pos,   15
pues vos pensaréis «al cabo
al bueno le ayuda Dios»
y ayudáis al malo vos.

Es generoso el deseo
de amparar al no *creído*,   20
mas, Señor, a lo que veo
en esta querella *creo*,
que puede ya el *descreído*
creer que seréis vencido.

Empeño tan sin razón   25
os puede costar muy caro
que es mucha mi condición
y si la guerra os declaro
quedaréis con el garzón
malparado en mi canción.   30

Mas, pues así lo pretende
vuestra musa respondona,
mire bien cual se defiende,
porque mi numen no ofende,
pero al que «guerra» le entona   35
vence, sigue, y no perdona.

¿Conque decís que la llama
del dulcísimo deseo,
que el pecho rendido inflama
del garzón que tierno ama,   40
se muda en rencor tan feo
al soplo del *no te creo?*

¡Válgaos Dios, buen caballero!
¡De qué mala condición
será el amante garzón   45
que trueque en odio fiero,
por un desdén la pasión
que inflamó su corazón!

Ya vuestra causa es perdida;
¿pues no veis por vuestra vida,   50
que autorizáis el desvío
de la dama *descreída,*
tan egoísta amorío
describiendo, señor mío?

No pensáis que con razón   55
al conocer esa llama,
de tan innoble pasión,
debe responder la dama
a vuestro amante *garzón*
con semejante canción: 60

«Quien odia por un desvío,
muestra que no supo amar.
Y pues fingisteis impío,
harto bien el pecho mío,
mal garzón, hizo en dudar   65
de vuestro falso llorar».

«Quien así muda el halago
en baja reconvención,

muestra indigno corazón;
y os he dado justo pago   70
rechazando, mal garzón,
vuestra *mentida pasión.*»

    «Llamáis a mi amor *ateo*
porque del vuestro *dudé,*
mas garzón a lo que veo   75
si os hubiera dicho *os creo,*
vos respondierais, a fe,
porque os *creí, la engañé.*»

    «Y pues pretende *engañar*
el uno aquí de los dos,   80
el otro debe *dudar;*
que vale más no *adorar*
que *adorar* a un falso *Dios,*
no amar, que amaros vos».

    Ya veis Señor las *razones*   85
que a los hombres *engreídos*
da la dama en sus canciones.
¡Cómo han de ser los *garzones,*
por votos de amor creídos,
si sus votos son *fingidos!*   90

Poesía, 1852.

Sextillas agudas.

    v. 5. *campeones:* 'defensores apasionados de una causa' 'paladines'. Vid, vv. 9 y v. 14 («caballeros andantes»).

    v. 6. *garzón:* (galicismo): 'joven'. Antiguamente añadía un significado que podría tenerse en cuenta en el contexto en que lo utiliza Coronado: 'joven que lleva vida disoluta con las mujeres'; casi sinónimo de «burlador».

    v. 10. *infieles:* vid. lo apuntado para la voz «garzones» en el v. 6.

    v. 11-12. *guante fiero/ arroja:* la expresión «arrojar el guante» equivale a retar o desafiar a alguien a combate, o a polémica, como en este caso.

    v. 20. *al no creído:* en el poema anterior, recuérdese, era la mujer la que dudaba seriamente de las promesas de amor del galán.

v. 32. Esa musa respondona es una directa alusión al texto ajeno, de algún poeta, que aparecería como «impugnación del texto anterior», según se indica en el título del presente texto.

Téngase en cuenta el poema anterior, al que se refiere el presente.

ÚLTIMA RÉPLICA A OTRA CONTESTACIÓN A LA ANTERIOR

¡Extremada bizarría!
¡Rendimiento cortesano!
¡Bondad la del castellano
consumadísima es,
pues con una dama altiva   5
mueve altivo una querella,
porque logre el triunfo ella
de que se rinda a sus pies!

    A quien *vencido* se aclama
con tan noble gallardía,   10
no tiene la musa mía
nada, señor, que añadir;
si no es que a vos mucho estima
el sacrificio costoso
del empeño generoso   15
que os obliga a *desistir.*

    Tal hazaña en vos excede
a una cumplida victoria,
que a veces está la gloria
más que en triunfar, en ceder;   20
triunfo alcanzáis en rendiros
con galán comedimiento,
mayor que el merecimiento
que lograrais en vencer.

    Básteos, señor, esto y dejo   25
que *desdeñados garzones*
formen grandes *coaliciones*
en sus odios contra mí;
pues el odio es tan amargo

para el alma que lo siente,
que odiándome injustamente
la pena llevan en sí.

Poesías, 1852.

Sextillas agudas.

Cf. los dos poemas anteriores, con los que está íntimamente relacionada esta airosa, contundente y brillante contestación de Coronado, zanjando así una polémica poética que, en cualquier caso, habla de esa «secreta guerra de los sexos», en la que el feminismo de Coronado tomó tanta parte activa.

EN EL ÁLBUM DE UNA DAMA CON GENIO
Y SIN PRETENSIÓN

De ti, señora, me contó la fama
que con ingenio vivo y alma inquieta
renuncias a la gloria del *poeta*
por no arriesgar el de *modesta dama.*

Pero dicen también que el Dios del arte   5
al verte abandonar su templo santo
sintió la ausencia de tu ingenio tanto
que a los poetas ordenó cantarte.

Uno por uno con afán, señora,
de Apolo te transmiten los favores,   10
y yo también aunque infeliz cantora
vengo a ofrecer a tu corona flores.

Admite entre el *laurel* y la *violeta*
este ramo no más de *siemprevivas;*
aunque por ser *modesta,* nada escribas,   15
siempre tendrás renombre de poeta.

Poesía, 1852.

Tres cuartetos y un serventesio.

Carolina se dirige a una «modesta dama» (e intuyo –sin poder com-
probarlo– que en ese adjetivo –*modesta*– que intencionalmente se subraya
en el primer y el último cuarteto hay una «identificación» escasamente velada de la receptora del poema, y del álbum en el que se insertó) para lamentar que la mujer (y ese peligro lo sintió muchas veces en sí misma: cf.
el poema «La poetisa en un pueblo») tenga que anteponer su condición
femenina y familiar a la de artista, por lo general extraña y hasta despecti-
vamente considerada por la clase burguesa entre la que se desenvolvió Coronado.

EN EL ÁLBUM FÚNEBRE. A LA MEMORIA
DE UNA JOVEN

¡Nadie se muere de amor!

¡Cómo habías de vivir
si *amando*, pobre mujer
tenemos que *combatir*,
y el luchar nunca es *vencer*,
el luchar siempre es *morir*!   5

    Cuando entre galas y flores
amor te daba la palma,
le dije a tus amadores:
«No le habléis tanto de amores,
que tiene sensible el alma».   10

    Pero el mundo descreído
respondió con su sonrisa:
«Deja que halaguen su oído,
que ya por el bien *querido*
nadie se muere, poetisa».   15

    Volví más tarde a decir:
—Mirad que perdió el color
y no cesa de gemir.
Mas él tornó a repetir,
—*Nadie se muere de amor*.   20

      —Puede ser que el mundo ignore
cuanto su dolor la hiere...
—Deja, poetisa, que llore,
por mucho que al hombre adore,
ninguna mujer se muere.   25

Yo volví más consolada
y estabas en la agonía.
—*¡Se muere!* clamé aterrada;
pero el mundo respondía:
—*Es muerte de enamorada.*   30

Ya tu pecho palpitante
al impulso del dolor,
lanzó un grito penetrante,
y el mundo dijo: —¡Es *amante*!
¡Nadie se muere de amor!   35

Yo vi tu mirada incierta
clavarse al fin aterida,
y dije al mundo: —¡Está *muerta*!
y respondió: —Está *dormida;*
¡ya verás cómo despierta!   40

Ya oye el mundo la campana
que anuncia con su clamor
de una belleza lozana
¡la *muerte* horrible y temprana
que le ha alcanzado *su amor*!   45

Ya envuelta en el blanco velo
la ve al sepulcro marchar
y la acompaña en el duelo,
y aun aguarda con recelo
que pueda *resucitar*.   50

Y al sepultar a la bella
no sabiendo en su rencor
qué decir el mundo de ella,
dice: La mató su *estrella*...
Nadie se muere de amor.   55

Poesías, 1852.

Quintillas.

Carolina, por razones personales y familiares (cf. *Introducción*) fue una obsesa de la muerte, y este poema —topoi del «morir de amor» incluido— así lo muestra una vez más. Por otro lado, este texto tiene una estrecha cercanía –en el «argumento» que se adivina– con la novelita corta *Adoración,* publicada en Cádiz en 1850: la triste historia de una enamorada en ámbitos altoburgueses, con sus sesiones de ópera, sus bailes, saraos, recepciones, sus intrigas amorosas y sus insidias de guante blanco. Una gravísima hemoptisis provoca la muerte de la joven Adoración al no resistir, por amor, una bárbara apuesta: danzar valses hasta el agotamiento físico. Hay en la heroína del relato de Coronado un sentimiento de sacrificio –casi de suicidio– que le mantiene invicta ante los ojos de un fementido amante, al desafiar –en los alocados giros del vals– cualquier atisbo de burla, conmiseración o paternalista protección.

EN EL ÁLBUM DE UNA AMIGA AUSENTE

No, los recuerdos que en el mar se escriben
no los borran el tiempo ni la ausencia;
allá en las olas resonando viven.
    ¿Qué es olvidar? ¿Qué fuera la existencia,
si hasta el recuerdo de amistad querida   5
nos vedara también la Providencia?
    Si triste en mi recinto oscurecido
callo, por no turbar, cuando te halles
contenta, tu placer, no es que te olvido.
    A ti que ver la yerba por las calles   10
nacida, te entristece; ¡infortunada
si vivieras, hermosa, en estos valles!
    Crece la yerba al pie de mi morada
libre y fecunda, desde octubre a mayo;
y no perece al fin por ser hollada   15
    sino del sol canicular al rayo,
como mi juventud, como mi vida,
si le llamas vivir a este desmayo.
    ¡Si le llamas vivir, alma querida,
a levantar del lecho la cabeza   20
y volver a inclinarla dolorida!
    Largo tiempo luché con la tristeza:
la paciencia sostuve y el aliento
y abusé de la humana fortaleza;
    pero llega el cansancio al sufrimiento   25
y de mi endeble máquina las venas
de la fiebre al dolor estallar siento,
    como del barco seco en las arenas
de Cádiz, al ardor del sol estallan
los comprimidos mástiles y antenas.   30
    ¡Cádiz!... ¡el mar!... ¡mi amiga! ¿por qué os hallan

lejos mis ojos, hoy que sin ventura
tanto mis penas contra mí batallan?

    Aún pudiera del mar la brisa pura
reanimar el aliento de mi alma,   35
y alegrarme la voz de tu ternura;

    mas no será, y en la abrasada calma
moriré del desierto, consumida,
en tanto que tu sombra, humana palma,

    en las playas del África esparcida,   40
se retrata en la orilla de los mares
y a respirar al pájaro convida.

    Que las aves dulcísimos cantares
te regalen en esas extranjeras
tierras, si melancólica te hallares;   45

    ya que apenas llegar a esas riberas
podrá la voz doliente y extinguida
de estas canciones ¡ay! tal vez postreras.

    ¿Quién sabe si te di mi despedida
cuando volaba al africano puerto   50
la rugidora máquina encendida?

    El sol tras de las aguas encubierto
en la flotante espuma chispeaba
de nuestro barco, por el sulco abierto;

    y tus hijos al verme que lloraba   55
cariñosos besaban mis mejillas
y yo a mi corazón los estrechaba.

    Aquellas emociones tan sencillas
me dejaron de pena el alma rota,
cuando me vi del mar en las orillas   60
sola como la pobre gaviota.

Poesías, 1852.

Tercetos encadenados.

    vv. 7 y 9: en este terceto se altera la rima, que debería ser *-ida*, por otra en *-ido*.

Este poema, que no aparece fechado en la colección de 1852, debe datarse hacia el otoño de 1847, a la vuelta del primer viaje a la capital gaditana, por unos motivos de salud de los que parece no haberse aún restablecido Carolina cuando escribe estos versos. O bien podría retrasarse su fecha unos meses, hasta el año siguiente, coincidiendo con la que tienen otros textos que deben relacionarse con el presente, como «Ultima tarde en Andalucía» y «Cádiz».

EN EL ÁLBUM DE LA SEÑORITA ARMIÑO

Existe entre ti y mi alma
una dulce inteligencia,
mitad cariño en su esencia
y *celos* la otra mitad.

Yo no sé, niña graciosa,   5
cuál de entrambas es más fuerte:
sé que la dos de igual suerte
dominan mi voluntad.

Bástame para quererte
que en una planta nacida   10
estés por el tallo unida
a una flor que adoro yo;

mas te envidio, niña bella,
que el Señor, desde la cuna,
te diera la gran fortuna   15
que a mi existencia negó.

Porque tú ves la sonrisa
de mi *adorada cantora,*
sus lágrimas cuando llora,
su imagen, todo lo ves;   20

pero yo nunca la veo
sino allá, como entre nubes
soñamos ver los querubes
de los cielos al través.

Y por eso hay entre ambas   25
una dulce inteligencia,
mitad cariño en su esencia
y *celos* la otra mitad.

Yo no sé, niña graciosa,
cuál de entrambas es más fuerte;
¡sé que las dos de igual suerte
dominan mi voluntad!

Poesía, 1852.

Octavillas agudas.

Esta señorita Armiño no es otra que la poetisa Robustiana de Armiño, amiga de Carolina, a la que ya le había dedicado algún otro poema en
la misma compilación de 1852: «A la señorita de Armiño» y «La flor del
agua».

A SANTA TERESA

Dulce Teresa, virgen adorada
que estás entre los ángeles del cielo,
la que ceñistes el sagrado velo
de las castas esposas del Señor:
tú pasaste tus horas, como el justo,   5
en santa paz y religiosa calma,
volando al cielo con gloriosa palma
arrebatada en alas del fervor.
    Yo tu divina
    célica gloria   10
    a tu memoria
    quiero cantar.
    Dulce Teresa
    de Dios querida,
    la bendecida   15
    en sacro altar.
    Tú desdeñaste la engañosa pompa,
el falso brillo que al mortal rodea,
que el hombre débil en su mente crea
para halagar su loca vanidad;   20
y amaste la virtud y a un Dios amaste,
devolviéndole un alma de pureza,
porque admiraste ¡oh Virgen! su grandeza
y escuchaste la voz de la verdad.
    Dulce Teresa   25
    de Dios querida,
    la bendecida
    en sacro altar.
    Yo tu divina
    célica gloria   30

> a tu memoria
> quiero cantar.
> Tú cantaste la gloria aquí en la tierra
> y eras del mundo celestial encanto;
> ahora ves en el trono sacrosanto   35
> cercado de querubes tu laúd.
> Teresa de Jesús, alma bendita,
> oye piadosa desde el rico asiento
> este sencillo y fervoroso acento
> que consagro a tu fúlgida virtud.   40
> Yo tu divina
> célica gloria
> a tu memoria
> quiero cantar.
> Dulce Teresa
> de Dios querida,
> la bendecida
> en sacro altar.

Badajoz, 1844

Poesías, 1852.

Octavas agudas o bermudinas combinadas con octavillas agudas en pentasílabos.

v. 36. La voz metafórica *laúd,* junto con la forma verbal *cantaste* del v. 33 que la justifica, se refiere, obviamente, a la actividad literaria –y también, como poetisa– de la santa abulense.

Es este un poema de encargo, compuesto para ser cantado por las monjitas pacenses de un convento carmelita, y corresponde a la etapa temprana de la poetisa. Años después, desde las páginas del *Semanario Pintoresco Español* Carolina volvió sobre la figura de Santa Teresa para proponer un sorprendente y atrevido paralelo con la poetisa Safo (otro de los «mitos feministas» del Romanticismo), como dos «genios gemelos». En ese ensayo Carolina recrea la figura de Teresa de Jesús, como mujer, monja y poetisa, en tanto que se constituye en paradigma ejemplar –completado con el que estimula la heroína griega– para las aspiraciones y reivindicaciones, individuales y sociales, de la mujer de su época, de ella misma. Carolina intenta formular los argumentos que justifiquen tan extravagante parangón (en apariencia) entre ambas mujeres: «Ambas forman una escuela para elevar a la mujer: Safo juzga que las eleva coronándolas de laureles; Teresa vistiéndolas de cilicios. Safo las hace componer versos; Teresa, pronunciar oraciones. Safo les habla de triunfos; Teresa, de penitencias. Safo las lleva al Liceo; Teresa las conduce al altar». Dos mujeres que luchan, cada una desde la trinchera que le es propia, por la condición de ser mujer: la una, Safo, «se emancipa del yugo que la sociedad ha impuesto a su sexo, y proclama en sus cantos la libertad»; la otra, Teresa, «se encierra en el claustro y abjura la independencia de la mujer». Dos espejos tensados en el tiempo para que la nueva mujer en la que piensa Carolina (ahí están sus muchos poemas criticando una marginación injusta) pueda tener un referente paradigmático al que acudir, y un acicate para vencer adversidades, incluso en lo amoroso, como una de las dimensiones fundamentales de la condición femenina: «Abrasadas ambas de un amor innato, vivo, tierno, sublime, impagable, ambas se enamoran en la juventud: Safo, de Faón; Teresa, de Jesús». Safo y Teresa sintetizan, juntas, la mujer perfecta, sublime en lo humano y lo divino, que Carolina apunta como una norma de conducta y máxima aspiración, en un sector nada desdeñable de sus poemas. El diseño del poema en cuestión imita –con su diseño de glosas y estribillo– los poemas que se conservan de la santa, igualmente compuestos para ser cantados por las monjas de sus conventos reformados.

EPITAFIO A UN NIÑO

Duerme, niño, el sueño blando
en esta cuna escondida,
aunque tu madre llorando
por tu existencia llamando
quiera volverte a la vida.   5
Porque en la noche sombría
de nuestra vida ilusoria
no has de encontrar, alma mía,
la luz del eterno día
que has encontrado en la gloria.   10

Badajoz, 1844

Poesías, 1852.
Quintillas.

ORACIÓN A LA VIRGEN QUE CANTAN LOS NIÑOS EN UNA ESCUELA

Hazme buena, Madre mía,
dame paciencia y virtud,
porque tú Santa María
has de ser la mejor guía
que tenga mi juventud.   5
    Del corazón inocente
protege tú los amores,
y antes que empañen mi frente,
que me cieguen de repente
tus divinos resplandores.   10
    Consuélame, Madre mía,
cuando a tus plantas me veas,
porque yo no dejo un día
de decir «Santa María»
«¡Bendita en el cielo seas!».

Badajoz, 1848

Poesías, 1852.
Quintillas.

PARA LOS ALUMNOS DEL COLEGIO
DE SAN FERNANDO EN LA COMUNIÓN

El bueno, el justo, el santo,
nos da dulce convite;
alcemos nuestro canto
de eterna gratitud
por este pan suave   5
que nuestro labio toca
y abrasa nuestra boca
en llamas de virtud.
    Cantemos de rodillas,
cantemos con unción   10
las altas maravillas
de la comunión.
    Perfumes de mil flores
no tienen la ambrosía
que, tú, de los amores,   15
pimpollo virginal;
tu aroma que trasciende
por todos los sentidos
las venas nos enciende
en fuego celestial.   20
    Cantemos de rodillas,
cantemos con unción
las altas maravillas
de la comunión.
    Los frutos escogidos   25
de huertos regalados
parecen desabridos
después de tu manjar;
porque es tu pan divino

el más grato sustento   30
que encuentra el peregrino
tras largo caminar.
    Cantemos de rodillas,
cantemos con unción
las altas maravillas   35
de la comunión.
    Bendito sea tu nombre
por todas las criaturas,
de nuestras lenguas puras
el himno llegue a ti;   40
que a ti Señor amamos,
en ti, Señor creemos,
y sólo viviremos
para adorarte así.
    Cantemos de rodillas,   45
cantemos con unción
las altas maravillas
de la comunión.

Chiclana, 1849

Poesías, 1852.

Octavillas agudas alternadas con una redondilla que se repite funcionando a manera de eucarístico estribillo.

El poema, por su datación y por los dos topónimos que aparecen en el título y en la fecha, se ubica durante la estancia de Carolina en Cádiz, pues de la provincia gaditana son las cercanas poblaciones de San Fernando y Chiclana de la Frontera.

HIMNO AL NACIMIENTO DE LA PRINCESA DE ASTURIAS, CANTADO POR LA SECCIÓN LÍRICA DEL LICEO DE BADAJOZ

«Viva, viva, la tierna heredera
que ha nacido a la Reina Isabel,
la hermosura hemos visto que impera
de las Reinas es hoy el dosel».

Españoles, con grande alegría   5
saludad a la hermosa Princesa,
y de hinojos haced la promesa
de velar por su cuna Real;
que en honor de Española hidalguía
la debéis ese noble homenaje;   10
porque es dama de excelso linaje,
porque es hija de augusta beldad.

«Viva, viva, la tierna heredera
que ha nacido a la Reina Isabel,
la hermosura hemos visto que impera,   15
de las Reinas es hoy el dosel».

Con Tu nombre dulcísimo el alma
de contento y placer se extasía,
que es el nombre feliz de María
esperanza de gloria inmortal.   20

Con Tu nombre la pena se calma,
Con Tu nombre se logra el consuelo,
que es tu nombre bendito en el cielo
y protege en la tierra al mortal.

«Viva, viva, la tierna heredera   25
que ha nacido a la Reina Isabel,
la hermosura hemos visto que impera,
de las Reinas es hoy el dosel».

Con guirnaldas de hermosos laurales
coronada, Real sucesora,
30
tú del siglo futuro la autora
bajo el solio tranquilo verás.

Y tus pueblos dichosos y fieles
grabarán en el bronce tu historia,
y de Reina serás, tú, la gloria,
35
y de España el orgullo serás.

«Viva, viva, la tierna heredera
que ha nacido a la Reina Isabel,
la hermosura hemos visto que impera,
de las Reinas es hoy el dosel»
40

Badajoz, 1851

Poesías, 1852.

Octavas agudas, entre las que se intercala un serventesio a manera de estribillo, combinadas con cuartetos.

v. 19: con esa indicación alude Carolina a la persona de la princesa María Isabel Francisca, primogénita de Isabel II (y por tanto heredera del Principado de Asturias) que nació un 20 de diciembre de 1851. Este texto hay que relacionarlo con el poema titulado «El siglo de las reinas».

PARA UN OBELISCO EN HONOR
DE LA PRINCESA DE ASTURIAS

Hoy princesa inocente el bravo Marte,
en holocausto a tu brillante suerte,
como ha sido el primero en anunciarte,
es también el primero en protegerte.
El cañón que resuena al aclamarte   5
sólo sabrá sonar por defenderte,
que sin temer sus rayos en la tierra
segura estás en paz, segura en guerra.

De una reina adorada en el regazo
dormita en paz, angélica María,   10
mientras tu nave la gobierna y guía
del buen piloto el incansable brazo.
Unido al trono con estrecho lazo
en su lealtad tu porvenir confía,
que bogando por ti con rumbo cierto   15
ya no descansa hasta llevarte al puerto.

Badajoz, 1851

Poesías, 1852.

Octavas reales.

vv. 1-8: Destaca la reiteración de la consonante vibrante, simple o múltiple, a lo largo de toda esta primera octava en la que se alude a las salvas de honor por el principesco nacimiento. Debe relacionarse con el poema «El siglo de las reinas».

NO HAY REINA QUERIDA TANTO COMO TÚ

Flor del Mediodía, hermosa y lozana
semilla temprana, germen de virtud,
madre venturosa, alma bendecida,
no hay Reina querida tanto como Tú.
    De Reinas hermosas el trono fecundo   5
ostenta en el mundo gloria y juventud,
mas nunca en la historia la Reina elegida
ha sido querida tanto como Tú.
    Cien Reinas nacieron de regias matronas,
de aquellas coronas deslumbra la luz,   10
pero de tu seno la niña nacida
solo fue querida tanto como Tú.

Poesías, 1852.
    Serie asonantada de endecasílabos, con un verso de cierre, que varía sobre un esquema fijo, a manera de lema o estribillo.

    Nuevo poema de circunstancias, en el que se rinde admiración y pleitesía a la reina Isabel II, y de paso a su primogénita. Cf. este poema con otros dedicados al regio natalicio.

ESTRENANDO UN ÁLBUM
POR LA ÚLTIMA PÁGINA

Yo elijo la postrera de tus hojas,
yo voy a anticipar tu despedida,
ya blanco libro, que mi nombre alojas:
sabes cuál es tu término en la vida.
¡Ay! si también pudiera el alma herida   5
anticipar el fin de sus congojas...
yo de mi juventud saber quisiera
qué nombre hay en su página postrera.

Poesía, 1852.

Octava real.

De nuevo el álbum como objeto es el centro de referencia del poema que en él se incluye, y no la propietaria del mismo (Cf. otros textos como «En un álbum perdido y recobrado» y «La página en blanco»). A su vez este poema se vincula estrechamente con el siguiente «En la última hoja del álbum». Por otra parte Carolina aprovecha —como subterfugio— esta leve circunstancia de escribir en la última página de un álbum todavía vacío para —en los cuatro últimos endecasílabos— dolerse de su presente y desear, o temer, que el tiempo corra hacia su final, como el del álbum.

EN LA ÚLTIMA HOJA DEL ÁLBUM

El fin de todo busca el alma mía
porque en esta existencia pasajera
del más hermoso y regalado día
siempre viene a turbarnos la alegría
el miedo del dolor que nos espera.   5
    Si fe tenéis en la amistad lozana
del joven que en la infancia habéis querido,
desvanecida como sombra vana
por otra nueva dejaréis mañana
esa tierna amistad en el olvido.   10
    Si fe tenéis en que el amor primero
es el amor más cierto de la vida,
sabed ¡ay! que ese amor es pasajero,
que sólo, amigos, el amor postrero
es el único amor que no se olvida.   15
    Así no es mucho que en libro escoja,
teniendo de la fama igual idea,
con tanto nombre como en él se aloja
no la primera, la postrera hoja
para dejar memoria al que me lea.   20

Poesías, 1852.

Quintetos.

Este otro poema es un desarrollo de lo apuntado al final del poema anterior «Estrenando un álbum por la última página».

LA ALEGRÍA DEL POETA ESCRIBIENDO EN UN ÁLBUM

Levanta, lira caída.
Ven, que el dolor te convida
con mil tonos acordados.
Tengan también en la vida
su fiesta los desdichados.   5

No temas ¡oh! que en tu acento
vaya el mundo a sorprender
vuestro ignorado tormento...
lo mismo ha de comprender
tu canción que mi lamento.   10

¿Qué sabe si son gemidos,
canto, risa, imprecaciones
lo que en mis trovas he oído?
La turba escucha el sonido
sin sentir sus vibraciones.   15

Y si al fin para ella iguales
son mis dichas y mis males,
alégrala con gemidos,
y broten en cien raudales
mis pesares comprimidos.   20

El mundo, arpa mía, en tanto
torpe nos envidiará
el ignorado quebranto:
¡y en cambio de nuestro canto
sus aplausos nos dará!   25

Así el ciego musiquillo
discorde violín pulsando,
con monótono estribillo,

marcha su infantil corrillo
por las calles alegrando.   30

      Canta, y su voz tembladora
el pecho anciano quebranta;
el niño que aplaude, ignora
que es más grande que el que llora
el infortunio que canta.   35

Poesías, 1852.
Quintillas.

EN EL ÁLBUM DE UN PEDANTE

> *Aqueses mountinos*
> *Qui tá haütes soun,*
> *Doundines,*
> *Qui tá haütes soun,*
> *Doundoun,*
> *m'empechen de béde*
> *Mas amours oün soun,*
> *Doundene*
> *Mas amours oün soun,*
> *Doundoun.*

Buen lector, si eso es francés
o griego, tú lo sabrás,
a mí me basta no más,
saber que epígrafe es.

Yo sé que presta grandeza   5
a toda composición
un extranjero renglón
colocado a la cabeza,

y de un libro que no entiendo
ese pedazo copié   10
para que esplendor le dé
a lo que estoy escribiendo.

Si esos son versos de Homero,
con que cite su poesía,
dirán que tiene la mía   15
mucho *espíritu guerrero*.

Si versos hebreos son
ese dundun y dundene,
¡qué sabor bíblico tiene,
dirán, la composición!   20

Si de Virgilio ¡Oh ventura!
¡Qué armonía imitativa
tendrán los versos que escriba!
¡Qué suavidad, qué dulzura!

    No trace usted, D. Fermín,   25
por la Virgen, ni un renglón
sin tener a prevención
alguna cosa en latín.

    Aunque ignore el castellano
ponga usted algo de griego,   30
buen amigo, y deje luego
correr sin miedo la mano.

    Si a un trozo de la Iliada
arrima sus garabatos,
no faltarán literatos   35
que le den una palmada.

    ¡Cómo si brotando, al fin,
bajo una hermosa palmera
menos miserable fuera
el espinillo ruin!   40

    Mas pues así lo han dispuesto
los hombres de nuestros días,
ahí cuatro galimatías
escribo, y cumplo con esto.

    Así de mi erudición   45
ninguno podrá dudar
cuando me vea citar
ese dundun o dondon,

    Que no me importa que esté
en francés, árabe o chino: 50
yo en un viejo pergamino
lo vi escrito y lo copié.

Poesías, 1852.

Cuartetas.

v. 4. *epígrafe:* 'encabezamiento'.
v. 7. *un extranjero renglón:* una cita en lengua distinta de la castellana.

EN EL ÁLBUM DE UNA QUE NO QUERÍA MÁS QUE LA FIRMA

Ruéganme que sin enojo
estampe mi firma aquí;
tomo la pluma, la mojo,
sacúdola y hago así.

Poesías, 1852.

Redondilla.

Pura boutade en la que el álbum y la moda social de la poesía incluida en ellos es el motivo que se poetiza de forma aligerada y breve.

EN EL ÁLBUM DE UNA SEÑORA QUE QUERÍA QUE ACABASEN LOS CONSONANTES EN ÍO Y EN ÍA

Señora, un álbum cuando yo me río
por la extraña y ridícula manía,
de escribir en los *Álbumes* poesía
teniendo tan *mal genio* como el mío;
ya que no encuentre consonante en ío,   5
ya que no acierte a rematarlo en ía,
un dolor soberano de cabeza
me ha costado escribir esta simpleza.

Poesías, 1852.

Octava real.

Coronado se presta al juego de rimas previas y obligadas que, años después (con la dificultad añadida de extender el recurso a la palabra entera, y no sólo al consonante) lograría ejercitar en un cierto número de sonetos, con motivo de una polémica mantenida con Amador de los Ríos (vid. «Sonetos de pies forzados en respuesta a otros de Amador de los Ríos», 1880). Como Carolina ha elegido para cumplir el encargo el diseño métrico de la octava, sale airosa de la prueba con un remate en pareado –así lo exige la susodicha estrofa– que es un leve, aunque eficaz, rasgos de humor.

EN EL ÁLBUM DE UNA SEÑORA QUE DESEABA QUE SE PUSIERA SU NOMBRE DENTRO DE UNA OCTAVA

Para poner, como pides, *dentro,*
sin que te escapes de la floja octava,
es preciso mirar cómo se clava
tu nombre, *Pepa Juana,* aquí en el centro;
si por fortuna consonante encuentro   5
para otro verso que termine en ava,
en esta octava que tu nombre encierra
quedas como debajo de la tierra.

Poesías, 1852.

Octava real.

Carolina no se puede sustraer a sacar partido del «caprichoso encargo» y acaba convirtiendo la severa estructura de la octava italiana en un verdadero epitafio.

EN EL ÁLBUM DE UNA SEÑORA QUE PEDÍA
VERSOS LARGOS Y CORTOS

Los versos más largos y aquellos más cortos
que tengan del arte las reglas concisas,
señora, aunque sean horribles abortos
decís que queréis en letras precisas;
Vos   5
Ni
Dios
A
Mi musa ignorante de tales hazañas
inspiran, señora, el grande talento   10
de hacer en el Álbum, con formas extrañas,
la rara poesía del genio portento
Que
Yo
No   15
Sé.

Poesías, 1852.

Dos serventesios.

Prolonga en este ejemplo Coronado los poemas de circunstancias
que poetizan sobre esas mismas circunstancias que los generan. En esta
ocasión Carolina critica explícitamente cómo el poema de álbum (o de
encargo) ha de plegarse, en ocasiones, a unos caprichosos propósitos pura-
mente superficiales o exageradamente manieristas que dan la espalda al
verdadero genio poético y a su mejor calidad. Como se señala en el apartado correspondiente de la Introducción, en este ejemplo Carolina utiliza
un metro –el dodecasílabo (en su modalidad de *dactílico*, salvo en el verso
primero)– que es verdaderamente insólito en su métrica, si bien es metro

frecuente en el Romanticismo. Por ejemplo, en varios pasajes de *El Estudiante de Salamanca* de Espronceda como este:

> *Luego un caballero de espuela dorada,*
> *airoso, aunque el rostro con mortal color,*
> *traspasado el pecho de fiera estocada,*
> *aun brotando sangre de su corazón.*

EN UN ÁLBUM QUE LLEGÓ DESPUÉS DE HABER FIRMADO OTROS CUATRO AQUEL DÍA

¡Vive Dios que es el siglo diez y nueve
de *Álbumes* tan fecundo semillero,
que a formarlos parece que se atreve,
el mismo Satanás hecho librero!
Así cuando al infierno se los lleve 5
para quemar allá a todo coplero,
luciremos con luces tan brillantes
que chispas brotarán los consonantes.

Poesías, 1852.

Octava real.

vv. 1-2: unos quince años antes de la posible fecha de composición de esta pieza «para un álbum», Mariano J. de Larra se hacía eco de la naciente «albumanía» en un artículo entregado a la *Revista Mensajero* (3 de mayo de 1835), del que me voy a hacer eco seguidamente en algunos de sus párrafos dedicados a diseccionar lo que era un álbum de la época: a) *definición:* «un enorme libro, en cuya forma es esencial condición que se observe la del papel de música. Debe estar, como la mayor parte de los hombres, por de fuera encuadernado con un lujo asiático, y por dentro en blanco» (...); «ese libroto es, como el abanico, como la sombrilla, como la tarjetera, un mueble enteramente de uso de señora, y una elegante sin *álbum* sería ya en el día un cuerpo sin alma, un río sin agua» b) *contenido y utilidad:* «No trata de nada; es un libro en blanco (...) Es un libro el *álbum* que la bella envía al hombre distinguido para que éste estampe en una de sus inmensas hojas, si es poeta, unos versos; si pintor, un dibujo, si es músico, una composición, etc. En su verdadero objeto es un repertorio de la vanidad» (...) «la mayor parte de los versos contenidos en él suelen ser variaciones de distintos autores sobre el mismo tema de la hermosura y de la amabilidad de su dueño. Son distintas fuentes donde se mira y se refleja un solo Narciso» (...) «viene a ser un *panteón* donde vienen a enterrarse en calidad de préstamos adelantados hechos a la posteridad una porción de notabilidades» (...) «y como se puede ser muy buen amigo y no tener ninguna especie de mérito, un *álbum* viene a ser frecuentemente más bien que un panteón, un cementerio, donde están enterrados, tabique por medio, los tontos al lado de los discretos, con la única diferencia de que los segundos honran al *álbum,* y éste honra a los primeros»; c) respecto a su *origen,* cuestión por la que también se interesa Coronado, Larra indica lo siguiente, desde la inteligente ironía que preside toda su disertación: el vano orgullo del hombre que se empeña en dejar huellas de sí por doquier, incluso rozando el más gratuito de los ridículos. Larra acude a la ayuda de Jouy, quien consideró *el álbum de la Gran Cartuja* (lugar en el que San Bruno ofrecía hospedaje a quienes atravesaban los Alpes, y dejaban plasmadas sus impresiones del sobrecogedor paisaje y de la generosa posada en una especie de registro) como «incontestablemente el padre y modelo de los *álbums*». Y concluye *Fígaro* con esta reflexión de la que hay ecos en las «quejas» de Carolina: «Si éste es el mueble indispensable de una mujer de moda, también es la desesperación del poeta, del hombre de mérito, del amigo. Siempre se espera mucho del talento, y nunca es más difícil lucirle que en semejantes ocasiones» (cito por *Artículos,* ed. de C. Seco Serrano, Barcelona, Planeta, 1964, pp. 448 y ss).

vv. 3-4: vid. la composición posterior titulada «En un álbum donde quería que le expresara quien fue el inventor del álbum», en la que se afirma una filiación muy parecida, y a todas luces exagerada.

LOS ÁLBUMES SON ETERNOS

¿Verdad que es triste que en el mundo todo
ceda a la ley de su exterminio fija?
¿No es verdad que es muy triste que se acaben
la juventud y la pasión, la vida;
que la beldad perezca y los amores   5
y que la gloria al fin también se rinda?
  ¿Qué cosa mirarán los ojos nuestros
que no tenga a su lado la ruina,
siquiera tronos esplendentes sean,
siquiera rocas de eminente cima?   10
  Solamente los *Álbumes,* señora,
—esa calamidad de nuestros días—
los Álbumes tan sólo son eternos
¡y eterna del poeta la desdicha!

Poesía, 1852.

Serie asonantada de endecasílabos en -ía.

v. 2. *a la ley* (...) *fija*: 'ley inexorable, inevitable'.

No siempre Carolina cede a la circunstancia que el encargo le obliga,
sino que en ocasiones aprovecha esa misma circunstancia para dar rienda
suelta a varias de sus fijaciones poéticas, como en este caso, al del acaba-
miento y muerte de todo cuanto con el hombre —belleza, juventud, amor,
poder, gloria la propia vida— se relaciona. Por ello se remata el poema con
una «gran verdad» desde la perspectiva del «dolor romántico» y otra gran
«boutade» en la que sí se juega con la circunstancia y lugar que enmarcan
este poema-lamento. Respecto a esa descalificación del álbum, vid. las dos
composiciones que flanquean la presente, en la misma sección del volumen de 1852.

EN UN ÁLBUM DONDE QUERÍA
QUE LE EXPRESARA QUIÉN FUE EL INVENTOR
DEL ÁLBUM

¿Quién inventó la poesía?
Y ¿quién los *Álbumes* hizo?
A la primera el demonio,
a los segundos su hijo.

Poesía, 1852.
Redondilla asonantada.

EN EL ÁLBUM DE UNA DAMA DE LISBOA.
EL TERREMOTO DE LISBOA

Las torres han temblado sacudidas,
las casas se han movido en sus cimientos,
las piedras y columnas desprendidas
hieren los inseguros pavimentos.
    ¡Mirad!... Mirad los templos derrumbarse   5
en masas enormísimas despresos
que abajo con estruendo al desplomarse
estallan de mil víctimas los huesos...
    Allá baja el anciano desplomado
de su morada envuelto entre el escombro,   10
allí el joven sostiene ensangrentado
el quebrantado cráneo sobre el hombro.
    Allá prensada expira la doncella
bajo ruina, aquí piedra furiosa
la tierra boca del infante estrella   15
contra el seno materno en que reposa.
    Allá generaciones desparecen
por horroroso incendio devastadas,
las negras llamas con el pasto crecen
de las hirvientes carnes abrasadas...   20
    Ruinas, incendio, súplicas, gemidos
alzan un hondo prolongado trueno,
¡ruinas, incendios, llantos, alaridos
la tierra absorbe en su rasgado seno!
    Cuando el estruendo horrible haya cesado,   25
cuando la luna venga tristemente
a visitar al pueblo sepultado,
veréis alzarse entre el escombro hirviente

mil sombras que gimiendo errantes giran...
¡Oh... no huyáis... no tembléis!... no son los muertos,   30
son huérfanos, son madres que suspiran
en torno a los sepulcros entreabiertos.

Poesías, 1852.

Serventesios.

v. 6. *despresos:* 'descuartizados', 'rotos'.

El desastre lisboeta que, de manera tan «expresionista» y sin ahorro de crudos detalles, recrea Carolina en este texto, fue el terrible terremoto, seguido de numerosos incendios, que asoló buena parte de la capital portuguesa en 1755. La ciudad fue reconstruida en 1760 por el Marqués de Pombal, con el oro procedente de las Minas Gerais. En un interesante texto en prosa, algo posterior (1875), titulado «Anales del Tajo», Carolina vuelve a evocar tan desastroso suceso para la capital portuguesa: *«En esos días y esas noches de espantosos cataclismos, cuando bramaban las concocavidades bajo las colinas y tú te levantabas encima de ellas, y la infeliz Lisboa temblaba y caía envuelta entre fuego y ruinas ¡cuántos suspiros de almas infelices has recogido en tu seno! Tú, sólo tú, sabes en qué profundidades se ocultan los ídolos y las urnas y las inscripciones que tantos pueblos del mundo fabricaron y escribieron para perpetuar el culto de sus dioses y la gloria de sus césares».*

Apéndice

En este APÉNDICE se recogen varios poemas que por distintos motivos he preferido separarlos del corpus general de la poesía coronadiana.

Los diez primeros los incluye el profesor Ruiz Fábregas en su tesis doctoral inédita sobre la poesía de Carolina Coronado, en donde indica que los transcribe de unos manuscritos, que él considera autógrafos de Carolina, aunque sin facilitar más indicaciones sobre tales manuscritos. Es en un artículo posterior (R. FÁBREGAS, 1981) en donde informa que dichos manuscritos, «propiedad del Conde de Canilleros, se hallaban en la biblioteca de su palacio de Cáceres, hasta la reciente muerte de este». En cualquier caso se trata de unos documentos que no he podido manejar personalmente cuando ultimo esta edición, por lo que la autoría de tales poemas la remito al juicio del profesor Ruiz Fábregas, quien en el mencionado artículo ya daba a conocer el texto de las poesías que en este APÉNDICE figuran con los números 2 y 3.

El poema colocado en undécimo lugar procede igualmente de la tesis de Ruiz-Fábregas, sin referencia alguna al lugar de edición, ni justificación de que el seudónimo «Sirio», con el que aparece firmado, se corresponda con la identidad de Carolina Coronado.

Los poemas 12 y 13 los tomo respectivamente del *Diccionario* de Díaz y Pérez y de la monografía de Adolfo de Sandoval.

Los ocho poemas numerados entre el 14 y 21 proceden de un álbum familiar –fechado en los primeros años del matrimonio Perry/Coronado– que he podido consultar en el Aula «Carolina Coronado», creada por el Obispado de Coria-Cáceres, en el Seminario de la capital cacereña, y dirigida por D. Melquiades Andrés y D. Justo Hermoso, a quienes agradezco desde estas páginas su colaboración y su confianza al facilitarme los documentos manuscritos autógrafos de Carolina que transcribo en este APENDICE

Se cierra este último apartado de la presente compilación poética con la transcripción de dos poemas escritos en elogio de la poetisa de Almendralejo.

1

A UN BUEN JOVEN ENAMORADO

La Poetisa:

    Virgen a ti me dirijo
en el nombre de un garzón
tan bello como tu hijo.
«Pregunta al cielo, me dijo,
si debe mi corazón   5
consagrarse a la pasión».
    Oh Virgen, tú, que eres guía
de la osada juventud
en esta demanda mía,
haz que suene tu voz pía   10
con solemne beatitud
sobre mi triste laudo.

La Virgen:

    Graciosa joven del cabello oscuro
que a mi torcías los ojos azulados,
por los brazos de Dios crucificados   15
y por su llanto y penas te conjuro
huyas la cruz donde hallarás seguro
martirios a tus abriles delicados,
que por ser tan hermosos y floridos
no deben con espinas ser prendidos.   20
    No te engañe la plácida sonrisa
ni te seduzca el armonioso canto,
que hay sonrisas que al hombre cuestan llanto
y cuesta un corazón, una poetisa.
La madre de Jesús el mal te acusa;   25
¡ah!, no desoigas su consejo santo,

que te habrá de pesar, garzón querido,
si a sus ruegos ¡ay Dios! no das oído.

Yo te amo, dulcísima criatura,
lo mismo que a los ángeles del coro   30
que en la gloria me cantan, y almo lloro
derramo al ver tu juvenil figura.
Por eso a ti con maternal ternura,
alma que de bondad eres tesoro,
quiero salvar del implacable fuego   35
a donde corres a abrasarte ciego.

Hay pasiones, garzón, en esa tierra
que todo lo destruyen, queman, talan
y no cesan jamás, hasta que exhalan
el alma las criaturas, de dar guerra.   40
Pasiones, ¡oh! en que el dolor se encierra
al cual mis sufrimientos no se igualan
porque en ellas lo humano y lo divino,
para doble rigor, mezcla el destino.

Y yo adivino en tus ojos vivísimos,   45
garzón, que si en el alma te enamoras
has de pasar más tormentosas horas
que yo he pasado por mi tierno hijo.
Por eso, aunque rompiéndolas te aflijo,
rompo tus ilusiones seductoras   50
y te pido, te ruego, te lo mando
que ceses en tu amor si estás amando.

La Poetisa:

Garzón, la Virgen María
nos ha respondido así
cuando humilde la pedía   55
la respuesta que debía,
a mi pesar, darte a ti.

Mas las sentencias del cielo
así vienen ordenadas
y, aunque me dan desconsuelo,   60
para mí son tan sagradas
que a las del mundo no apelo.

Placiérame que María
hablara en distintos modos
porque en ello ganaría 65
por los dos la ambición mía
y mi corazón por todos.

    Y te juro que a este fallo
viviré mal resignada
porque muy duro le hallo... 70
Pero es del cielo y me callo,
pues contra el cielo no hay nada.

(En una nota a pie del texto, Ruiz Fábregas fecha este poema en 1846, y deduce, por tanto, que por las razones que fuere la poetisa lo desestimó a la hora de preparar su recopilación de poemas de 1852. Pero ¿quedó al margen de dicho volumen de *Poesías* por voluntad propia, o por razones o circunstancias ajenas a la autora, como ocurre con el poema recogido en esta misma recopilación bajo el título de su primer verso «Yo en tristísimo gemido», que Carolina había remitido, en una de sus cartas, a J. E. Hartzenbuchs (1842), con la intención de que se sumase a los textos ya enviados para su edición, pero dicho texto quedó, a pesar de ello, inédito).

2

A JESÚS EN LA CRUZ

En buen hora guerrero valeroso,
el estandarte de la Cruz levantas
fuertes los pulsos... ¡ah!... firmes las plantas
derecho el talle y el andar brioso.
En buen hora, mancebo generoso,   5
la sangre brote de tus venas santas
que ese rocío en sus miserias tantas
fáltale a nuestro campo ignominioso.

Enclavada en tu frente cristalina
gallardamente esa corona asienta,   10
la luz que radia de tu faz contenta
en un lucero torna cada espina.
Bebe también la copa que destina
a tus labios la vil tumba sangrienta
que puede aún sustentar mayor afrenta   15
y más tormentos tu bondad divina.

Rompa el cutis el látigo cobarde,
traspase el duro acero el blanco lado,
tuerza la mano el clavo amartillado,
tueste la herida el sol que en cénit arde;   20
y en agonía dolorosa aguarde
muerte lenta tu cuerpo desgarrado,
que si has de salvar pueblo tan malvado
fuerza es que mucho tu martirio tarde...

Mas desangrado el cuerpo mortecino,   25
agonizando así en esta Cruz alta,
¡ay!, a la madre espíritu le falta
para ver al amado hijo divino.

Por la que te nutrió en pecho argentino,
por la congoja que su cuello asalta,
por el delirio que su mente exalta
que presto al cielo emprendas tu camino.

3

A...
EL CANTO AHOGADO

Por un poco de cobre el jornalero
remueve de la tierra el seco poro,
de su azada, tal vez, cuando el acero
topa en la tierra con entrañas de oro.
De sed rendido asiéntase el viajero   5
sobre la peña que en raudal sonoro
mil dulcísimos hilos de agua cana
allá en su centro a borbotones mana.

Glorias anhelas nuestra patria, amiga;
mas, ¿dónde el sabio que a mostrarle viene   10
al genio oscuro que en su entraña abriga,
al genio oculto que a sus plantas tiene?...
Ahogada entre malezas cae la espiga
antes que de su fruto se rellene,
antes que a España dé tu canto gloria,   15
doncella, muere sin dejar memoria.

Muere sobre enrollado pergamino
que llamarada viva desvanece;
tú apartas con desdén de tu camino
el laurel que a tus plantas crece,   20
y por mofa tu genio peregrino
humo en lugar de incienso al mundo ofrece.
¡Ay cuánto mal el mundo hizo a tu vida
cuando del mundo estás así ofendida!

Es que allá en tu niñez te sofocaron   25
la dulce y clara voz de tu poesía;
es que en tu juventud no la escucharon
y está tu lira despechada y fría;

es que las gentes junto a ti pasaron
sin mirar a la estrella que en ti ardía;   30
es que en este lindel triste de España
es la mujer, poeta, planta extraña.

    ¡Oh transportad los lirios, jardineros,
que en aquel matorral salvajes crecen;
ved que lastiman los zarzales fieros   35
su delicado pie, ved que fenecen.
Transplantarlos a huertos placenteros
donde el rosal, donde el jazmín florecen;
veréis cómo su corola sencilla
de triples hojas circundada brilla!...   40

    Tarde vendrán, doncella, a este retiro
los sabios del espíritu doctores
que comprendan en un vago suspiro
del genio infortunado los dolores;
santos venir hacia nosotros miro   45
los sabios que un alivio en sus rigores
han de prestar al genio desdichado
que muere entre nosotros ignorado.

    ¡Ay!, cuando lleguen, ya la yerba triste
de los sepulcros, sobre ti nacida,   50
guardará con el arpa en que gemiste
la dolorosa historia de tu vida.
A esta generación nuestra que existe
no alcanzará a salvar ya la venida
de aquellos del espíritu doctores   55
que han de aliviar del genio los dolores.

A PERICO

Hay momentos en la vida
en que dejamos la calma,
por una dicha mentida,
porque el placer nos convida
y seduce nuestra alma.   5

Que alguna vez la razón
más débil que las pasiones
no domina al corazón,
que se arrastra a la ilusión,
y a las fuertes sensaciones.   10

Y faltando a los deberes,
en nuestra ciega locura,
preferimos los placeres
a la dicha de otros seres
que llenamos de amargura.   15

Y seres, ¡ay! que nos dieron
la vida, bienes y honor,
que tiernos nos bendijeron
y que tan sólo obtuvieron
olvido en pago a su amor!   20

Y cuando huyó la ilusión
y con ella nuestra gloria,
nos queda de la pasión
lágrimas al corazón,
amargura a la memoria.   25

Y la impresión amorosa,
que sedujo nuestra mente
se nos presenta enojosa,

que, por falsa y peligrosa,
bañó de dolor la frente.   30

    Acaso una tierna amiga
conceda benigno el cielo
que el dolor que nos fatiga
y el llorar de desconsuelo
su dulce amistad mitiga.   35

    Tú, que lloras mil pesares,
porque tu suerte es impía
que enmudeció tus cantares
y arrebató tu alegría.

    Ya nada a tu mente inspira   40
que el dolor ciñe tu sien,
yace olvidada tu lira
que triste llora también.

    Quizá a escuchar mi acento
y mis votos de ternura   45
se aliviará tu tormento,
y calmará tu amargura.

    Ojalá que venturoso
llegue un tiempo para ti,
en que respires dichoso   50
cual otro tiempo te vi.

    En que olvide tu memoria,
para nunca más volver,
la triste y amarga historia
que causó tu padecer.   55

    Sé que benigno señor
mis ruegos acogerá,
y acabará tu dolor,
y tu dicha empezará.

A PEDRO, CONTESTANDO A UNA PREGUNTA

Si escuchas una voz de dulce acento
de inspiración sublime de armonía,
que arrebata la mente, que extasía,
y que ayes de dolor exhala al viento,

no se detenga, no, tu pensamiento   5
para dudar quien es el que lo envía.
Si canta los desdenes de Dalía,
de tu amigo será aquel triste acento.

Escucha con ternura sus cantares
y que en tu seno encuentren dulce abrigo   10
su llanto, su amargura y sus pesares.

No le apartes jamás de tu memoria;
sé siempre su tierno y fiel amigo,
y caminad entrambos a la gloria.

A LA VIOLETA

Ostentan al brillar de la mañana
su belleza y su gala cada flor,
ya los matices de luciente grana,
ya esparciendo su cáliz dulce amor.

Tú sola entre tus hojas escondida   5
y en un rincón, violeta, retirada
pasas modesta tu ignara vida
sobre tu breve tallo colocada.

Nadie te ve; en el jardín perdida
sólo busca tus hojas el rocío   10
que con sus frescas gotas te convida
a templar los ardores del estío.

Y acaso conocida del poeta
por modesta, por triste y delicada
irás a adornar; pura violeta   15
la corona al talento consagrada.

O en ti prefiera la mujer hermosa
un adorno a su sien cándida y pura,
al verte recatada y pudorosa,
ocultando tu tallo y tu frescura.   20

Y aumentarás su brillo y su belleza
y al laurel del poeta el resplandor.
Que si vistes colores de tristeza
y no exhala tu cáliz dulce olor;

si inclinada hasta el suelo tu cabeza,   25
no saludo el albor de la mañana,
tu modestia, recato y la pureza
te presentan hermosa y más lozana.

A LA LUNA

¡Qué noche tan serena y cuán hermosa
sigue su curso la plateada luna!...
Apenas una nube misteriosa
oscura su fulgor ni la importuna.

Yo la contemplo toda embebecida   5
al verla tan modesta, pura y bella,
y tan sólo distrae el alma adormecida
el rápido girar de alguna estrella.

Cuando en el disco de su luz intento
seguir la huella a su constante paso,   10
se pierde entre su esfera el pensamiento
como se abisma el sol en el ocaso.

La mente voladora y atrevida
quisiera remontarse a ese hemisferio,
y un instante del mundo desprendida   15
penetrar en su mágico misterio...

Pero ¿no basta, ¡oh luna! el contemplarte
sin descubrir tu inescrutable arcano?
¿No le basta a la mente el admirarte
sin llegar a tu trono soberano?   20

Esa pálida luz, tu dulce calma,
tu sereno y grandioso movimiento,
son hartas ilusiones para el alma
que agota al admirarte el sentimiento.

Ni en la mañana con su sol brillante,   25
ni en la tarde de alegre primavera
sintió mi corazón un sólo instante
la profunda emoción que en ti sintiera...

¡Cuánto adoro tu luz cándida luna!...
Cuando comprendo en ti mis ilusiones,   30
¿qué importa el ignorar cuál fue tu cuna
y que alumbres más bella otras regiones?

¿Si en la tranquila noche silenciosa
inunda al universo tu luz pura,
y tu sacra inspiración canta amorosa   35
la cítara de oro tu dulzura?

Por eso aguardo con ansioso anhelo,
que desparezca el sol, se oculte el día,
por mirar ostentarse en ese cielo
el astro encantador que me extasía.   40

Que si entonces el cáliz de las flores
no exhala sus balsámicos aromas,
ni el ruiseñor trinando sus amores
responde al suspirar de las palomas.

Tu desmayada luz aún más inspira,   45
y por eso quisiera, astro divino,
en blando acento revelar mi lira
la mística ilusión que en ti imagino...

Mas pienso luego que la muerte un día,
con el brazo de hierro inexorable,   50
su presa hará de la existencia mía
para hundirla en el polvo miserable.

Y estará por siempre a mi pupila
el celestial placer de contemplarte...
Y una voz, y una lágrima vacila   55
y una vez y otra vez vuelva a mirarte.

LA INDIFERENCIA

Yo también como tú veo sin amores
deslizarse mi vida indiferente;
mis sueños sin colores
ni placer ni dolor dan a mi frente.

El pecho siempre en adormida calma   5
no delira cual antes en ficciones
que destruyó del alma
la triste realidad, las ilusiones.

¡Ilusiones fantásticas! Que un día
con aparente brillo se ostentaron   10
y con negra falsía
sólo una nube de dolor dejaron.

Ya destruido su engañoso encanto
y a su memoria misma desprendida
sin placeres ni llanto   15
pasan las horas de mi triste vida.

Que es triste respirar en aura pura
el perfumado aliento de las flores
contemplar la dulzura
de la luna y del cielo sin amores.   20

Y la sonrisa dulce de la aurora
cuando se anuncia el sol en el oriente
y la faz seductora
de las campiñas a su luz ardiente.

Y las brillantes gotas de rocío   25
que del prado las flores embellecen,
y en el bosque sombrío
entre las tiernas hojas se estremecen...

Muda el alma indiferente
el sueño inerte adormida   30
de los goces desprendida
indiferente a vivir,
contempla la flor y el cielo
con estúpida mirada
de lo presente olvidada,   35
del pasado y porvenir.

En otro tiempo en mi mente
vagaban dulces, risueñas
imágenes halagüeñas
que me hicieron delirar.   40
Y me era grato en la tarde
respirando el fresco ambiente
ver al sol en occidente
sus rayos al ocultar.

Y al vestirse el firmamento   45
en la noche sosegada
de mil estrellas dorada
entre azulado color,
entonaba yo en mi lira
mi cantilena amorosa   50
de la luna misteriosa
al apagado fulgor.

Y la voz de mis cantares
en el viento se perdía
y un suspiro respondía   55
y otra voz entre el verjel
otra voz que revelaba
la armonía seductora
en la cítara sonora
de enamorado doncel...   60

¡Oh cuán bello en noche clara
cuando todo está sereno
de ilusión el pecho lleno,
de amores el corazón,
escuchar sentidas trovas!...   65
Mirar la luna tranquila

que refleja en la pupila
tierno llanto de pasión!...
    Todo pasó, que su encanto
fue un ensueño solamente! 70
Yo le lloré tristemente
pero después le olvidé,
dejándome el desengaño
por aliño a mi existencia
la calma, la indiferencia 75
que en un tiempo desprecié.

9

A ESPARTERO

En un tiempo de luto en que la España
en guerra atroz y sanguinaria ardía,
y al golpe aleve de enemiga saña
el trono de Isabel se estremecía,
en lucha horrenda, en confusión extraña   5
la sangre de mil víctimas corría.
¿Qué del cobarde fue?, ¿qué del valiente?:
La tumba abierta los tragó igualmente.

Lloraba triste una nación entera,
la madre al hijo en soledad lloraba,   10
y allá su mente con angustia fiera
moribundo tal vez le retrataba;
la triste virgen que orfandad gimiera
ni aún segura en su hogar se contemplaba;
que la mujer, el niño y el anciano   15
eran presa igualmente del tirano.

Marchaba Carlos con la erguida frente,
con sus mentidos triunfos y victorias,
temerario y feroz sin ser valiente,
ostentando el baldón de sus historias   20
digno caudillo de su odiosa gente,
príncipe digno de sangrientas glorias
que quiso hollando las sagradas leyes
colocarse en el trono de los reyes.

Do quier sembraba la infernal cuadrilla   25
la muerte y destrucción, un mal de llanto,
y al descargar rabiosa la cuchilla
proclamaba de Dios el nombre santo.
El falso rey que pretendió a Castilla

salpicando de crímenes el manto 30
mientras alzaba la plegaria al cielo
mandaba destrucción al patrio suelo.

    Mas su pudor se hundió; la justa mano
rayo potente desde el cielo envía
que destruyó con golpe soberano 35
el rojizo pendón de rebeldía:
y su fuerza acabó. Su orgullo insano,
y el usurpado nombre, y la osadía,
y la sangre vertida al inocente
gota a gota cayó sobre su frente. 40

    ¿No visteis en la Iberia alzarse osado
genio sublime que la lid decide,
al español valiente y esforzado
que con rebeldes mil sus fuerzas mide?
¿Que en tal lucha mortal jefe o soldado 45
doquier se encuentra, por doquier preside?
¿Al fuerte, al bravo, al inmortal guerrero
de pecho noble y de atrevido acero?

    ¿No admirasteis al héroe que animoso
en el recio fervor de la pelea, 50
formidable a la paz que generoso
de la discordia holló la horrible tea?
¿El intrépido brazo poderoso
que la cobardía entre enemigo crea
y a la admirada faz de Europa entera 55
muestra glorioso la triunfal bandera?

    Impávido se alzó, con voz sonora
cese la sangre ya, gritó elocuente;
hartos desastres nuestra patria llora,
harto tiempo gimió en luto doliente; 60
si aún la piedad en vuestro pecho mora,
si teméis a ese Dios omnipotente,
tomad la paz, mi corazón la ofrece:
¿cuál los blasones de español merece?

    Y los buenos sus votos abrazaron, 65
y los malos huyeron confundidos,
porque injustos y fieros se ostentaron

y sordos de la gloria a los gemidos:
los que nobleza y corazón mostraron
ni vencedores fueron ni vencidos,
hijos que vuelven de la madre al seno
de gratitud y amor el pecho lleno.

  ¡Salve nuncio de paz! ¿Qué más ventura
soñar pudiera tu ambiciosa mente
que escuchar por do quiera de fe pura
de gratitud más viva el himno ardiente,
sin que la envidia con su lengua impura
ni la calumnia odiosa te amedrente?
¡Y contemplar la dicha encantadora:
la bendición de un pueblo que te adora!

  Escucha ese rumor... Es que te aclama
el grito universal del pecho ibero.
Revela el labio la encendida llama
que en tierna gratitud muestra sincero:
son los ecos eternos de la fama
que repitiendo el nombre de Espartero,
tu virtud y valor do quier pregona,
formando el esplendor de tu corona.

  ¡Salve nuncio de paz! Iris radiante
que torna a España la quietud perdida,
el fiel caudillo, el adalid triunfante
de ilustres hechos, de gloriosa vida!
¡El que a su reina consagró anhelante
la frente augusta de laurel ceñida...!
¡Salve, Duque feliz de la Victoria,
gloria a tus triunfos, a tus gentes gloria!

10

A LA NOCHE

Descansa, ¡oh noche! el agriado mundo
en sosegado lecho adormecido
entregando sus penas al olvido
soñándose feliz,
sin ambición, sin gloria y sin pesares.   5
Suspendida del hombre la existencia
ni al criminal asusta la conciencia
ni llora el infeliz.

No llora entonces porque el sueño amigo
mientras que ofrece a su dolor mudanza   10
le alienta con benéfica esperanza
de mentido placer;
y en lánguido estupor abandonado
entrega los azares de la suerte
a esa embriaguez tranquila cual la muerte   15
en que olvida su ser.

Duerme en tanto el impío que la noche
tiende el velo de paz que le importuna
porque le ofrece de la blanca luna
el cándido arrebol;   20
y el opulento en su dorado lecho
también desdeña a su pasión vacía
la noche que a su loca fantasía
esconde el rojo sol.

Mas vela si quien a su mente pide   25
una ilusión que acalle su quebranto
mientras acoge en su tranquilo encanto
la noche al corazón;
y fija sus miradas en el cielo

y en la apagada luz de las estrellas   30
que no escarnecen lagrimosas huellas
que dejó la aflicción.

    ¡Noche blanda y sosegada!
¡Lánguida luna amorosa
de blanca nube cercada   35
que trasluce candorosa
tu dulce y tibia mirada!...
Alejad ¡ay! de mi mente
la imagen de mi dolor
que me persigue inclemente   40
que sella mi triste frente
con amarillo color.

    En vuestra calma y dulzura
dad alivio a mi aflicción
y que enjugue el aura pura   45
este llanto de tristura
que derrama el corazón.
Confidente de mi pena
solitaria y tierna amiga...
no escondas la faz serena,   50
inspira la cantilena
que mis pesares mitiga...

    Huyen las sombras que ante mí vagaban
y es tranquila mi voz, dulce mi llanto.
Tienes, ¡oh noche! indefinible encanto   55
que halaga a mi existir.
Pasan tus horas a mi lira breves...
¡De soledad tus horas silenciosas!
Tu calma y tu grandeza misteriosas
de la estrella el lucir.   60

    ¡Ay! cuando el mundo se levante alegre
a saludar la luz del nuevo día,
sola mi pena se ahogará sombría,
mi llanto secaré.
Porque tu luz de esplendoroso brillo   65
insulta mi dolor, nada me inspira;
sol, cuando vuelvas guardaré mi lira,
y sola sufriré.

11

AMARGURAS

Hijo, no rey, te llama tiernamente
el alma desgarrada,
que recuerda tu acento balbuciente
en la dicha pasada.

Cordero sin mancilla te escogieron   5
con mano atentatoria,
y de errores y crímenes te hicieron
la víctima expiatoria.

Cavaron en el trono horrendo abismo
para tu raza eterna,   10
y hoy temblando a las huestes del carlismo
hacen de él su trinchera.

Rey de la turba que a tu madre envía
a infamante destierro,
el cetro que te dio la rebeldía   15
es de su marco el hierro.

Si era verdad lo que de ti contaron,
¿por qué llevas corona?
Y si a tu madre infames calumniaron,
¿por qué el rey les abona?   20

¿Es tu madre y no puede ella a Castilla
volver, ni a sus hogares?
¿Y llaman rey al hijo que mancilla
los sacrosantos lares?

Por eso en las montañas de la Estella   25
otro rey se levanta,
mientras te ciñe el monstruo de Morella
la cuerda a la garganta.

Por eso a combatir con los puñales
se levantan los bandidos,   30
y prepara la Europa funerales
a los pueblos caídos.

Dios, sólo Dios, de nuestra propia saña
a España salvar puede:
¿quién sabe si borrado el nombre España   35
en las naciones quede?

(Copio este poema de las pp. 345-346 de la tesis doctoral de Ruiz
Fábregas, del que dice el citado estudioso que «aparece firmada esta poesía
con el nombre de "Sirio"», seudónimo de Carolina Coronado muy pocas
veces usado). Dicho seudónimo —«Sirio»— hace referencia, como es sabi-
do, a una estrella de la constelación del Can Mayor. El poema debería fecharse hacia 1875, cuando se restaura la dinastía borbónica en la figura de
Alfonso XII. Carolina hace mención a la sospechosa postura de quienes,
como Cabrera (mentado en la aposición «monstruo de Morella» del v.
27), se habían pertrechado tras la bandera monárquica que antes —destronamiento de Isabel II— habían arrojado a «horrendo abismo» (v. 9). En el
verso 25 se hace referencia a la perduración de la corte del pretendiente
carlista en la ciudad navarra de Estella, plaza que cayó en poder de las tropas de Martínez Campos a comienzos de 1876, circunstancia que hace
aún más probable la fecha de redacción de este supuesto poema de Carolina no más allá del mismo año 75).

A LA MEMORIA DEL SABIO ARIAS MONTANO

La más pura, naciente y rica vena
que fresca inunda y reverdece el llano,
brota ignorada entre menuda arena
y crece y corre y llega al Océano.

¡Oh hermoso Fregenal! ¡Oh fuente amena,   5
manantial del espíritu cristiano,
que en triples lenguas difundió Montano
por donde el canto bíblico resuena!

De una humilde mujer que en ansia ardiente
por tus campos cruzó, sola y sin guía,   10
para beber en la gloriosa fuente,

acepta con amor la ofrenda pía;
que a la ciencia llegar no pudo el labio
pero bebió en su fe la fe del sabio.

(Este poema, sin otras indicaciones editoriales, lo facilita Díaz y Pérez en su *Diccionario de Autores, Artistas e Ilustres Extremeños,* en la entrada correspondiente a Carolina Coronado, vol. I, p. 162, columna B). Lo presenta así el conocido polígrafo: «Una de sus últimas composiciones la dedicó a Arias Montano, con motivo de las fiestas que en 1881 se hicieron en Fregenal en su nombre», por lo que hay que deducir que dicho año es también el de la redacción del soneto.

Anotando este soneto, hay que decir que, en efecto, Arias Montano nació en el pueblo pacense de Fregenal de la Sierra, en 1527. En 1568 –como refiere el texto en sus versos séptimo y octavo– se le encargó al gran filólogo una edición de la Biblia políglota o *Biblia Regia o de Amberes,* que no era otra cosa que una reedición de la *Políglota complutense.* La labor del editor consistió en compulsar varios códices y añadió nuevos textos, y diversos comentarios eruditos al texto bíblico, lo que le mereció una denuncia ante la Inquisición).

13

¡Oh mi España! ¡Oh mi patria! ¡Oh templo augusto
de piedad y de honor! ¡Oh pura gloria,
a quien le rinde su holocausto justo
de admiración y de virtud la Historia!

(Este breve poema –o fragmento de poema– se puede leer en el libro
biográfico sobre Carolina de Adolfo de Sandoval, p. 146).

Cansada del combate de la suerte
por desgracias profundas abatida,
si reaniman estos campos aún mi vida
la debo, Horacio, a la ilusión de verte

Inútil para mí toda existencia   5
que no alienta tu voz y tu mirada.
El día en que me escondas tu presencia
del mundo para mí no queda nada...

Hoy sólo al escucharte me estremezco...
No te apartes de mí; dame tu mano.   10
Demos presto la vuelta del castillo
porque aquí, de verdad, estoy temblando.

Pero arranca esa roja clavellina
que sobre este peñón nacer ha osado
y de este bello, seductor paseo   15
para recuerdo la pondré en tu álbum.

Así tus hojas, que a perderse irían
mañana mismo sobre el mar insano,
guardadas vivirán por tu cariño,
salvándose dichosas del naufragio.   20

Ese es el mar de nuestro amor testigo
en los primeros días
de Gibraltar, cuando pasé contigo
dulces melancolías.
Muchas penas cruzaron por mi alma   5
desde aquellos momentos;
y es engañosa la aparente calma
hoy de mis pensamientos.
Pero te amo, y repetirte ansío
en medio de los mares   10
que eres siempre y serás, Horacio mío,
aquel de mis cantares.
Unas veces el rayo de la luna,
 otras la hirviente ola,
otras el blando sonreír del niño   15
que jugaba en su cuna.
Otras la nube de color rosado
o el errante lucero
o aquel trino del pájaro ignorado
que emigraba el postrero.   20
....

(avisan para ir al vapor que sale esta noche para
San Sebastián)

Santander, 3 de agosto

DE MI HUERTA DE ALMENDRALEJO.
LA CASA EN DONDE NACÍ

Esta es la casa, hermano de mi alma,
y este es el huerto con los dos parrales
que dieron a tu cuna y a la mía
sombra con sus fresquísimos ramajes.
En la deshecha tempestad del mundo,   5
¡desgraciado de ti!, tú naufragaste.
Yo en una tabla me salvé, y llorando
vengo a ver el hogar de nuestros padres.

DE LA FUENTE DE LAS ADELFAS

La fuente de las adelfas
tu presencia ha consagrado.
Los sueños, que aquí he soñado
tú vienes a realizar;
esta flor de zarza-rosa
es prenda de mis amores,
y es entre todas las flores
la que más debes amar.

Jarilla, 1º de mayo de 1857

EN UN ÁLBUM DE ALMENDRALEJO

Sólo mi tierra querida
pudiera hacer recordar
a esta alma dolorida
cómo se escribe un cantar
cuando el escenario se olvida.   5
    Pero no es mi tierra, no,
que ya la tengo olvidada,
la que el ánimo me dio;
es que vengo a verla yo
de tu amor acompañada.   10

Badajoz, abril, 13, 1857

DEL CASTILLO DE LA MOTA

¡Oh, qué horrible es el mar! Pero recuerdo
que antes le amaba... sí...; ya no le amo:
desde que a ti te amo, Horacio mío,
no puedo, sin temor, contemplarlo.
    Era yo, cuando sola, más valiente;   5
quise entonces cruzar ese océano,
y muchas veces en la frágil barca
floté en sus ondas sin sentir espanto.

San Sebastián, 18 de septiembre

Aquí, a la orilla del tranquilo Sena,
como en medio de mares bramadores
te jura el alma de ternura llena
que eres siempre el amor de mis amores.

No sé cantar como cantaba un día.   5
Faltó la débil voz a mi garganta.
Y el corazón, Horacio, jamás canta
cuando el amor absorbe su armonía.

Pero te escribo porque nunca ignores
que aunque versos hermosos no te escriba   10
siempre tendré un acento mientras viva
para llamarte amor de mis amores.

Si alejarte de mí quiere la suerte,
que estos versos te sirvan de memoria;
tu recuerdo será mi sola gloria   15
hasta el instante mismo de mi muerte.

Y entonces, en mitad de los dolores,
que sufra en el tormento de agonía,
¡ay!, la postrera voz del alma mía
será para el amor de mis amores.   20

Carolina

París, 6 de julio de 1852

(la primera estrofa había tenido otra versión anterior, en este texto fechado en Gibraltar, en abril del 52):

Aquí, en mitad de los solemnes mares,
y de Dios en los brazos protectores
te juro que, aunque ingrato me olvidares,
serás siempre el amor de mis amores.

Carolina

A MI HORACIO

Cubierto estaba con la nieve el suelo
y yertas de raíz todas las flores
cuando tu pobre madre los dolores
sufrió por ti con amoroso anhelo.

Ella comprende, Horacio, desde el cielo   5
la fe con que saludo estos albores;
ella comprende, Horacio, mis amores,
mis penas, mis placeres, mi desvelo.

Tú, oh madre, que en la luz nos acompañas
aunque el alma en la tierra no te vea,   10
aparta de mi amor sombras extrañas.

Haz que en mi eterno amor mi Horacio crea,
y el hijo que nació de tus entrañas
bendito siempre entre los hijos sea.

23 de enero de 1854

DOS COMPOSICIONES EN ELOGIO DE CAROLINA CORONADO

a) de José de Espronceda:

*«A Carolina Coronado después de leída su
composición «A la palma»*

Dicen que tienes trece primaveras
y eres portento de hermosura ya,
y que en tus grandes ojos reverberas
la lumbre de los astros inmortal.

Juro a tus plantas que insensato he sido   5
de placer en placer corriendo en pos,
cuando en el mismo valle hemos nacido,
niña gentil, para adorarnos, dos.

Torrentes brota de armonía el alma;
huyamos a los bosques a cantar;   10
dénos la sombra tu inocente palma,
y reposo tu virgen soledad.

–Mas, ¡ay!, perdona, virginal capullo,
cierra tu cáliz a mi loco amor;
que nacimos de un aura al mismo arrullo   15
para ser yo el insecto, tú la flor.

El Piloto, 1839

b) Sixto Saenz de la Cámara:

*«A la inspirada poetisa, la señorita
doña Carolina Coronado»*

Flores te diera, si a mi inquieta mente,
la llama sacrosanta luminara,

y un altar a tu nombre levantara,
de la fama en el templo refulgente.

    Mas mi cítara débil e impotente,   5
si a tanto, Carolina, se lanzara,
¿cómo es posible que ensalzar lograra
tu genio creador y prepotente?;

    pues no me es dado los divinos sones
de la tuya imitar, seré discreto,   10
que no prodiga Dios tamaños dones:

    pero acoge, aunque sea así en concreto,
en prueba de mi fe, mis intenciones,
y en prueba de amistad, este soneto.

(*El Defensor del Bello Sexo,*
8 de marzo de 1846).

ÍNDICES

ÍNDICE DE TÍTULOS DE LOS POEMAS Y DE PRIMEROS VERSOS

Los títulos de los poemas figuran en cursiva, y los primeros versos en redonda

ÍNDICE DE REVISTAS Y PUBLICACIONES COLECTIVAS EN LAS QUE SE INCLUYÓ POEMAS DE CAROLINA CORONADO

Album Cristiano
Album del Bardo (1850)
Album Calderoniano
El Album de las Familias
El Album Ibero-Americano
El Album de Momo (1847)
Album Religioso (1848)
Almacén de Frutos Literarios
Almanaque de El Museo Universal (1862)
Almanaque Político y Literario de *La Ilustración* para 1861
Almanaque Político y Literario de *La Iberia* para 1862
La América (Crónica Hispanoamericana)
El Angel del hogar
Archivo Extremeño
El Bardo. Periódico mensual de literatura
La Coalición
La Cruzada (Revista semanal de ciencias, literatura y artes)
El Conservador
Corona poética dedicada por la Academia de Bellas Artes a Alberto Lista
Corona poética dedicada a Francisca Madoz (1850)
El Defensor del Bello Sexo
El Domingo. Lecturas piadosas y entretenidas
La Elegancia
El Entreacto
La Epoca
El Español (El Conservador)
Gaceta Literaria y Musical de España
El Genio
El Heraldo
El Heraldo de Madrid
Los hijos de Eva (Semanario de Literatura, Ciencias y Artes)
La Iberia (Madrid)

La Iberia Musical (La Iberia Musical y Literaria)
La Idea (Badajoz)
La España (Madrid)
La Época (Madrid)
La Ilustración
La Ilustración». Album de las Damas
La Ilustración Española y Americana
La Ilustración Musical y Literaria (*Gaceta de Teatros*) (1844) (1845)
El Jardín
El Laberinto
El Liberal Extremeño
La luna
El Museo de las familias
El Museo Literario
Los Niños
Nuevo Diario de Badajoz
La Patria
El Pensil del Bello Sexo
El Piloto
El Renacimiento
Revista Española de Ambos Mundos
Revista de Andalucía
Revista de Extremadura
Revista Literaria del Avisador de Jaén
Revista de Teatros
La Risa
Semanario Pintoresco Español
Sevilla Mariana
El Vergel de Andalucía